Oscar class

Natale 1996
From
Daddy

Buona Lettura

Aldo Palazzeschi

Sorelle Materassi

ARNOLDO MONDADORI
EDITORE

© 1960 Arnoldo Mondadori Editore S.p.A., Milano

I edizione giugno 1960
I edizione Oscar Mondadori novembre 1968
I edizione Oscar classici moderni febbraio 1990

ISBN 88-04-33120-3

Questo volume è stato stampato
presso Arnoldo Mondadori Editore S.p.A
Stabilimento Nuova Stampa - Cles (TN)
Stampato in Italia - Printed in Italy

Ristampe:

6 7 8 9 10 11 12 13

1995 1996 1997 1998 1999

Aldo Palazzeschi

La vita

Aldo Giurlani, in arte Aldo Palazzeschi, nasce a Firenze il 2 febbraio 1885, da Alberto Giurlani e Amalia Martinelli, che allora abitano in via Guicciardini. Il padre, agiato commerciante di stoffe, è proprietario di molti negozi di abbigliamento, fra cui quello famoso all'inizio di via Calzaioli. Qualche anno dopo i Giurlani si trasferiscono in un grande palazzo di piazza Beccaria, dove Aldo vivrà come un ragazzo esemplare fino alla morte dei genitori. Figlio unico, per seguire i desideri del padre, che sperava diventasse un abile uomo d'affari, frequenta l'Istituto Tecnico "G.B. Alberti", diplomandosi ragioniere nel 1902. Nel novembre dello stesso anno frequenta la Regia Scuola di Recitazione "Tommaso Salvini", diretta da Luigi Rasi, che sorgeva in via Laura. Qui ha la ventura di avere come compagni di studio Gabriellino d'Annunzio, figlio del "Vate", e Marino Moretti, suo coetaneo, al quale lo legherà per più di settanta anni un'amicizia memorabile ed esemplare. Il teatro e l'amico, che lo aveva ribattezzato "Baronetto" per le sue distinte maniere o "Barone del Cedro", per via del personaggio goldoniano che interpretava, metteranno Palazzeschi sulla "strada buona", che per lui era quella della poesia. Nel 1905, anno di pubblicazione del suo primo libro di versi (*Cavalli bianchi*), decide di cambiare il cognome, adottando quello della nonna materna, che si chiamava Anna Palazzeschi. Il volume viene stampato presso la tipografia Spinelli e C. a spese e a cura dell'autore. Il suo primo editore, Cesare Blanc, di via Calimara 2 a Firenze, era, quindi, una poetica e capricciosa novità di Palazzeschi, il quale dopo una serie di rifiuti da parte degli editori, decide di inventare un nome fittizio, che era poi quello del suo gatto. Nel 1906 Palazzeschi debutta con il dramma di Sardou *Dora o le spie* nella compagnia che Virgilio Talli aveva allestito con la collaborazione di giovani attori, fra cui Lyda Borelli. Le recite si davano al Teatro Duse di Bologna, ma l'autore le diserterà ben presto per tornare a Firenze. L'arte della recitazione, comunque, segna l'evoluzione del futuro scrittore, il quale – come disse Montale – inventerà non soltanto i personaggi dei suoi romanzi, ma lo stesso personaggio Palazzeschi. Tra il 1905 e il 1908 esce il libro di poesie *Lanterna* (1907) e il romanzo *Riflessi* (1908).

Nel 1909, pochi mesi dopo la pubblicazione dei *Poemi*, sempre per i tipi del "gatto" Cesare Blanc, Filippo Tommaso Marinetti legge il poema *La Regola del Sole*, uscito sulla rivista « Poesia » e gli propone subito di collaborare al Movimento Futurista. L'adesione di Palazzeschi sarà la prima ed ultima adesione del poeta ad un gruppo. La sua reazione all'ambiente provinciale e letargico, "fossilizzato in vecchie formule o aspirazioni solo rivolte al passato [...]; imbevuto di rettorica fino nel midollo e gonfio del proprio sapere come d'aria", sfocia così in una sorta di poetica del riso, che descrive la quieta anarchia di un giullare, "folle" o "buffo" che sia, nei confronti di una società dominata da una serie interminabile di divieti. Per le Edizioni Futuriste di « Poesia », Palazzeschi pubblica *L'incendiario* (1910) e *Il codice di Perelà* (1911).

Il 29 dicembre 1913 esce per conto della Direzione del Movimento Futurista il Manifesto di Palazzeschi intitolato *Il Controdolore*. L'autore stesso specificherà in seguito che il titolo originale del Manifesto era *L'antidolore*. In una lettera a Maria Luisa Belleli egli scrive: "Quando lo consegnai a Marinetti lo lesse davanti a me tutto d'un fiato – alla fine mi abbracciò. Il manifesto era quello che si aspettava da me e ne fu felice, solo il titolo lo lasciava freddo: 'Antidolore' faceva pensare a Gesù Cristo, diceva Marinetti, quanto di meno futurista si potesse immaginare, e discutemmo insieme per cambiarlo in controdolore. Ma io che sono geloso della mia personalità anche nel minimo dettaglio, nell'opera completa ho riportato il titolo primitivo messo da me".

Nel marzo 1914 Palazzeschi si reca a Parigi, dove soggiorna in un albergo della Rue de la Grande Chaumière. Con lui ci sono Boccioni, Carrà e Soffici, che sono ospiti della Baronessa di Ottinghen nell'ufficio delle Soirée de Paris. A Parigi conosce Saba e Picasso, Braque, Matisse e Apollinaire, che era stato autore del Manifesto l'*Antitradition futuriste*, uscito il 30 giugno 1913 in volantino italiano e francese, che si apparentava con il suo *Controdolore*. Palazzeschi tornerà spesso nella capitale francese e quasi sempre in compagnia dell'inseparabile amico Marino Moretti. Nello stesso anno, l'autore pone termine alla sua produzione in versi, ai quali tornerà stabilmente solo nel 1968 con la pubblicazione di *Cuor mio*.

Il 28 aprile, per ragioni soprattutto ideologiche, che dissentivano radicalmente da ogni forma di interventismo, si dissocia ufficialmente dal Futurismo. All'annuncio della guerra Marinetti si reca a Firenze per fare propaganda bellica al fianco dei tedeschi. Aldo, antimilitarista per natura, non condivide gli entusiasmi dei suoi amici e resta spettatore silenzioso nonostante i 31 mesi di vita militare. Egli, infatti, benché fosse stato riformato alla visita di leva, viene richiamato nell'estate 1916 come soldato del genio e destinato ad una caserma di Firenze. Per motivi di salute anche psichica non partecipa al conflitto mondiale, ma viene ricoverato in ospedale. Dopo la convalescenza viene destinato a Roma, dove, fra il 1918 e il 1919, rivede Marino Moretti, riannodando l'antico sodalizio, questa volta arricchito dalla presenza di Federico Tozzi ormai alla vigilia della morte. Entrambi, soprattutto con l'avvento del fascismo, si tengono lontani dai cenacoli letterari e dalla cultura ufficiale. Uomo sensa tentazioni accademiche né politiche, Palazzeschi era per sua natura un antifascista e – osserva Carlo Bo – "fu uno dei pochi a non volercelo mai ricordare dopo la caduta di Mussolini". Nel 1919 viene congedato e torna a Firenze. L'anno successivo escono per i tipi di Vallecchi le note diaristiche sulla guerra "brutta e inutile", *Due imperi... mancati*, e nel 1921 pubblica il primo libro di novelle *Il Re bello*. Nel 1926 inizia la sua collaborazione al « Corriere della Sera ». Nello stesso anno esce *La Piramide* e l'edizione definitiva delle *Poesie*. Nel 1930, durante uno dei suoi frequenti soggiorni a Parigi insieme con Moretti e l'inseparabile Gino Brosio, conosce Pirandello e stringe amicizia con un giovane pittore di Ferrara, Filippo De Pisis, "il carissimo Pippo". Nel 1932 esce *Stampe dell'800*, una serie di rievocazioni e di ricordi, che andava pubblicando su « Pegaso », la rivista di Ugo Ojetti. Due anni dopo pubblica il romanzo *Sorelle Materassi*.

Nel 1938 muore il padre e nel 1940 la madre. Dopo aver seguito per tanti anni e con grande pazienza le manie dei suoi due vecchi, Palazzeschi si trova solo nella grande dimora borghese di piazza Beccaria. Decide allora di vendere le due case avute in eredità (quella fiorentina e quella di Settignano) e di trasferirsi a Roma, dove si fermerà per tutta la vita, in via dei Redentoristi, assistito dalla domestica Margherita Bellocchio. La seconda guerra mondiale è documentata nel libro del 1945: *Tre imperi... man cati*, a cui fanno seguito *I fratelli Cuccoli* (1948), con il quale vince il Premio Viareggio, *Bestie del '900* (1951) e *Roma* (1953), che vince il premio Marzotto. A partire dal 1956, l'autore soggiorna per alcuni mesi ogni anno a Venezia. Nei cinque anni successivi, il discreto e schivo Palazzeschi riceverà diversi riconoscimenti, fra cui il Premio Feltrinelli per la letteratura, assegnatogli dall'Accademia Nazionale dei Lincei (1957) e la laurea *honoris causa* dell'Università di Padova (1962), per iniziativa di Vittore Branca, Gianfranco Folena e Diego Valeri. L'editore Mondadori comincia la pubblicazione della sua *opera omnia* nella collana dei Classici Contemporanei Italiani, pubblicando prima *Tutte le novelle* (1957), poi le *Opere giovanili* (1958) e, infine, *I romanzi della maturità* (1960). Negli ultimi anni Palazzeschi riprende con intensità la sua attività letteraria, concedendo ancora spazio alla poesia. Dopo le novelle de *Il buffo integrale* (1966) e *Il Doge* (1967), infatti, pubblica *Cuor mio* (1968) e *Via delle cento stelle* (1972). Tra i due volumi di versi escono anche i romanzi *Stefanino* (1969) e *Storia di un'amicizia* (1971). La sua vecchiaia, così com'è stata tutta la sua vita, trascorre all'insegna della semplicità e della compostezza, senza grandi esigenze e senza problemi economici. Diserta sempre più spesso gli incontri ufficiali e preferisce passeggiare per le vie di Roma, intrattenendosi con gli artigiani e le casalinghe. Di sera esce con Rosai, Pratolini e il fedele Brosio per andare nei cinema di periferia dove si fa ancora avanspettacolo. Il 2 febbraio 1974, in occasione del suo ottantesimo e ultimo compleanno, Palazzeschi scrive i suoi ultimi desideri: essere seppellito nel cimitero di Settignano. Per sua ultima dimora chiede la cappellina "generosa di ospitalità alle lettere italiane" e non la tomba di famiglia dove sono sepolti i genitori. In morte, comunque, egli aggiunge, desidera solo, "un luogo del massimo riserbo, la pace". Palazzeschi muore il 18 agosto per un'affezione polmonare, lasciando erede universale delle sue sostanze la facoltà di lettere dell'università di Firenze, "per aiuti, borse di studio o premi ad allievi ci nazionalità italiana e d'ambo i sessi che si siano dimostrati meritevoli di tali aiuti e riconoscimenti nello studio della nostra letteratura e del nostro linguaggio".

L'opera

Palazzeschi, uno degli spiriti più liberi del Novecento, riflette nell'opero la sua vita da grande dilettante, senza preoccupazioni di ordine culturale, incurante dei problemi religiosi, sociali, politici, disposto a passare per un estroso inventore di giochi d'umore e di parole. In realtà, la sua coerente "caricatura marionettistica" dell'aulico tradizionale è un'irridente e sarcastica denuncia del momento di crisi delle istituzioni letterarie del momento. Il primo tempo della sua produzione artistica è rappresentato dalle poesie di *Cavalli bianchi, Lanterna,* e *Poemi.* Il primo libro denuncia subito il rifiuto per il dannunzianesimo e per il titanismo dell'io romantico. Si avverte, invece, un continuo colloquio in contesti modesti e quotidiani, svariando dall'accorato all'ironico, avvicinandosi piuttosto alla pacata rivoluzione poetica dei crepuscolari. Le atmosfere rarefatte e fiabesche, rivissute con profondo spirito contemplativo, danno spazio ad un simbolismo lieve ma tenace, forse un po' *naif,* gremito da un variopinto ma emblematico bestiario. Nel secondo libro emerge la funzione realistica e comica della rima, in una sorta di crepuscolarismo ironizzato, che si avvale di dialoghi grotteschi e di ritmi narrativi. Nei *Poemi* si avverte già – come disse Borgese – la presenza della "coscienza critica e parodistica" dell'autore, che si diverte a rovesciare i suoi stessi registri poetici in un'assoluta libertà fantastica, surreale, sospesi fra dramma e farsa, fiaba e parodia. Si intravede, insomma, il Palazzeschi "incendiario", irridente e provocatorio nel suo "lasciatemi divertire", ma desideroso anzitutto di rifare poesia semplice, ingenua, alla ricerca di una nuova lingua, di cui si conoscono i suoni e non le parole. Nel 1910 esce a Milano il primo *Incendiario,* recante la famosa dedica "A F.T. Marinetti, anima della nostra fiamma", per le Edizioni Futuriste di "Poesia". Com'è noto, nella seconda edizione fiorentina del 1913, la dedica sarà ridimensionata in una più pacata riconoscenza e lo stesso testo sarà mutilato in più parti. In questo lavoro, in accordo con i *Primi principi di una estetica futurista* di Soffici, si delinea la figura di un poeta funambolo, giocoliere; del saltimbanco libero di divertirsi o piangere con le parole e con le cose. Nel 1911 esce uno dei grandi testi della nuova letteratura, *Il codice di Perelà,* il romanzo allegorico di un uomo che vuole tentare un'opera di salvazione dell'umanità, rovesciando la razionalità della vita associata. Perelà è "l'uomo di fumo" palazzeschiano, con la sua "ben predisposta propaganda di strage incendiaria e omicida", come registra l'atto di accusa al processo del protagonista. Il libro contrastava certo con l'uomo Palazzeschi, che era riuscito a fare convivere le abitudini borghesi con i suoi umori rivoluzionari, con una grande libertà e intelligenza poetica.

Nel 1926 viene pubblicata *La Piramide*, uno dei più singolari, fantastici e amari libri di Palazzeschi. L'11 luglio, il suo grande amico Marino Moretti gli scrive dicendo che si trattava di "un libro doloroso e profondo a cui bisognava dedicare le ore migliori, ed anche la miglior parte di noi stessi come tu vi hai messo il meglio dell'ingegno e dell'anima". L'intensità affettuosa dell'amicizia di Moretti non fa velo, ma rende piuttosto più percettivo il giudizio critico. Ciò appare evidente in un'altra lettera del 15 gennaio 1937, scritta in occasione della pubblicazione del *Palio dei buffi*, dove lo scrittore dice che nonostante la buffoneria, l'arguzia, l'ironia, il sorriso, si ha l'impressione di un libro "fortemente drammatico, anzi tragico. Non si può essere a traverso il 'divertimento', più sconsolati di così ed è questo, mi pare, che rende ancor più significativo e 'importante' il tuo libro".

Dopo la prima guerra mondiale, Aldo affianca all'estro derisorio delle invenzioni del "buffo" i piaceri della memoria e l'esperienza più pacata e costruita della narrativa matura, dalle *Stampe dell'Ottocento* alle *Sorelle Materassi*. In questo celebre libro si narra la vicenda malinconica di due anziane zitelle, fatalmente avviate verso una decadenza fisica ed economica a causa di un nipote, il bellissimo Remo. La loro rovina è paradossalmente allietata, però, dall'illusione di aver partecipato per riflesso alla gioia vitale del ragazzo. La storia si articola in un gioco di movimenti psicologici contrastanti, che va dallo sfumato erotismo della volitiva Teresa e della fragile Carolina alle dure resistenze di Giselda, la terza sorella, una vedova costretta a gravitare nella condizione limbale di una che non è né serva né padrona.

Il rapporto fra gli esclusi dalla vita e i vincitori, unito al doppio taglio di risibilità e tragedia, di assoluta libertà ed egoismo, espressi sapientemente in *Sorelle Materassi*, si allarga in una vera e propria varietà di tipi in *Il palio dei buffi* (1937). "Buffi" – scrive Palazzeschi – sono soprattutto coloro che "si dibattono in un disagio fra la generale comunità umana; disagio che assume ad un tempo aspetti di accesa comicità e di cupa tristezza". Questa sorta di specularità espressiva, spesso stimolata dalle ferree leggi che regolano la vita associativa, diventa un tema ricorrente nella narrativa palazzeschiana, dai racconti di *Bestie del '900* a quelli de *Il buffo integrale*.

La stessa situazione delle *Sorelle Materassi* viene affrontata, invece, in una sorta di rapporto speculare ne *I fratelli Cuccoli*, dove Celestino Cuccoli insegue drammaticamente un sogno d'amore adottando quattro fratelli. Li colmerà di affetto, dilapidando un matrimonio, senza curarsi di non essere ricambiato.

Apparentemente gravati di religiosità bigotta e commossa, dimentica dei disastri della miseria delle borgate popolari, sono invece i personaggi del romanzo *Roma*, uscito nel 1953. Ma evidentemente Palazzeschi, pur rinnovando i suoi temi, non rinuncia alla sua veste di spettatore, incurante delle mode e degli umori critici del momento storico, continuando a privilegiare il sogno e la fantasia. È il caso della mitica figura de *Il Doge* (1967) che, non visto da anni, sparge la notizia della sua prossima apparizione alla Loggia del Palazzo Ducale. Il personaggio vive così nel romanzo solo attraverso le chiacchiere e le supposizioni della gente. L'omino di fumo de *Il codice di Perelà*, insomma, si dissolve del tutto; diventa – come scrisse Montale – "linguaggio collettivo, la vociferazione" della massa indifferenziata. Sullo stesso stile, ma condotto con un gusto ancora più marcato per il grottesco, è il romanzo di *Stefanino*, un trovatello che suscita per venti anni la contrastante curiosità popolare, per via del suo aspetto mostruoso. Nessuno riesce a vederlo, finché viene presentato in segreto ad una delegazione di cittadini, che dovranno descriverlo al resto della popolazione. Il giovane, bellissimo, intelligente, dotato di un grande genio musicale, ha pur tuttavia una grave anomalia: i genitali al posto della testa e viceversa. L'ultimo romanzo di Palazzeschi, edito nel 1971, è un trattatello sull'amicizia. I due protagonisti sono in contrasto speculare: il lirico e ottimista Pomponio è grande, biondo e di carnagione rosata, mentre il pessimista Cirillo è piccolo e nerastro. Entrambi, inoltre, sono celibi, ma per ragioni opposte: uno per eccesso di compagnia amorosa e l'altro per misoginia. Fra di loro nasce un'amicizia complementare, che si deteriora presto per poi riallacciarsi senza fusione, alimentando, cioè, la loro opposta visione del mondo. Pomponio e Cirillo, insomma, "capiscono di vivere dell'amore della vita" esattamente come il loro inventore, il quale aveva valutato le ragioni e le situazioni dell'esistenza variando i suoi metri, ma senza venire mai meno al gusto del sorriso.

Con *Cuor mio*, dopo mezzo secolo di prosa Palazzeschi risco pre il registro poetico, mantenendo intatto il gusto del gioco e dello sberleffo, del "lasciatemi divertire" delle prime raccolte Eppure, attraverso il filtro dell'ironia e della sua eterna, scanzo nata fanciullezza, Palazzeschi ripercorre con la *Via delle cento stelle* quella che in fondo è stata la filosofia di tutta la sua vita: la libertà in ogni campo, la naturalezza, l'amore per la realtà e la fantasia e, non ultima, la "ricerca della verità".

La fortuna

La fortuna di Palazzeschi riflette gli umori di una critica posta davanti a un grande dilettante, senza preoccupazioni di ordine economico o culturale, apparentemente incurante dei problemi sociali, politici e religiosi e, soprattutto, spinto da una grande forza di autonomia e di libertà. La sua intelligenza poetica, sempre in movimento e svincolata dai gruppi e dalle conventicole, incontrò quindi spesso una sorta di sconcertata perplessità.

Uno dei pochi artisti ad accorgersi del purissimo anticonformismo di Palazzeschi fu Sergio Corazzini, che l'11 marzo 1906 scrisse sul « Sancio Panza », un quotidiano politico-satirico romano, una recensione a *Cavalli bianchi*. Il primo agosto 1906 esce invece, su « Il Foro romagnolo » la recensione di Moretti, che denuncia subito il modo palazzeschiano, in cui l'infrazione soverchia la regola e che fa di lui "un terribile rivoluzionario che mette addirittura spavento". In queste prime presentazioni, scritte da autori di un cauto e moderato riformismo, si avverte, malgrado l'amicizia, una cauta presa di distanza dalla stravagante e liberatoria arte del nostro autore. L'apprezzamento incondizionato della "feroce ironia demolitrice" di Palazzeschi sarà diffuso in un volantino del 1913 da Marinetti, un documento storico-politico scoperto molti anni dopo da Luciano De Maria. Nel 1914 anche Giuseppe Antonio Borgese sente l'esigenza di rivedere la sua stroncatura del 1910, scrivendo un ben più moderato e profetico giudizio. Sulla sua opera poetica si posarono però gli occhi attenti di Soffici, Papini, Prezzolini, che videro in lui un paladino del rinnovamento geniale delle nostre lettere. La pubblicazione delle *Sorelle Materassi* sancisce l'ingresso di Palazzeschi fra i veri, grandi protagonisti della letteratura italiana del Novecento, tanto che, nel 1947, André Gide lo definirà il miglior romanzo italiano del periodo. Nel 1943 il romanzo sarà realizzato in un film, che non piace molto al suo autore, malgrado l'interpretazione delle sorelle Irma ed Emma Grammatica. Non mancarono certo le riserve, legate soprattutto allo stile, all'insipienza linguistica, allo "scrivere male" di un Palazzeschi incurante delle belle forme. Le sue famose sgrammaticature si aggraveranno anche nei giudizi critici soprattutto dopo la pubblicazione de *I fratelli Cuccoli* e di *Roma*. È evidente che al trasferimento dell'autore da Firenze alla capitale corrisponde anche un rinnovamento di temi, che restano però sempre svincolati dai gravami del tempo e delle mode. Malgrado ciò la fortuna di Palazzeschi continua a crescere e *Sorelle Materassi* entra a far parte dei classici della nostra letteratura. Nel 1972 il regista Mario Ferrero presenta una versione televisiva del romanzo con la partecipazione di Rina Morelli, Sarah Ferrati, Ave Ninchi, Nora Ricci, Dina Sassoli e Giuseppe Pambieri. Alla sua realizzazione, che questa volta incontrò la piena approvazione di Pallazzeschi, collabora il drammaturgo Fabio Storelli, che di recente ha trasferito la romanzesca vicenda in teatro, presentandola con grande successo al Teatro Nazionale di Milano.

Negli anni '60 la neoavanguardia, che in parte riuniva i teorici e gli studiosi del cosiddetto Gruppo '63, dichiara più volte di riconoscere in Palazzeschi un maestro. La sua brutta scrittura viene rivalutata e considerata come uno strumento parodico dello stile storico tradizionale, in una "sapientissima anarchia sintattica". Con la pubblicazione delle ultime opere la critica rimprovera a Palazzeschi un eccessivo moralismo, una religiosità sorda e bigotta al limite della superstizione, uno scarso impegno ideologico, che dimentica le gravi condizioni storiche in cui *Roma*, la città che dà il nome al romanzo del 1953, si trova negli anni in cui la vicenda si svolge (1942-1950). Ma anche questo era segno della irriducibilità politica e sociale della sua opera, che non ha mai tradito la sua lucida coerenza artistica, la natura libera alla quale apparteneva e, infine, il suo disinteressato e sorridente costume letterario.

Bibliografia

Prima edizione:

Aldo Palazzeschi, *Sorelle Materassi*, in "Nuova Antologia", 1 agosto-1 ottobre, 1934.

Aldo Palazzeschi, *Sorelle Materassi*, Firenze, Vallecchi, 1934; poi compreso in *I romanzi della maturità*, Milano, Mondadori, 1960.

Bibliografia essenziale

Monografie:

I. De Luca, *Aldo Palazzeschi*, Padova, Cedam, 1941.

P.A. Büchli, *Il regno poetico di Aldo Palazzeschi*, Perugia, Stab. Tip. "Grafica", 1952.

P.P. Trompeo, *Aldo Palazzeschi*, in *Dizionario letterario degli autori*, Milano, Bompiani, 1957, vol. III.

A. Borlenghi, *Aldo Palazzeschi*, in *Letteratura italiana. I contemporanei*, Milano, Marzorati, 1963, vol. I.

G. Pullini, *Aldo Palazzeschi*, Milano, Mursia, 1965.

G. Spagnoletti, *Palazzeschi*, Milano, Longanesi, 1971.

M. Miccinesi, *Palazzeschi*, Firenze, La Nuova Italia, 1972.

F. Del Beccaro, *Aldo Palazzeschi*, in *Dizionario critico della letteratura italiana*, Torino, Utet, 1973, vol. III.

S. Giovanardi, *La critica e Palazzeschi*, Bologna, Cappelli, 1975.

Aldo Palazzeschi. Mostra bio-bibliografica, Catalogo a cura di S. Ferrone, Firenze, Gabinetto Viesseux-Università degli Studi, 1976.

L. De Maria, *Palazzeschi e l'avanguardia*, Milano, All'insegna del Pesce d'oro, 1976.

F.P. Memmo, *Invito alla lettura di Palazzeschi*, Milano, Mursia, 1976.

AA.VV. *Palazzeschi Oggi*, Atti del convegno (Firenze 1976), Milano, Il Saggiatore, 1978.

G. Savoca, *Eco e Narciso. La ripetizione nel primo Palazzeschi*, Palermo, Flaccovio, 1979.

Numeri speciali di giornali e riviste

« La Fiera letteraria », Roma, 27 giugno 1948; 26 marzo 1950; 21 marzo 1965.

« Il Caffè », n. 3, giugno 1962.

« Il Gazzettino », Venezia, 2 febbraio 1965.

« Epoca », Milano, n. 876, 1967.

« Il Verri », serie V, n. 5-6, marzo-giugno 1974.
« Galleria », Roma, XXIV, n. 2-4, marzo-agosto 1974.
« L'immaginazione », Lecce, II, nn. 1-2, gennaio-febbraio 1985.

Su "Sorelle Materassi"

R. Franchi, *Un grande romanzo: "Sorelle Materassi"*, in « Il pubblico e il libro », nn. 3-4, 1934.

F. Lefevre, *Une heure avec Aldo Palazzeschi*, in « Les nouvelles littéraires », Parigi, 17 novembre 1934.

B. Ricci, *Aldo Palazzeschi*, in « Il popolo d'Italia », Milano, 28 novembre 1934.

E. Maselli, rec. a *Sorelle Materassi*, in « L'Italia letteraria », n. 3, 10 gennaio 1935.

F. Antonicelli, *Secondo tempo di Palazzeschi*, in « La Cultura », Torino, n. 2, febbraio 1935.

G. De Robertis, *Sorelle Materassi*, in « Pan », Firenze, n. 2, febbraio 1935.

A. Gargiulo, *Aldo Palazzeschi (A proposito di "Sorelle Materassi")*, in « Nuova Antologia », febbraio 1935.

L.M. Personè, *Il romanzo e Palazzeschi*, in « Il popolo d'Italia », Milano, 19 aprile 1935.

G. Marzot, *Pagine su Palazzeschi*, in « La Nuova Italia », Firenze, marzo 1935.

C. Pellizzi, *Palazzeschi e il romanzo*, in « Leonardo », Firenze, maggio 1935.

S. Solmi, *Palazzeschi poeta e romanziere*, in « Emporium », Bergamo, n. 10, 1936.

P. Pancrazi, *Umorismo e umanità di Palazzeschi*, in *Scrittori d'oggi*, Bari, Laterza, 1942.

E. De Michelis, *Due sorelle fuori del tempo*, in « La Fiera letteraria », 4 novembre 1951.

S. Guarnieri, *Cinquant'anni di narrativa in Italia*, Firenze, Parenti, 1955.

G. Amoroso, *Le tre redazioni di "Sorelle Materassi"*, in *Sull'elaborazione di romanzi contemporanei*, Milano, Mursia, 1970.

Sorelle Materassi

Santa Maria a Coverciano

Per coloro che non conoscono Firenze o la conoscono poco, alla sfuggita e di passaggio, dirò com'ella sia una città molto graziosa e bella circondata strettamente da colline armoniosissime. Questo strettamente non lasci supporre che il povero cittadino debba rizzare il naso per vedere il cielo come di fondo a un pozzo, bene il contrario, e vi aggiungerò un dolcemente che mi pare tanto appropriato, giacché le colline vi scendono digradando, dalle più alte che si chiamano monti addirittura e si avvicinano ai mille metri d'altezza, fino a quelle lievi e bizzarre di cento metri o cinquanta. Dirò anzi che da un lato soltanto e per un tratto breve, la collina rasentando la città la sovrasta a picco, formandoci un verone al quale con impareggiabile gusto ci possiamo affacciare. Lassù si accede per mezzo di scalinate:

> per le scalèe che si fèro ad etade
> ch'era sicuro 'l quaderno e la doga.

Se qualcheduno non avesse capito giova spiegare che questo modo originale di trattare di falsari e ladri i propri contemporanei è anch'esso all'uso fiorentino e noi, che mai ci assumeremmo l'audacia di contraddire il divino maestro, ammettiamo che lo fossero e tiriamo avanti. Scalinate, dunque, o strade così ripide il cui nome basta a rivelarne il carattere: Costa Scarpuccia, Erta Canina, Rampe di San Niccolò... La collina sovrastante è quella parte del Viale dei Colli fino al Piazzale Michelangiolo e che molti, pur non avendo visto avran sentito nominare, o si saranno immaginato attraverso testimonianza di fotografie stampe e cartoline.

Per tale fatto dunque, corrono fra le città e le sue colline zone di pianura più o meno vaste che possono separarla da esse per due o tre chilometri, talvolta meno, talvolta oltre questo confine.

Ho detto armoniosissime, giacché la cosa che salta agli occhi dello spettatore anche distratto, mediocre o indifferente, è la linea di essa che veduta una volta non sarà facile cancellare dal ricordo; producendosi tale armonia dalle irregolarità più impreviste, come soltanto il caso può architettare; intendendo accreditare quel significato alto, un profumo quasi direi di miracolo e di mistero, con cui viene pronunziata da noi questa parola; e volendo esprimere, per maggiore chiarezza, che quando è precisamente il caso che fa l'architetto, tutti gli architetti della terra rimangono a guardare. Irregolarità impreviste alle quali nessuno saprebbe suggerire una correzione, aggiungere qualcosa o levare; che non cade mai nel fosco, nell'orrido, nel romantico, sensuale o nostalgico, mantenendo un'intonazione luminosa e chiara di signorilità e di eleganza, di civile bellezza.

Se sul principio gli architetti della terra rimasero in ammirazione di quanto avesse saputo operare il caso sopraddetto, mi affretterò ad aggiungere che una volta guardato bene non rimasero poi con le mani alla cintura, ma trassero da quell'esercizio tanta forza e sapienza al loro ardimento ch'è doveroso affermare che di quanto il caso poté con l'opera sua, gli uomini con la loro raddoppiarono di bellezza; giacché è pregio inestimabile di queste colline

4

l'esser disseminate di ville, di castelli costruiti nei punti più suggestivi, vòlti in tutti i sensi, di tutte le epoche, d'ogni stile, e che mai ne turbano l'armonia; circondati da parchi e giardini che invece di produrre una atmosfera di irrealtà da sogno o fiaba, per virtù di certa severità e raffinatezza riescono a darci l'illusione della realtà più semplice, di intimità domestica, di nobiltà sicura, di sobrietà e saggezza, di modestia anche quando le proporzioni rendano difficile il compito di nascondere la potenza. Alle ville ed ai castelli si aggiungono le ville più piccole, le villette, le case, i casolari, i paesi e le borgate che la varietà del suolo lascia apparire in un complesso che rende insaziabile l'occhio dell'osservatore per il numero inesauribile delle scoperte, portandolo naturalmente alla conclusione che il secondo artefice, per avere tanto amato e compreso il primo, si sia impossessato del suo segreto al punto che ora tutto sembra fatto da lui: dall'uomo, sì, che sempre e in ogni dove ci appare volgendo intorno lo sguardo, l'uomo nella sua espressione più alta e più degna.

Ogni qualvolta io abbia avuto occasione di accompagnare degli stranieri sopra queste cime, o italiani d'altra regione, per esprimere tanta diversità di visuale, di sensazioni o apprezzamenti, non riuscirono a trovare che una parola: « bella! bella! bella! » tante volte ripetuta e in tanti toni, talora coi denti un pochino stretti, ma si capisce che chi diceva « bella » ne aveva un'altra nel cuore e, come tutti gli amanti, non potendo ammettere bellezza che superi quella del proprio amore, un sospetto soltanto li faceva turbare per un istante; parola che forma nella memoria, e nel giusto orgoglio, un coro gradevolissimo, o meglio, una sinfonia discorde e armoniosissima come le colline di Firenze.

Vi sono per tale ragione, come vi dicevo poco fa, tratti di pianura che accompagnano a loro e che voi, percorrendo per passeggiata o per visita, a piedi in tranvai o su una macchina, trascurate passando o percorrete guardando avanti, in cima, in fondo la vostra mèta, in alto la vostra mira, e quasi dispiacendovi che il tratto di pianura sia troppo lungo e che, sia pure per poco tempo, vi separi da quella. Questa zona, si capisce, è parte secondaria e trascurata, se non trascurabile, di nessuna importanza nel regno della bellezza: dimessa, rassegnata a essere calpestata per andare oltre. Nessuno se ne fa mèta se non per necessità, popolata essa pure di ville e di case, di paesi e di borgate dal tono mansueto, rinunciatario; che avendo rinunziato a imporre il proprio fascino se ne sta a guardare il passaggio con bene educata tolleranza e rassegnazione, e un tantino di noia; e usando raramente, per l'esaurirsi della pazienza, un atto di sdegno o di rivolta, superando col lavoro questa noia, e attingendo da questo la forza per sopportarla.

Dirò altresì, non per migliore chiarezza ma per scolpire meglio con un'immagine la positura, che se in questa terra la collina vi tiene il posto della signora, e quasi sempre signora vera, principessa, la pianura vi tiene quello della serva, della cameriera o ancella; e che il più benevolo e cortese dei passanti ha per lei quella cordialità di concessione che si usa verso la donna che ci apre la porta allorquando si va per visitare la sua padrona; o nel più fortunato dei casi della dama di compagnia che mantiene il proprio rango con dignità e compostezza senza permettersi di giudicare, esternando ammirazione bonaria e socchiudendo appena gli occhi o storcendo un po' la bocca alla molta polvere che per colpa dell'altra è costretta a inghiottire dalla mattina alla sera, e alla motriglia che tale scorribanda le produce davanti a casa inzaccherandone l'uscio fino in cima; e qualche volte infine, della mendicante supplice ai suoi piedi.

Riporterò alcuni nomi di queste colline riuscendo essi, meglio delle parole, a dimostrarsi tale evidenza: *Bellosguar-*

do, e notate che molte ∙e ne sono dove lo sguardo è anco∙ più bello, *Il Gelsomino, Giramonte, Il Poggio Imperiale, Torre del Gallo, San Gersolè, Settignano, Fiesole, Vincigliata* e *Castel di Poggio, Montebeni, Il Poggio delle Tortore, Montiloro, L'Apparita* e *L'Incontro, Monte Asinario, Il Giogo, Monte Morello...* Sentite invece i nomi della pianura: *Rifredi, Le Caldine, Le Panche, Peretola, Legnaia, Soffiano, Petriòlo, Brozzi, Campi, Quarto, Quinto, Sesto...* anche la fantasia pedestre si spegne, sembrano gli evirati dell'immaginazione.

Della signora sono tutti gli onori e i meriti, le libertà e molte licenze; a lei sono permessi i capricci e le volate, varietà di pennacchi, dovizia di ornamenti, per i quali al diletto della vista viene sacrificata ogni utilità materiale e vano sarebbe, per l'alterigia e la natura del carattere, il domandarle di rendersi utile a qualche cosa che non sia la pura felicità visiva, che del resto non è tanto piccola, e di cui si tiene nel più alto grado superba.

Piante tortuose e forse torturate da un intimo assillante perché; nervose, isteriche, segaligne, ascetiche, che guardano il cielo con occhio profondo, languente, o mostrano una nudità da Cristo sulla croce. Mai una grassezza spensierata o bonacciona, una felicità muscolare o epidermica.

Dominando a questo modo compresa, insolente ed altèra, neppure le frulla in testa di guardare la sottoposta o le dà una sbirciatina dall'alto e di traverso, uno sguardo di degnazione al solo scopo d'indispettirla, e dal quale emerge soltanto la sua incontrastata, intangibile superiorità.

La povera serva invece, la guarda dal basso socchiudendo gli occhi, fingendo di neppure accorgersi del trattamento poco rispettoso, e rimane a testa bassa per non guastarsi il sangue osservando quanto essa la faccia da padrona, quanto sia disutile e vanitosa, capricciosa e civetta: si stringe alle proprie virtù mostrandosi paziente, laboriosa, sottomessa. Tocca a lei preparare le lunghe file dei cavoli e dei carciofi, le insalate, le rape, i cetrioli, le melanzane e le zucche, i pisellini teneri, i gustosi asparagi, quello che l'altra divora nelle sue ville abitate da gente ricca, nelle sue trattorie popolate e reputatissime; tocca a lei darsi dattorno dalla mattina alla sera perché crescano belle e saporite tutte queste delizie; e non bastando alla terra l'essere inondata d'acqua senza tregua, l'altra le fa arrivare qualcosa che non odora, e di cui si libera con gioia rappresentando per lei solamente della sporcizia che con un cenno di disgusto fa portar via: « giù! », mentre la poverina la sta a aspettare come un dono della provvidenza per il beneficio che le arreca. Cosicché oltre che gli occhi per rassegnazione e la bocca per prudenza, le tocca ogni tantino di turarsi anche il naso per non sentire la puzza, tutti i buchi si deve turare, la derelitta, per far piacere alla profumatissima signora. Né vi starò a intrattenere di quanto accada durante la tempesta. L'una si contorce, arriccia il naso, sbuffa, si ribella, minaccia, impreca, strilla, fa mille scimmiotterie; ma una volta esaurita, la procella subito si rifà, si raddirizza, ritorna fresca e lucida, allegra, e dopo mezz'ora è più bella di prima. L'altra invece si distende, si acquatta, si allarga per riceverla, spalanca il proprio grembo per accogliere tutte le scolature che non finisce mai di rasciugare, e resta sudicia per una settimana intera.

È precisamente uno di questi paeselli di seconda luce che intraprendo a descrivervi, e dove avvengono i fatti del seguente racconto.

Santa Maria a Coverciano non è nemmeno un paesello ma un popolo, e per popolo s'intende quel nucleo non costituito di per sé in ente civile, ma tenuto in unione spirituale da una parrocchia.

A rigore si potrebbe formularvi una larva di paese; una specie di piazza a sghembo si forma a un crocicchio di

8

strade dov'è un convento di francescane cinto da mura altissime che mostrano nell'angolo, sotto un tettino rustico, l'effige di San Francesco scolpita nel marmo, e una lapide per ricordare che in quel convento venne conservata per alcuni secoli la veste del Santo. Poi c'è una villa sempre chiusa, cinta da un muro rotondo, molto arretrata e circondata da grandi piante, che sta, come una vecchia dama in poltrona, con la sottana ampissima e la scuffia. E davanti, quasi sulla strada, un villino moderno, civettuolo, sfacciatello, che guarda, come la nuora petulante e dispettosa, la suocera austera e brontolona e le fa schizzare, come dita negli occhi, le rose da un cancelletto bianco atto, più che a nasconderlo a metterlo in vista. Rincantucciata di fianco alla villa una chiesina col portichetto ad un solo arco, e che dal suo cantuccio t'invita all'idillio della fede con riserbo e dolcezza.

Poco sopra al villino, e sempre di fronte alla villa, è un blocco di case formanti un quadrato che ci fa pensare a quello dei conventi, convento laico questo, chiuso dal muro lungo la via, e rotto soltanto da un grande portone di legno destinato a rimanere sempre chiuso giacché gli abitanti si servono di una porticina pargoletta al suo fianco, e destinata a rimanere sempre aperta, simile a uno sportello di cui si è smarrita la chiave. Il lato fondale di questa fabbrica è composto da una casa di tre piani che ha un po' dell'alveare come tutte le case della gente povera, e i bracci che raggiungono il muro sulla via, stretti e lunghi, di due piani solamente. Salta subito agli occhi che tale costruzione venne eseguita in più riprese, e che il braccio sud è più antico assai e di tono diverso, più signorile di architettura e con avanzi di dignità ornamentale non solo, ma che le sue finestre, anziché guardare nel cortile come le altre, guardano tutte sui campi, a mezzodì verso Firenze, e che esso al cortile volge sdegnosamente le spalle lasciandovi un'unica finestra, quella di un corridoio retrostante, che vi diresti aperta per guardarvi a discrezione. Tale parte privilegiata, la prima che incontriamo, possiede il suo ingresso speciale sulla via, un cancello bianco sempre aperto a metà, e assai mangiato dalla ruggine.

La strada maestra che attraversa queste costruzioni formandoci il largo descritto, conduce da Firenze al Ponte a Mensola e a Settignano, e si chiama la via Settignanese; e l'altra più piccola, che vi discende tra la villa e il convento delle Francescane, porta invece a Maiano, alle sue cave e alle sue ville magnifiche. Sovrasta un castello autentico che si chiama Poggio Gherardo.

Gli abitanti del luogo, e coloro che hanno dimestichezza con esso, lo chiamano Santa Maria semplicemente; i cittadini invece, più evoluti e meno intimi, Coverciano senz'altro. Questo non lasci supporre a una scissione fra massoni e clericali, Dio ce ne guardi, tale diversità rivela solo l'indifferenza da una parte e dall'altra l'intimità e l'amore.

Descritta così alla meglio l'ubicazione di questo paese, mi preme aggiungere come esso si trovi fra due ruscelli: l'Africo e il Mensola, che discendono il primo da Fiesole, e da Vincigliata il secondo. Rigagnoli, in cui la luna e il sole fanno luccicare appena un filo d'argento o d'oro nascosto fra l'erbe, ma che nell'ora del temporale divengono rumorosi all'improvviso, minacciosi, turbolenti: s'infuriano, straripano con l'impeto della gioventù e dopo un'ora non è più niente, proprio come i fanciulli che dopo essersi scalmanati e avere fatto tanto chiasso si mettono a dormire.

Non a caso ho nominato questi due ruscelli e ora ve ne dico il perché. È pregio di queste colline il ricordare personaggi grandi della storia, principi e Re, poeti, scienziati, artisti nostri e stranieri che le abitarono operandovi, che ci vennero a chiedere riposo o ispirazione, oblìo, forza creatrice, serenità o evasione, rifugio nel passato o vigoria per l'avvenire, asilo per la gioia come per il dolore... ma questo campo è tanto vasto che qui lo spazio non consente di avanzarci il piede, dirò soltanto che fra questi due ruscelli pare fosse la casa dove Giovanni Boccaccio visse il suo *Decamerone*, o tutto lo sognò e forse ve lo scrisse, non si sa bene; nessuno è in grado di legittimare quale fu il luogo precisamente, ragione per cui in questa plaga case di Boccaccio ve ne sono parecchie e tengon duro, né si avverte che l'una abbia voglia di mollare di fronte all'altra e di fronte alle più sicure smentite o alla vaghezza dell'attribuzione. Fanno bene a non cedere, noi perdoniamo a tutti questa tenacia secolare, e anche la malafede; hanno ragione di coronare con tale nome le loro case o ville, come io voglio oggi coronare di esso questo racconto, che ai loro piedi si svolge, con un saluto reverente dell'umile e lontano nepote.

« Ogni stella era già dalle parti d'oriente fuggita, se non quella sola, la quale noi chiamiamo Lucifero, che ancor luceva nella biancheggiante aurora, quando il siniscalco, levatosi, con una gran salmeria n'andò nella valle delle donne, per quivi disporre ogni cosa secondo l'ordine e il comandamento avuto dal suo signore. Appresso alla quale andata non stette guari a levarsi il Re, il quale lo strepito de' caricanti e delle bestie aveva desto; e levatosi, fece le donne ed i giovani tutti parimenti levare. Né ancora spuntavano li raggi del sole ben bene, quando tutti entrarono in cammino; né era ancora lor paruto alcuna volta tanto gaiamente cantar gli usignoli e gli altri uccelli quanto quella mattina pareva: da' canti de' quali accompagnati infino nella valle delle donne n'andarono, dove da molti più ricevuti, parve loro che essi della loro venuta si rallegrassero. Quivi intorniando quella, e riproveggendo tutta da capo, tanto parve loro più bella che il dì passato, quanto l'ora del dì era alla bellezza di quella conforme. E poi che col buon vino e co' confetti ebbero il digiun rotto, acciò che di canto non fossero dagli uccelli avanzati, cominciarono a cantare, e la valle insieme con esso loro sempre quelle medesime canzoni dicendo che essi dicevano: alle quali tutti gli uccelli, quasi non volessero esser vinti, dolci e nuove note aggiugnevano. Ma poi che l'ora del mangiar fu venuta, messe le tavole sotto i vivaci arbori e agli altri belli alberi, vicine al bel laghetto, come al Re piacque, così andarono a sedere, e mangiando, i pesci notar vedean per lo lago a grandissime schiere: il che, come di riguardare, così talvolta dava cagione di ragionare. Ma poi che venuta fu la fine del desinare, e le vivande e le tavole furon rimosse, ancor più lieti che prima cominciarono a cantare. Quindi, essendo in più luoghi per la piccola valle fatti letti, e tutti dal discreto siniscalco di sarge francesche e di capoletti intorniati e chiusi, con licenza del Re, a cui piacque, si poté andare a dormire; e chi dormir non volle, degli altri loro diletti usati pigliar poteva a suo piacere. Ma, venuta già l'ora che tutti levati erano, e tempo era di riducersi a novellare come il Re volle, non guari lontano al luogo dove mangiato aveano, fatti in su l'erba tappeti distendere, e vicini al lago a seder postisi, comandò il Re ad Emilia che cominciasse. La qual lietamente così cominciò a dir sorridendo. »

Aggirandosi per queste contrade e sorridendo con una punta di scetticismo sopra l'autenticità della casa in conflitto, accordando legittimità per la nobile aspirazione e per l'amore a tutte; leggendo su una targhetta di marmo al Ponte a Mensola questa dicitura: Società ricreativa Giovanni Boccaccio, mi vien voglia d'entrare: per veder che? Come fra i cipressi e gli olivi cerca acutamente il mio sguardo qualcosa che non si vede: che? Fra le scope, le ginestre e le mortelle, come chi cerchi erbe miracolose, tutti i miei sensi cercano avidamente dove si nasconda, se non ne sia smarrito il seme, messer Giovanni, la tua purissima giocondità.

"Sorelle Materassi"

E ora che vi ho alla meglio descritto il circostante paesaggio, incomincerò a notare con voi quali siano le cose che colpiscono a prima vista la nostra curiosità osservando quell'assieme di case che si chiama Santa Maria a Coverciano.

Oltre al passaggio di troppe cose che lo riguardano a volo, e meglio sarebbe dire che mai lo riguardano e nello spirito di cui già abbiamo discusso, e che noi non riguardano per nessun conto, ferma la nostra attenzione una cosa che lo riguarda davvero e da vicino, anzi nel cuore, ed è il sostare frequente di automobili signorili al cancello sempre aperto a metà della casa già accennata e destinata ad assorbire tutte le nostre mire; soste che si prolungano il tempo di una visita d'etichetta e non di rado d'una visita di confidenza come le donne del gran mondo, così detto, si scambiano abitualmente. Già dal tempo delle carrozze a cavalli si poteva ammirare ferma a quel cancello, scalpitante d'impazienza e di ardore, una pariglia di morelli o di bai impettiti, lucidi e luccicanti, fieri della preziosa bardatura, e che mordevano il freno mostrando la bocca dalla freschezza di un fiore; come oggi una superba macchina carrozzata lussuosamente. E un'altra osservazione non potrà sfuggire all'occhio esperto, su tre generi di persone, bene distinti, scendenti a quel cancello sia un tempo dalle antiche carrozze come oggi dalle automobili modernissime.

Signore in piena maturità accompagnate da una fanciulla, entrambe di irreprensibile eleganza proporzionata all'età e alla figura, e per la cui poetica descrizione si è attratti a ricorrere, solitamente, ad un'immagine floreale: la rosa col bocciuolo. Ma ostentando la madre, talvolta, il proprio stato di rosa sbocciata bene, per rimanere nel linguaggio cavalleresco e cortese, la figlia ostenta quello di un giglio consapevole, essendo giunta per lui la fine del proprio candore, per rimanere nel linguaggio casto e soave.

La seconda categoria è quella delle signore anziane, anzi, vecchie senz'altro; vecchie, oltre che per gli anni, di elezione; brutte e grinzose impunentemente, che nulla fanno per attenuare o nascondere l'opera crudele della natura e quella inesorabile del tempo sulle loro facce e persone, ma che anzi anticiparono la vecchiezza correndo incontro lietissime a tutte le sue catastrofiche conseguenze; e vestite così dimesse ed oscure, oltrepassando di tanto l'indifferenza per le vigenti mode, da risultare aggressive. Più che un'ostentata rinunzia, certe donne, finiscono per rappresentare una decisa protesta, un'ingiuria verso le altre, verso i tempi e i fascini della bellezza e delle grazie femminili, da destare la più istintiva maraviglia nel vederle scendere o salire da carrozze così lucide e belle, ché minore assai ne desterebbero vedendole scivolare di prima mattina, con la sporta o il paniere, fra il macellaio e il negozio delle erbe, il pizzicagnolo e il droghiere o, correndo a vuoto, estrarre a un certo punto il fazzoletto da una borsetta logora e unta, per piangere una miseria vergognosa e decente.

Talaltra, più raro il caso, scendendo dal tranvai si vede entrare in quel cancello un prelato importante; importanza che si rivela con la dignità del portamento fatta di riserbo e lentezza, e insieme per un baleno di seta viola tra la veste e il collare. O sbucare in fretta, non si sa di dove, un prete giovane, che oltre al rosso delle guance è ancora tutto nero come il calabrone.

Se a questo momento vi sarete sentiti penetrare in qualche parte la punta aguzza della curiosità vi dovete domandare chi possa vivere in una vecchia casa della pianura di Firenze, dall'apparenza borghigiana e dimessa, capace di attirare persone così eminenti e diverse. Vien fatto di pensare all'arte sopraffina di quella padrona di casa capace di cementare insieme gente tanto lontana d'età e di costume e capace di stuzzicare la nostra impazienza e la nostra ammirazione.

E avviene altresì, che fermandosi a colpo nei pressi della casa una di queste macchine, la dama o il conducente chiedano a una donnetta o ad un fanciullo che si trova nel mezzo della via un'informazione, sempre la stessa: « Le sorelle Materassi? Sa dirmi? Dove sono? Dove stanno? ». E non ne hanno pronunziato il nome che tutte le mani si allungano senza esitare, indicando decise il cancello bianco mangiato dalla ruggine, sempre aperto a metà, e sui cui pilastri seggono due leoni di terra cotta che superano in dimestichezza tutti gli animali da cortile; e sembrano piuttosto due vecchie in conversazione estiva crepuscolare, con le bocche devastate e semiaperte per l'afa ed il respiro greve. E da chi potrebbero andare in quel luogo, se non da loro, tutte quelle aristocrazie?

Entrati nel cancello ci troviamo in un vialetto sopra il quale si aprono le finestre della casa bassa e oblunga, comprendente al primo piano cinque finestre uguali con le persiane verdi, tre al centro aggruppate, e a maggiore distanza, ai lati, le altre due; quattro al piano terreno, sotto le altre precisamente, con inferriate leggère e bianche al posto delle persiane, e come quelle del cancello mangiate dalla ruggine. Nel mezzo, su tre scalini di pietra sbocconcellati la loro parte, è la porta-finestra, rotonda, e fornita di una grande persiana verde che scorre su due guide.

Davanti alla casa, su un muricciuolo basso, sono sparsi pochi vasi e poco rigogliosi, senza simmetria, e si capisce che fanno parte del tutto trascuratamente, non rivelano quell'affetto delle donne di famiglia, così palese, che dona loro una faccia ed una voce come a persone, ma piuttosto un oblio causato non da indigenza, ma da più gravi e soverchianti cure. Per otto o dieci metri oltre il muricciuolo è un pezzo di terra, né campo né giardino, negletto, in cui dei vecchi tigli non tolgono con le loro chiome poco lussureggianti, né aria né luce alla casa esposta al perfetto mezzodì.

In fondo, senz'altro intermediario, si vede il podere coi suoi filari di pioppi ignudi sopra i quali, come su braccia virili e ruvide, con languori o accorgimenti di femmine sembrano ribellarsi o si abbandonano le viti, si avvinghiano tenaci o si ciondolano svenute; per modo che uno di questi campi ci fa pensare al famoso ratto delle Sabine, che non dovevano essere tutte del medesimo parere sentendosi abbrancare.

Non soltanto il cancello rimane sempre aperto a metà, anche la notte e del quale, probabilmente, da epoca immemorabile è smarrita la chiave, ma dalle prime ore della mattina fino all'imbrunire rimane aperta, per gran parte dell'anno, la porta-finestra dalla persiana verde, rivelando uno stanzone d'ingresso che comprende, oltre ad essa, le due finestre che la fiancheggiano strettamente.

È necessario che noi osserviamo bene questa stanza che è, si può dire, la scena fondamentale, la base della nostra modestissima azione.

Un grande armadio di buon noce alla parete sinistra di chi entra, alto e lungo ma senza ornamenti, farebbe pensare naturalmente a una stanza di guardaroba; mentre che nella prima parte della parete di fronte, vicino alla finestra, una consolle pure di noce e con specchiera intagliata, fa correre il pensiero a un salotto da ricevere; e accanto nella stessa parete, un cassettone col marmo bianco ci fa balenare l'immagine di una camera da letto; mentre che alla parete in fondo un sofà basso e capacissimo, simile a una tinozza, non ci lascia immaginare una stanza da bagno, bensì un salotto anch'esso da ricevere con molta intimità e bonomìa; finché nel mezzo, una tavola quadrata di legno usuale, grandissima e dalle gambe tornite, al cui centro scende dal soffitto una vecchia sospensione a petrolio circondata di candele, e a cui sono state applicate sotto tre lampadine elettriche, ci fa vedere in sogno, seduta davanti alle scodelle fumanti, una patriarcale famiglia di dodici persone. Sopra il sofà è un secondo specchio in cornice dorata, e sopra il cassettone un'oleografia raffigurante una sosta di Gesù tutto bianco di splendore nello sfondo di un verde fosco, rabbrividevole, che fissa dall'alto, pensieroso e dolce, il panorama di Gerusalemme. Sotto le due finestre, due tavolini piccoli, rotondo e ovale, uno per parte.

Davanti alla bizzarra apparenza di questa stanza enciclopedica, non sarebbe facile avanzare pronostici e congetture se una cosa risultando evidente non venisse a rivelarne di colpo la vera essenza. Sopra il sofà come sopra le tavole, sopra la consolle e il cassettone, sopra le poltrone e le seggiole che ne completano l'arredamento, sopra scatole, scatoline e scatolone, ovunque sia una possibilità di posare, si vede ovunque una medesima cosa: a pezzi e a bocconi, a pezze intere, a quadri e a striscie, distese o ammonticchiate, tele, mussole, veli, crespo, tulle, cordoni, cordoncini, nastri, sete, bianche in gran parte o di colori tenui, di colori vivaci in parte minore. E per quanto i mobili vi siano in buon numero e di allarmanti misure, nello spazio che rimane intorno alla tavola o appoggiati alla parete libera, telai crucciati col viso al muro, o baldanzosi in esposizione, in tutti i sensi e d'ogni mole, e su taluno dei quali è disteso un panno bianco di particolare riservatezza, e che fanno apparire la stanza un palcoscenico prima o dopo lo spettacolo, mentre rivelano a noi, senza tema di equivoco, la presenza di assidue e attive ricamatrici. Ma per meglio precisare le qualifiche, e per quanto il ricamo sia la loro vera specialità, per la quale godono fama vastissima e solida riputazione, dirò che le sorelle Materassi sono ufficialmente, come si legge in testa alle loro fatture, delle cucitrici di bianco:

SORELLE MATERASSI
Cucitrici di Bianco – Corredi da Spose.

Vicino a quella porta-finestra sempre aperta nella buona stagione, o dietro i vetri chiusi e al solo conforto di uno scaldino sotto i piedi durante la stagione rigida, l'una davanti all'altra, curve sui telai, levando il capo e avvicinandosi per ricever consenso e concertare, dalle prime ore del giorno fino all'imbrunire, e facendo scendere sopra il telaio due lampadine fortissime non appena si affievolisce la luce del sole, e che durante il giorno pendono alte come un frutto sopra le loro teste; in piedi alla grande tavola aggrottando la fronte sul cammino sicuro delle cesoie, puntandovi il pensiero nell'atto del tagliare, sedute con la testa bassa alle due tavole sotto le finestre per disegnare.

Al tempo in cui si inizia questo racconto Teresa e Carolina, le due sorelle Materassi, erano giunte sui cinquant'anni alla distanza di un anno l'una dall'altra, anzi, dirò con più esattezza, v'erano a cavalcioni, giacché il cinquanta era fra l'una e l'altra.

Di corporatura complessa, e quasi alta, Teresa era donna forte, volitiva; e per quanto la sua espressione e il portamento rivelassero spesso la fatica, nascondevano sempre la stanchezza. I suoi capelli, ancora di un nero lucente e pettinati con semplicità, quasi tirati sulla curva del capo, lasciavano risaltare i pochi fili bianchi sparsi, più fitti alle tempie. Gli occhi neri, grandi e molto infossati, erano circondati da ombre peste che sfumavano sulla pelle del viso più che sfiorita divenuta arida, e da olivastra divenuta grigia, impolverata. Tutto in lei rivelava lo sforzo di un'esistenza difficile e coraggiosa, e una femminilità sepolta come una gioia effimera o un lusso ch'ella non poteva concedersi. Femminilità che riappariva solo in rari e brevi momenti di riposo, e che oramai non il bisogno le negava, ma una consuetudine di pensiero e di lavoro durissima divenuta regola. Più che la forza fisica risaltava in questa donna la forza morale che la sosteneva.

Contrariamente alla sorella, Carolina aveva conservata intatta la sua esteriore femminilità, che nello sfiorire della persona e per la vita d'isolamento erasi, a poco a poco, accentuata, rarefatta, fino a diventare languore o smanceria. Per quanto lo fosse appena, pareva molto più piccola della sorella, più esile, ma soprattutto flessuosa; e anche sotto il peso del più assiduo lavoro conservava un'elasticità serpentina cedendo spesso al desiderio di stringersi alla vita, palparsi in qualche parte, sentirsi, tirarsi su qualcosa per riabbandonarsi maggiormente, rendendosi freschezza illusoria e precaria; per modo che pareva appuntato con gli spilli ogni suo atto od espressione. E specialmente si ritirava su e si contorceva all'apparire di una persona, e tanto più quanto più importante e di riguardo era quella; e alla quale la sorella, invece, piantava gli occhi in faccia senza alterigia, ma con la sicurezza di chi è uso a trattare e ascoltare attentamente, a capir presto e a farsi capire. Carolina faceva come i fiori sullo stelo quando apparisce il sole la mattina, o quando ricompongono le loro forme dopo i colpi della tempesta. Tale elasticità del corpo, artifiziosa, la faceva giudicare fragile, ed era fortissima; simile a quegli arbusti che per una possibilità di ripiegarsi infinita non c è vento che li possa stroncare. Aveva i capelli castagni con riflessi biondastri, abbondanti e fini, voluminosi; e che teneva in una foggia instabile e inquieta, costringendosi a gesti di una grazia affettata e languida. Per quanto i fili argentei nella sua testa fossero più numerosi che in quella della sorella, non risultavano che alla più stretta vicinanza, confondendosi ancora bene il nuovo argento con l'antica doratura. Gli occhi chiarissimi, non più celesti ma color lavanda, erano due dischi scialbi, privi di forza adesiva, non esprimevano minimamente un volere, e guardandoti senza profondità, e accompagnando lo sguardo con un sorriso delle labbra tumide e spesse, ti dava l'impressione che osservasse se medesima in uno specchio, rattenendo la compiacenza della propria bellezza e superiorità non per modestia ma per godersela tutta. La faccia era pallida e morbida, pallore e morbidezza prodotti dalla fatica. Oltre che differire per questa esteriore femminilità, vicino alla sorella sembrava più giovane di parecchi anni e ne aveva uno di meno solamente.

Il caso, ma più che il caso le vicende della vita, e più precisamente quelle della famiglia, le avevano volute indissolubilmente unite e zitelle; contro le rovine della quale s'erano fatte argine prima, sostegno poi, quindi ricostruzio ne degna d'encomio solenne.

La parte abitata da esse era una vecchia casa padronale della campagna, non si può dire una villa né casa da povera gente, sia per l'ampiezza che per la disposizione delle stanze; e in continuazione di essa, ma con entrata da un cancello speciale in una via secondaria, aveva la casa le sue capanne e le stalle il contadino di un podere assai grande e molto fruttifero, di loro proprietà. Sulla parte della strada maestra, entro il muro conventuale, formavano il vasto cortile col dietro della loro casa i due rami di case già descritte, centrate da un pozzo, umili ma pulite, e che ospitavano in tutte quattordici famiglie di piccola gente decorosa e perbene: piccoli bottegai, impiegatini, operai agiati, in cui non si notava né indigenza né disordine.

Né sarà male impiegare qualche parola per descrivere questa proprietà e costruzione sapiente, opera dell'avo paterno delle nostre sorelle, stato a suo tempo agente di beni rustici al servizio di una nobile famiglia in quelle terre e il quale, coi risparmi di un'esistenza sobria e laboriosa, aveva acquistato prima la casa col podere stabilendovi il proprio domicilio, quindi con le rendite di esso, in tre riprese, vi aveva costruito a fianco il grande caseggiato da affittare, riducendolo insieme un possesso simpatico e notevole.

Accadde però che l'unico figlio del campagnolo integerrimo e laborioso, il padre delle nostre ricamatrici, non seguì le orme della paterna saggezza e costruttività, ma si compiacque di battere vie molto diverse; e questo, badate bene, non soltanto col beneplacito o il lasciar correre del genitore ma, dirò di più, con la sua intima e inconfessata compiacenza. Cresciuto in condizioni di larghezza e di benessere aumentati progressivamente durante la migliore gioventù, e rappresentando tutta la gioia e l'orgoglio del vecchio fattore che aveva avuto quell'unico figliolo nell'età matura, ed essendo stato per sé fino alla tirannide avaro d'ogni mondano piacere, aveva avuto l'ambizione, e insieme la debolezza, di veder crescere il figlio in tutt'altra maniera, alla rovescia precisamente; quasi che la virtù non fosse un principio in chi ne aveva esercitata sempre: frivolo, spensierato, capriccioso, spendereccio, senza la volontà di lavorare. E via via divenendo uomo, sempre più avido di tutte quelle attrattive che il suo tempo poteva concedere. Quasi fosse stabilita una gara tra il figlio e il padre, il primo nello spendere e il secondo nel pagare. E quanto più era la condotta del primo riprovevole, tanto più pareva recare al secondo un segreto e inconfessabile piacere. Finche, venuto a morte il padre, che negli ultimi tempi della vita aveva saputo misurare la forza del proprio errore verso il figliolo senza potervi opporre un argine, dissoluto fino alla rovina e morto non ancora vecchio dopo cinque anni tristissimi di progressiva infermità dovuta anch'essa al proprio disordine, lasciava la moglie che di poco gli sopravvisse, e quattro figlie, e la proprietà così gravata di debiti e d'ipoteche da rendere appena possibile alla famiglia l'usarne come abitazione.

Tanta dissolutezza da parte del padre, il dolore oscuro della madre creatura mite e sottomessa che aveva menato una vita di pene e di rinunzie, di umiliazioni, fino a intristire inesorabilmente, fece crescere le figliole sagge e tranquille, vòlte alla durezza della vita, alle sue lotte, cariche di dolore, laboriose, spoglie d'ogni aspirazione di gioia; quasi non avessero udito altro comandamento che quello di riparare al male paterno moralmente e materialmente.

Giunto agli ultimi istanti, l'uomo divenuto iracondo per la completa rovina, non avendo trovato in fondo all'anima una parola di bontà o di rassegnazione, quando già nel dominio della morte gli si erano ottenebrate le pupille, gridò alla moglie cacciandola dal capezzale: « sei te, troia, che mi fai il buio ». Fu il saluto del marito e del padre.

Teresa e Carolina avevano frequentato insieme a Firenze, fino da giovinette, la scuola di una famosa maestra di biancheria fine, rivelando dai primi passi attitudini specialissime la prima per il taglio, la seconda per il disegno e il ricamo; finché, poco dopo i vent'anni, impiantatesi nella loro casa si erano costruite una nuova vita provvedendo al genitore povero e infermo, e fermando sull'orlo del precipizio la sorte della famiglia. Non avevano ancora trent'anni quando morì il padre, e già in sicura ascesa verso quello stato che doveva portarle a divenire esempio e maraviglia per gli altri, intima e legittima soddisfazione per loro stesse.

Rimaste sole, in pochi anni di lavoro senza respiro, soccorse dai consigli di qualche brava e disinteressata persona, con un primo sforzo, il più difficile, poterono iniziare lo svincolo delle proprietà dai lacci delle ipoteche, delle case e del podere; liberazione divenuta, dopo quel passo, sempre più rapida e facile, fino a rientrarne in possesso automaticamente.

La vera cucitrice era Teresa e passava oramai per essere in quel genere, la migliore, la più reputata della città; tanto che così fuor di mano tutti la venivano a cercare, e doveva rifiutare il lavoro continuamente. Non vi era signorina di famiglia nobile o ricca, figlia di professionista industriale o commerciante, che non volesse nel proprio corredo, se tutto non era possibile, almeno alcune cose uscite da quelle mani divenute celebri; e i corredi venivano ordinati un anno e due in anticipo, e a meno di sei mesi non accettava l'ordinazione. La cosa più sorprendente era di vedere come in un remoto e modesto angolo della campagna le mode giungessero senza ritardo, e come nella fucina di quella bizzarra stanza, da quelle donne i cui corpi non accennavano il più vago o lontano sospetto di mode e di eleganze, le novità venissero accettate, criticate, vagliate, sviluppate, corrette, con intuito finissimo di opportunità e buon gusto.

Carolina ricamava in bianco soccorrendo la sorella nel lavoro di più vasta mole e rapido profitto, specializzandosi nelle esecuzioni di tale grazia e finezza, di tale virtuosismo nella sua materia, da lasciare perplesso il più acuto giudice. Non v'era punto di questa terra che le fosse ignoto e del quale non conoscesse l'esecuzione, o che visto una volta non fosse in grado di riprodurre, tanto da poter valutare e riparare merletti e veli antichi, ricami di tutte le epoche. Come la sorella era la volontà, la mente ordinatrice, Carolina era l'artista. Fino dai primi anni della fanciullezza come la sorella aveva dimostrato le attitudini per il taglio e la cucitura della biancheria, essa aveva dimostrato quelle per la decorazione, l'estro per il disegno, la sensibilità per il colore. La sua specialità superlativa era il ricamo in seta e oro: paramenti sacri, làbari, stendardi, bandiere. Ecco spiegata l'apparizione a quel cancello dei sacerdoti e delle beghine di classe, che scendevano dall'automobile quando dovevano fare un dono alla chiesa, a un vescovo o cardinale, riuscendo a tali prodigi in questo genere da reggere il confronto coi migliori esemplari che si ammirano sotto i vetri dei musei e delle gallerie, e che fino dall'adolescenza aveva studiato con eccezionale talento. Allorquando Carolina doveva portare a termine un lavoro, un parametro sacerdotale, uno stendardo, una bandiera patriottica, Teresa lasciava da parte le camicie e le mutandine, prendeva anch'essa seta, oro e argento, e aiutava la sorella con sottomissione di allieva, di esecutrice; e ugualmente Carolina aiutando la sorella in un corredo importante per quello che riguardava i modelli e la cucitura ai quali doveva essere intonata la decorazione.

Come vi ho detto già, rifiutavano lavoro quotidianamente o lo accettavano a indefinite scadenze, non avendo mai voluto formare una scuola o, meglio ancora, cosa desiderata da tutti, trasportarsi a Firenze e impiantarvi un lavoratorio in grande. All'infuori di qualche giovinetta del vicinato, ammessa per favore, loro inquilina generalmente e alla quale avevano insegnato come a persona della famiglia, o una vecchia lavorante di loro fiducia che facevano venire nei casi disperati, non avevano cercato altro soccorso, e in quanto al trasportarsi a Firenze non ci pensavano neppure finché tutti andavano a cercarle lì dove erano nate, dove avevano vissuto sempre. Questo costituiva il segreto principale del successo, il lavoro era tutto delle loro mani esperte, in ogni punto, inattaccabile, uguale, ciò che rappresentava per esse una fatica senza limite.

Nei tempi andati, quando esisteva ancora questo genere di relazione, era stata nella loro clientela qualche mantenuta di grido, sfarzosissima, specie da me omessa poc'anzi giudicandola eterogenea, irregolare, ma ottima invece per le nostre sorelle, giacché le donne suddette facevano sperpero di biancheria sopraffina senza badare alla spesa, essendo le loro entrate facili e abbondantissime. Esistono anche oggi le mantenute? Le cocottes? Ci vien fatto di chiederci non vedendole più. Forse, chi sa... Ma pervenute a condizioni ragionevoli, utilitarie solamente, non si mettono in luce come allora: cambiato tempo cambiato il costume; o chi le mantiene, spendendo poco, non ha più tanta smania di farle vedere; in quelle proporzioni di sfoggio rappresentano il frutto di un'altra stagione. Ed era accaduto che nel salotto-lavorativo e bottega si fossero incontrate con taluna di esse la dama e la devota, e financo il sacerdote; questi per i paramenti dello spirito, l'altra per quelli del fragile corpo, e che per farne sempre meglio risaltare l'infinita fragilità esigeva fragilissimi, trasparenti addirittura. In tale circostanza Teresa era rimasta impassibile, padrona, non perdendo mai un punto di vista: il migliore interesse della propria azienda. Carolina in quei casi straordinari si divincolava senza sosta, quasi che gli altri si trovassero lì al solo scopo di ammirarla. La dama a quel contatto era divenuta evasiva, altezzosa, distratta, e soprattutto miope, di una miopia così acuta da non poter distinguere quella piccola cosa ch'era l'altra cliente lì vicina. La beghina invece s'era a colpo rinchiusa, alla maniera del riccio al più lieve rumore, formando un globo di spine: quindi era sparita. E il sacerdote, pensando forse che il Signore un giorno le avrebbe toccato il cuore, in previsione di quel turbamento l'aveva osservata benevolmente.

Certi incontri formavano un capitolo speciale nella storia delle nostre sorelle.

Ma il capitolo di centro era rappresentato da un viaggio a Roma che fu a suo tempo un avvenimento tanto grande da rivoluzionare il paese: tutto il popolo di Santa Maria per molti mesi ne seguitò a parlare.

Avendo eseguita una pianeta per un cardinale di Curia, ed essendo stata ammiratissima fino nelle anticamere di Sua Santità, per mezzo del Cardinale Arcivescovo di Firenze le due sorelle vennero informate che il Santo Padre le avrebbe ricevute in udienza particolare con un gruppo di poche altre persone.

Tale notizia mise sottosopra il vicinato. Dal parroco all'ultimo parrocchiano fu un accorrere alla porta-finestra dove le donne seguitavano a lavorare con la testa piena del loro viaggio. « Le Materassi a Roma! Ricevute dal Papa. » Tutti volevano sapere se era vero, se ci sarebbero andate e quando, ma soprattutto, come si sarebbero vestite, sapendo ognuno che per essere ammessi alla presenza del Pontefice ci vuole un abito speciale.

Anche la forte Teresa in quei giorni aveva smarrito la calma conquistata e mantenuta sì duramente. Carolina ebbe crisi di pianto e, quasi, di paura. Sentiva che all'ultimo momento le gambe non l'avrebbero sorretta, e sarebbe giunta a Roma soltanto per cadere svenuta. Soffriva di fantasticherie, aveva perduto il sonno, l'appetito e financo la voglia di lavorare. Per togliersi da tanto orgasmo decisero di portare un dono al Papa, una stola magnifica alla quale lavorarono insieme, senza abbandonarla un momento, giorno e notte con commozione struggente durante quel periodo che le separava dalla partenza.

Carolina gettò il disegno di una bellezza austera, classica, che culminava nella parte di destra con un Cristo sulla croce, e in quella di sinistra con un San Pietro nell'atto di consacrare l'Ostia.

Per un mese donne e donnette lì vicine non parlarono che della stola e della visita. Sarebbero riuscite a terminarla pur lavorando il giorno e buona parte della notte? Come sarebbe venuto il Cristo? Il sangue delle ferite? E la cosa più difficile: il volto di San Pietro con le mani che reggevano l'Ostia all'altezza del petto nell'istante divino. Quasi che tutte la dovessero eseguire.

Quella stola si poté chiamare, e con ragione, il capolavoro delle sorelle

Per l'estrema tensione Carolina scemò tre chili in un mese; e quando terminato il Cristo, e dall'altra parte terminato il Santo dai grandi occhi chiari che fissavano il cielo, eseguì con le sue mani l'Ostia, che per essere un disco tutto bianco poteva appesantire la figura retrostante ferma e dura, divenne essa stessa di una leggerezza incorporea nel tirare il filo, tanto che l'Ostia si formò con la soavità di un vapore che sale.

Accompagnate da un prelato di Firenze con dieci o dodici altre devote, in una mattina di Giugno col sole squillante nel cielo di un azzurro denso e uguale, tremando come colombe spaventate e traballando sopra una carrozzella che saltarellava sui ciottoli della piazza come sul greto di un fiume, vestite di nero col velo fin sulla fronte, si avvicinavano annichilite al palazzo apostolico, e più si avvicinavano più si sentivano inghiottire dalle fauci maestose di quella mole.

Vennero introdotte con un altro gruppo accompagnato da un prelato anch'esso, e insieme a un gruppo di sacerdoti che stavano da sé. Non più di cinquanta in tutti. Vennero introdotte nella sala delle Benedizioni, in attesa che si aprisse la porta dalla quale sarebbe apparso il Pontefice, e che ognuno fissava senza il coraggio di respirare.

A un tratto la porta si aprì con tanta semplicità da sembrare di cartone, e un fascio di luce venne dall'altra sala irradiata dal sole. In quello, con la leggerezza che Carolina aveva saputo dare all'Ostia fra le dita di San Pietro, Sua Santità apparve. Era Pio Decimo, ed era il Giugno che precedette la conflagrazione europea; pochi giorni dopo quel cuore pietoso cessava di battere. Il Santo vegliardo col ciuffetto di capelli argentei che gli uscivano dalla calotta, la faccia rosea e sorridente di amor paterno, nella veste candida incominciò, uno a uno, a passare davanti a ciascuno dei suoi visitatori inginocchiati in semicerchio, dicendo qualche parola a tutti ed impartendo la suprema benedizione terrestre. Allorquando il prelato disse che quelle erano le due ricamatrici di Firenze, e della stola portata in dono a Sua Santità, prese con tenerezza, fra le sue, le loro mani per vederle, dicendo ad entrambe: « brave, brave, bene ». Le poverette, inginocchiate, non seppero che piangere, ma trovata la forza di articolare, rotta dai singulti, Teresa, mentre il Santo Padre carezzatele la fronte le impartiva l'apostolica benedizione, ebbe uno slancio: « Per l'anima di nostro padre! Per l'anima di nostra madre! ». E il Pontefice accentuando il sorriso annuiva col capo giacché quella, una volta rotto il ghiaccio, accennava a seguitare: « Per nostra sorella di Ancona! Per quella di Firenze! Per tutti gli abitanti del nostro paese ». E più il Pontefice assentiva con la testa per far capire che la benedizione era valida anche per loro. Carolina, che non era stata buona di aprire la bocca, ma che con grande maraviglia aveva ascoltato quanto la sorella era stata capace di chiedere, una volta aperta la sua esplose: « Niobe! ». Al che il Pontefice, sorridendo più aperto, fino a mostrare la bocca rossa priva di alcuni denti, presa fra le mani la faccia di Carolina come si fa con un fanciullo: « Per tutti, per tutti », le disse prima di passare oltre.

Avevano cinquant'anni all'epoca in cui si inizia questo racconto, e nell'anno millenovecentodiciotto precisamente. Pervenute all'apice della loro vita professionale e di ogni segreta e confessata aspirazione, rientrate da alcuni anni nel possesso completo della loro proprietà le cui rendite sarebbero bastate a farle vivere con larghezza, seguitavano a lavorare con la febbre delle ore tristi, e nemmen mai prospettandosi una vita diversa pareva non si fossero accorte del miracolo operato dalle loro piccole dita, e che riconquistare la serenità e una posizione legittima non fosse la mèta. Erano giunte al punto di accumular denaro senza nemmeno accorgersene, senza sentirne il valore e la passione, sia per parte del loro lavoro come per parte delle rendite di cui non spendevano un soldo. Avresti detto che oramai attaccate al suo carro fosse il lavoro che le tirava senza potersene distaccare; cosa alla quale non avevano mai pensato, come non avevano mai pensato a distaccarsi da quella forma di vivere, rallentarne il ritmo per godere un istante di riposo, di benessere e di gioia, concedersi uno spasso, uno svago, fare un piccolo viaggio, perseguire un lavoro meno intenso e incalzante: la sua durezza era la sua essenza stessa, il mezzo divenuto fine. Se questo pensiero fosse balenato nella mente avrebbero sentito il vuoto innanzi a loro, si sarebbero sentite infelici per la prima volta, e quasi che tutto fosse finito con lo scopo raggiunto, si sarebbero trovate con un pugno di mosche.

Tutto era lì in quella stanza descritta, nel caos di pezze, di sete, di veli, di nastri, di tele e di telai, di scatole, di forbici e d'aghi; nelle macchine signorili che sostavano alla porta, in quelle visite di gente ricca e importante, nelle loro raccomandazioni e preghiere per farsi servire. Seguitavano quel passo indefessamente e, si può dire, incalzando invece di rallentare. Ecco la loro mèta, nella quale avevano dimenticato il mondo e di essere donne. Erano due fanciulle impietrite, femminilità di cui soltanto l'osservatore esperto poteva rinvenire le tracce, lampi rari e vaghi scaturenti come fuochi fatui dalle ceneri, e che rientravano sotto di quelle non appena eseguita la pallida e fallace apparizione.

Viveva presso di loro una sorella più giovane: Giselda, minore di quattordici e quindici anni, la quale aveva vissuto il dramma alla rovescia. Delle quattro sorelle era stata la più graziosa e, quasi, bella; non aveva conosciuto il focolare domestico nel periodo oscuro del disordine, essendo allora troppo bambina per parteciparne le sofferenze, e sbocciata alla vita quando già le sorelle, rimaste sole, avevano iniziato vittoriosamente la ricostruzione dell'esistenza familiare. Non aveva imparato nessun lavoro praticamente, ché le sorelle avevano preferito non occuparsi di lei piuttosto che sottrarre il tempo al loro; né le chiedevano soccorso neppure quando si sentivano sopraffatte, sia perché di quanto poteva fare non erano contente, sia per sentirsi onnipotenti esse. Della sua incapacità sorridevano bonarie non esigendo che mansioni lievi e girellone: andare a Firenze per eseguirvi le commissioni e gli acquisti; presso fornitori e clienti, portare il materiale e le imbasciate, consegnare il lavoro compiuto; cose che Giselda eseguiva perfettamente essendo franca, intelligente, vivace. Né della sua gioventù e avvenenza, rilevata da tutti, si erano mostrate gelose, avendola considerata sempre, più che una sorella una figliola, fiere di un tale sentimento e della propria generosità verso di lei. Finché un fatto, imprevisto da quegli essere esiliati dalla vita e pur tanto naturale, non cambiò sul colpo gli amorevoli sentimenti in gelosia e diffidenza

Giselda aveva vent'anni ed era nel pieno del suo rigoglio giovanile, quando un giorno annunciò alle sorelle di essersi fidanzata e di volersi sposare. Alzata la testa dal telaio quelle, prima di guardar lei si guardarono insieme stupite e perplesse, disorientate, come all'annuncio della cosa più inverosimile e, in fondo, meno gradita. Era fidanzata con un giovane dell'alta società, diceva essa, ricco, bello ed elegante; e che sarebbe venuto in casa per chiederla ufficialmente alla famiglia. Bastò questa notizia, detta con certa baldanza di trionfo e di sfida per parte della fanciulla, a produrre una fossa di ghiaccio fra le tre femmine. era getato il seme di una rivalità destinata a scoppiare per vivere poi sempre. E avendo Giselda col suo istinto di donna, scoperto il rancore male celato nell'anima delle sorelle, invece di farsi docile per ammansirle, di impicciolire la cosa ai loro occhi presentandola avvolta di timori e d'incertezze, mostrandosi debole e chiedendo consiglio e protezione, prese il tono di sicurezza e superiorità che le dava la sua vittoria. Per modo che valendo i sentimenti dell'una a incrudelire quelli dell'altre, e queste, alla loro volta, coi loro quelli di lei, il dissenso e la discordia finirono per esplodere allorquando si seppe che il giovane in parola, ricco, bello, elegante e della migliore società, era il soggetto meno indicato per la riuscita di un matrimonio e le future basi di una famiglia. Si trattava anzi di un cattivo soggetto che già aveva dato pessime prove, dissoluto, prepotente, incapace di lavorare con serietà, che aveva condotto sempre un'esistenza libertina e senza scrupoli, e per il quale il matrimonio non poteva rappresentare che una nuova avventura. Da ogni parte le informazioni vennero negative. Ma, come dicemmo prima, il sentimento fra le donne essendosi impostato male, quando le sorelle spogliate di quell'inconfessabile antagonismo di femmine, a cuore aperto la sconsigliarono nel suo unico interesse, facendosi scudo delle pene di cui erano state testimoni e vittime fino dall'infanzia per aver dato anche a loro, la sorte, un cattivo padre, Giselda prese gli amorevoli consigli per gelosia bella e buona, gelosia che tentava di nascondersi sotto la veste della previdenza e della saggezza allo scopo di trionfare, per l'odio covato sotto sotto dalle zitellone verso la ragazza felice. Di più, questo fidanzato, non era nelle condizioni del loro padre, che aveva avuto per tanto tempo un genitore deciso a sostenere la dissolutezza come un punto d'onore, e lasciandogli poi una sostanza da liquidare; qui, la famiglia, dopo infinite lotte e sofferenze lo aveva abbandonato alla sua sorte.

Giselda sposatasi, a cinque anni dal matrimonio che le aveva data una felicità di qualche mese rivelandosi presto quello che avevano voluto le profezie, dopo aver sopportato, prima di arrendersi, tutte le umiliazioni, i disagi e le amarezze, anche la fame; con l'orgoglio piegato, la gola martoriata dal dolore, aprì il cuore alle sorelle nelle quali, a mano a mano che accoglievano la confidenza attraverso di quella si esauriva il rancore. Felice e forte la combattevano, disgraziata e vinta tornavano buone, le rendevano il loro affetto e la loro generosità.

Dopo cinque anni di patimenti e di angoscie, Giselda chiedeva ancora asilo alle sorelle rientrando per sempre sotto il loro tetto, mentre il marito scompariva anche dalla città senza lasciare le proprie tracce. La donna che per venti anni aveva rappresentato la spensieratezza e la felicità in quella casa travagliata e triste, ora vi rappresentava il dolore. Rientrandovi si era fatta cupa e silenziosa, magra di corpo, dalla faccia sfiorita, vizza, aveva perduto ogni grazia e il colore, il proprio aspetto quasi covasse, più che l'intima delusione e la sconfitta, il suo amore trasformato in odio verso l'uomo dal quale era stata avvilita e gettata via. Era divenuta dura, le labbra non conoscevano che un sorriso amaro o ironico, né riusciva a nascondere il livore verso le sorelle vittoriose che avevano avuto ragione, e con le quali da dieci anni era tornata a vivere. Ora viveva fra esse non come padrona, ché tutto era di quelle, né col diritto che le aveva dato un tempo la spensieratezza e la giocondità; né come una serva d'altra parte, ché loro avevano ripreso a trattarla bene, con rispetto, e quanto le chiedevano di fare veniva espresso in forma urbanissima e cortese, cosa che per il suo orgoglio calpesto rappresentava l'umiliazione più grande. La sua posizione era falsa, falso il tono di vivere, quello del muoversi e di parlare: una creatura stridente, fuori di posto, incapace a ricostruirsi una vita da sé e a procacciarsi un pane.

Teresa e Carolina invece, nei loro sentimenti verso di lei povera e vinta, avevano dimenticato che un giorno era stata desiderata da un giovane bello e avventuroso di quelli che tutte le ragazze, ad ogni età, vedono apparire la notte nei fantasiosi sogni, ad occhi chiusi o aperti (notizia che non aveva recato un intimo piacere quel giorno), e ch'ella, sbagliando i conti, aveva creduto di far suo e di essere di lui per sempre, volendolo a dispetto di tutti, e di tutte le informazioni e profezie. Il disastro sopravvenuto era valso a mitigare lo stridore di tanta ruggine, e più ancora quello che l'infelice aveva dovuto sopportare prima di arrendersi, fino a trovare la forza di aprire il cuore per non avere più quella di soffrire. Era pervenuta alla rinunzia e all'odio che le labbra, chiuse e bianche, lasciavano trasparire.

Faceva da amministratrice delle case; il suo disagio e la sua acrimonia era provvidenziale per amministrare senza debolezze, cedendo il meno possibile sulle proroghe delle pigioni esigue per parte degli inquilini meno fortunati o travagliati sovente, da disgrazie e malattie; come nel rifiutare lavori di manutenzione che quelli richiedevano troppo alla leggera. Faceva da amministratrice anche presso la clientela illustre, che non è sempre illustre all'ora di pagare. Amministrava il podere: i contadini vogliono, si sa, buono e avveduto governo per il reciproco vantaggio; faceva i conti del latte, delle verdure che quasi ogni mattina venivano portate sul mercato di Firenze; giacché in quel podere le riprese contavano infinitamente più delle raccolte che si riducevano a un po' di grano e al vino, un vinello di pianura poco gagliardo, per non dire fiacco. Con tutta questa gente che rappresentava la potenza delle benefattrici e padrone, Giselda sfogava il malumore che covava contro di quelle non potendolo sfogare direttamente, ché nella piena e tranquilla sicurtà le sorelle ne avrebbero riso con gusto umiliandola di più; e senza che nemmeno se ne potessero accorgere sotto sotto se la ridevano inconsciamente, giacché quel malumore si risolveva tutto nel loro materiale interesse. Andava a Firenze per gli acquisti e le commissioni necessarie, permettendo a loro di non muoversi un momento per nessuna ragione, proprio come aveva fatto sempre da fanciulla. Ma con quale diverso animo, la poveretta attraversava ora le strade della città. Non poteva nemmeno ricordare la sua vicina fanciullezza che le pareva lontanissima quasi fosse stata decrepita, per non amareggiarsi fino allo spasimo. In casa eseguiva le faccende meno gravose, rifaceva le camere, sua e delle sorelle al piano superiore, e teneva in buon ordine tutto quel piano; e al piano terreno il salotto da ricevere dove le signore venivano introdotte per le prove; ma mai si sedeva nell'ingresso a lavorare, e nemmeno quando il lavoro era compiuto le aiutava a stirarlo; erano capacissime di alzarsi un'ora prima dell'alba e di coricarsi dopo la mezzanotte per eseguire di proprio pugno quella cura delicata che giudicavano importantissima, quasi fosse inibito a lei, per superiore decreto, ogni intervento nel lavoro. Quelle la disdegnavano come lavorante e lei, dal canto suo e senza volerlo dimostrare disdegnava quel lavoro in cui le vedeva abbrutite e del quale, in assenza di miglior causa, s'erano fatte una religione.

Per le faccende grosse c'era Niobe, la vecchia serva

dimenticata in Vaticano per lo smarrimento, e per la quale il Papa ebbe sorriso e benedizione speciale. Vecchia per modo di dire, giacché era coetanea delle padrone al cui servizio viveva da vent'anni, ma oramai rinunciataria d'ogni velleità personale, i suoi cinquanta potevano essere scambiati per sessanta molto facilmente.

Niobe era buona e gioviale e la sua bocca, per quanto priva di molti denti, sorrideva sempre. Aveva pochi capelli e grigi, tirati sulla testa e alle tempie in quell'acconciatura che usano certe donne di fatica non potendone immaginare una più semplice. Piccola e tozza, ingrassata con gli anni e quasi informe, le sue rotondità ballonzolavano con pesantezza, ma senza sofferenza né pigrizia. Non vi era parola, atto, cattivo umore che potessero offenderla e, come il buon asino, piegava le spalle sapendo ch'era fatta per portare, e portava senza un lagno né un segno di rivolta o di stanchezza. Le sorelle, pure trattandola con degnazione per la sua miseria fisica e la passiva bontà, le erano affezionate proprio nel cuore.

Anche Niobe aveva una storia fuor del comune e della quale il mondo conosceva solo una parte; e non perché di spropositate misure, un dramma tanto naturale, ma perché le padrone volevano così e la donna, per secondarle, s'era mostrata dal canto suo riconoscente di un tale condono, del quale si servivano poi come di un affettuoso e familiare ricatto, la cui taglia era un sorrisetto o un colpo di tosse, qualche interiezione che lei sola, fra gli astanti, in quel discorso poteva comprendere. Ed essa, in fondo, per misera che fosse, sorrideva più della loro ingenuità che delle proprie gesta, per nulla dispiacendosi di essere ricattata e dispostissima, se lo avessero desiderato, a spiattellare anche il resto.

Al suo paese nel Valdarno, la povera Niobe, figlia di poverissima gente e costretta a vivere presso i contadini a opera o in qualità di fante per guadagnarsi il pane, all'età di quindici anni fu messa in mezzo, anche questo è un modo di dire, e resa madre da un fattore ammogliato e non più giovanissimo. Dopo di che, abbuiato il fatto, venne mandata a servizio a Firenze. Abbuiarlo vuol dire in questo caso parlarne sotto sotto fino all'esasperazione, fino all'esaurimento della curiosità, che in certi luoghi non si esaurisce in tempo breve non avendone un altro da sostituire, e con un gusto mille volte più grande che a voce spiegata con la quale si dicono le cose di scarso interesse o fastidiose. Questa era la parte conosciuta da tutti e per cui tutti le davano completa assoluzione, con appendice d'ingiurie e di rampogne all'indirizzo del satiro, del bruto, dell'uomo turpe che aveva abusato di una creatura ignara ed innocente. L'altra parte invece, della quale soltanto le Materassi erano depositarie nel villaggio, ignota anche a Giselda, che dal canto suo s'infischiava delle faccende di Niobe quanto le due zitellone non potevano immaginare, era che una volta a Firenze, passando da una casa all'altra nell'odissea servile, verso i ventitré anni di età il seno di Niobe, come otto anni prima al paese per cause rustiche, riprese ad alterare le proprie dimensioni per cause urbane, o inurbane se volete, e rimaste in quell'ombra discreta nella quale anche a noi piace lasciarle. Per il decoro della famiglia questo secondo fallo doveva rimanere un segreto giacché il contado, che aveva prodigato alla quindicenne carità e indulgenza a profusione, posto di fronte alla seconda caduta si sarebbe condotto in modo differente, nessuno potendo concedere un *bis* a Niobe ormai esperta dei misteri della vita e in un'età perfettamente responsabile. Non solo, ma scaricando, è facile capire, molta della responsabilità fatta pesare sul primo seduttore verso il quale, pur nessuno sapendo di che colore fosse, dovevano permanere l'ostracismo e il gettito delle contumelie.

La verità vera è la seguente: questa creatura semplice, goffa, miserabile, aveva sortito da natura una sensualità forte, svegliatasi presto e rimasta poi viva sotto la cenere. Disfatta prima del tempo nei cenci e le fatiche della serva, la facile preda del maschio con un'occhiata in cui brillava ancora a vuoto il desiderio, rivelava all'osservatore esperto che il suo disfacimento fisico, la sua bontà e un fondo di naturale saggezza l'avevano portata alla rinunzia, ma non fino al punto di chiudere gli occhi, e un sorriso estatico che non riusciva a dominare, e che soltanto un mezzo sospiro poteva interrompere, o un'esclamazione incontenibile e sempre uguale: « bei' moro, perdie! » scorgendo un uomo bruno, giovane e forte, o sentendolo nominare, erano il massimo ed unico sfogo della peccatrice: si capisce che i mori erano stati il suo forte... e anche il suo debole.

A tale grido, sul quale vigeva con allegria la tolleranza delle padrone, Giselda, dopo aver lanciato alla serva uno sguardo d'ira e di disgusto, arricciava il grugno riducendolo una lama di pugnale. Un « bei' moro » era costato anche a lei tante lacrime e troppo avvilimento al suo orgoglio per sentirne parlare con simpatia e ammirazione. E d'altra parte, anche con la povera Niobe i mori non si erano portati bene, pure essa era incapace di covare rancore verso di loro, e i suoi occhi vivi, come una rosa che sbuca dalle rovine, a quella vista o al solo ricordo, divenivano incandescenti.

Teresa sorrideva dall'alto, fra pudica e faceta, e Carolina a quella gioia sentiva scivolarsi dentro uno strano languore che la vecchia ragazza cercava di nascondere non sapendo che fosse, e che dalla gola scendeva giù giù facendole divincolare la persona. Pure riuscendo a nascondere il languore, la poverina non riusciva a nasconderne il percorso.

Le due ricamatrici non si muovevano mai dal loro arsenale intorno al quale, a rispettosa e rispettiva distanza, si muoveva tutto il resto come le stelle intorno al sole: la serva e la sorella, i borghigiani che andavano per salutarle e coi quali sapevano mantenere una distanza notevole rispondendo senza alzare la testa dal telaio, cortesi e sostenute come dal trono due regine. E chi aveva un bambino in collo non osava oltrepassare il secondo scalino della porta o vi sedeva come ai piedi di un altare; e al fanciullo era solo permesso di accennare con le manine, che le mamme a quegli accenni incutevano, come in chiesa, silenzio e soggezione. Non dispiacevano punto alle sorelle le capatine che il vicinato dava alla loro porta mantenendosi deferente, informandole sopra tante cosette che servivano a tenerle allegre senza distrarle: notizie ghiotte, primizie, innamoramenti all'orizzonte o in pieno meriggio, nodi che si stringevano o si scioglievano da sé, fidanzamenti che anticipavano la conclusione per un forte anticipo preso sul capitale, e che col volgere di qualche mese non era possibile nascondere; pettegolezzi che esse fingevano di tagliar corto con dignità dopo essere state informate minuziosamente. Le nuore facevano i loro sfoghi contro le suocere e queste non risparmiavano frecce velenose all'indirizzo di quelle. Fra le parti in contesa, le sorelle prendevano subito la posizione del paciere; e fingendo che nulla fosse notavano le assenze, le visite troppo rade; chiedevano se la tale o la tal'altra fosse malata, non si sentisse bene, e come mai da molto tempo non s'era fatta vedere. Di tanto in tanto alla porta di destra, nella penombra in fondo allo stanzone appariva Niobe, era la sua cornice abituale, vi rimaneva in ascolto o chiedendo una notizia, confermando il racconto, aggiungendo di suo un piccolo ragguaglio e giudicando con quel suo tono di lasciar correre che le era tanto domestico: « non ti arrabbiare, la vita è breve... ». A cui le sorelle alzando insieme la testa si scambiavano uno sguardo intelligente: « al tempo suo ella aveva lasciato correre anche troppo, e come fosse la vita lo sapeva bene ». Ma oltre queste parentesi scherzose pareva che le donne, durante il lavoro, non avessero sesso, e le cose che succedevano agli altri appartenessero a un'altra specie di cui si parla o scherza con distacco, senza interesse. I loro giudizi e osservazioni erano sempre generosi e indulgenti senza l'ombra di complicità, uscenti da labbra severe. Tanto che tutti le ritenevano, con fondatezza e senza eccezione, donne di una virtù leggendaria, inverosimile.

E se mentre una donnetta era lì a parlare si udiva il rombo di una macchina fermarsi, la visitatrice povera si dileguava come la nebbia al sole; e se non era stata in tempo a fuggire, stringendo il suo bambino al petto si schiacciava alla parete della casa inchinandosi con ossequio al passaggio della visitatrice illustre. A quell'umile omaggio rispondevano ridendo le dame cinguettose.

Per vederle femmine bisognava sorprenderle lontane dal lavoro, fuori da quella stanza. Avvenimento assai difficile giacché, per quanto religiose, non rispettavano che a metà il riposo domenicale.

La mattina della Domenica, con uno scialletto in testa e vestite da casa sotto una cappa nera, suonato il secondo cenno qualunque fosse la stagione scappavano alla prima messa quindi, fino all'una passata rimanevano a lavorare, finché Niobe non veniva a chiamarle per andare a tavola. Finito il desinare, che si svolgeva con agiatezza sconosciuta agli altri giorni, salivano nella loro camera e lì rinchiuse destinavano, senza più accorgersene, l'intero pomeriggio a riesumare la loro femminilità.

Incominciavano con le cure e la pulizia della persona, operazione che nelle altre mattine veniva trascurata od eseguita troppo fugacemente; il cambio della biancheria, biancheria di un'asterità claustrale che Niobe faceva trovare distesa sulle due sponde del gran letto e che loro davano a cucir fuori, ad una grossolana lavorante alla quale né suggerivano il modello né sporgevano il minimo appunto sull'esecuzione, e trovavano anzi che era cucita bene; non sapevano che volesse dire cucire una camicia per sé, né avevano mai pensato di poter fregiare il proprio corpo con le raffinatezze della loro arte. Forse a questo pensiero, si sarebbero fatte il segno della croce: quasi fosse stato quello un altro mondo, il mondo dell'anima che nulla aveva in comune con le loro persone.

Sentendole parlare insieme durante certe pratiche, avresti detto che fossero due altre donne, non quelle dello stanzone ingombro di tele e di telai al piano sottostante, che il loro accordo fosse finito; le sentivi dissidenti e non più cordiali, non più l'una all'altra sottomesse senza riserve, ma disposte a misurarsi di fronte, disposte anche al giudizio e all'ironia, forse alla crudeltà; facendo valere la propria individualità l'una sull'altra, in modo da poter concludere tranquillamente che una volta allontanate dal lavoro, quelle donne esemplari, eccezionali, forti, virtuose e costruttive, che nel comune interesse avevano dato esempio luminoso di una fusione perfetta; avrebbero seguito il destino di tutte le altre sorelle di questa terra, tutt'altro che condiscendenti e sottomesse, ma bensì rivoltose, dispettose, astiose, insolenti, pettegole, livide di gelosia l'una dell'altra, e con tutto ciò volendosi molto bene e rimanendo sorelle.

Io non so se su questo grado di parentela si siano fatte, come su altri, tante apologie, spero di no e non credo, e non per la ragione pratica che sia rimasto a me un cantuccio libero per tentarne una a dovere, ma perché in molti casi lo scrittore si lasciò tanto levar la mano dalla corrente, da rendere poi necessario l'ingrato compito di rimettere al posto le cose, magari esagerando dall'altra parte; se invece il campo è sgombro si respira bene e si lavora con serenità.

Compiuta questa cura personale che una eseguiva nell'uno, l'altra nell'altro cantone della stanza spaziosa e bassa, già appartenuta ai nonni e assegnata a loro da giovinette dopo la morte di quelli, e nella quale era un letto matrimoniale quadrato enorme su quattro colonne di noce che conservava qualche cosa di casto, e più che casto di sacro, oserei dire, incominciavano ad aprire l'armadio e il cassettore con evidente disappunto di doversi incontrare in certe manovre, e specialmente al cassettore dove avevano ognuna due cassette; e avendo Carolina le due più basse, dimostrava per tale inferiorità il proprio disappunto senza incertezze. O se l'una andandovi trovava aperta quella dell'altra a intralciarle la via, la richiudeva brusca, quasi con rabbia, sbatacchiando senza garbo civile.

Erano quelle che nella stanza terrena parevano una creatura sola? Pendendo dalla bocca l'una dell'altra? Facilitandosi il passo a vicenda? Offrendosi, prevenendosi, e rendendosi reciproco servigio in continuità? Fin nel cercare un ago o il filo, nel raccogliere il rocchetto o un bottone. Aiutandosi con zelo a rintracciare una cosa smarrita, mantenendosi l'una all'altra devote quanto occorresse per la vittoria comune? Il vero sentimento qual era, quello che esprimevano nel loro arsenale, o negli altri luoghi, durante i rari intervalli quando ritornavano due donne come le altre?

Dall'armadio e dal cassettone incominciavano a tirar fuori e rimetter dentro cose mitologiche, vestiti di molti anni fa, sciarpe, fiocchi, veli, collaretti e mantelline che avevano portato da giovinette, o appartenuti alla nonna e alla madre quaranta e sessant'anni prima, facenti parte del loro corredo di spose; o venute a finire lì Dio sa come. Giacchetti coi lustrini, boleri di peluche, forcine e pettini di cui non ricordavano neppure l'origine, tanto erano distratte e tanto essa era irraggiungibile. Oggetti che nessuno al mondo avrebbe osato portare, e che al momento di ador-

narsene assumevano un'importanza decisiva; se ne abbelli-
vano come di cose preziose di attualità, capaci di mandare
in visibilio chiunque. Ciò che lascia capire con chiarezza
ch'erano fuori della vita, non solo, ma dal tempo altresì.

Dopo essersi addobbate la cintura e il collo di fiocchi, il
petto con qualche altra calìa, la testa con forcine e pettini
luccicanti, incominciavano ad incipriarsi il viso facendo a
picca, quasi se lo facessero per dispetto, a chi se lo imbian-
cava meglio e di più, e una volta infarinate come pesci da
friggere, e dopo aver fatto davanti allo specchio mille smorfie e piroette, osservando in ogni senso le loro figure che
rivedevano dopo sette giorni, si mettevano alla finestra
l'una attaccata all'altra, a gomito, con le braccia bene composte sul davanzale.

Qual era l'argomento dei loro discorsi? Per qualunque
altra coppia di zitelle sarebbe facile indovinare, ma per
queste, chi lo potrebbe dire? Ebbene, lo crederesti mai,
anche stavolta l'enigma è facile da risolvere, l'argomento
era l'amore anche per queste. Quella finestra della loro
camera era la sola della casa che desse sulla via, e una via,
come si sa, che conduce in pochi passi a sorridenti ed
attraenti colline come quelle di Settignano, popolatissime,
o anche remote come quella di Vincigliata, non popolata
né da case né da ville e dove è, intorno al castello, un bosco
ampio ch'è sua dote, e dalla vegetazione arida, alpestre,
crescente nel pietrisco e nelle rocce, aperto al passante ed
ospitale per le mille anfrattuosità del terreno, specie di cave
estinte o in azione, tanto propizie all'amore e alle sue inter-
minabili intimità e dolcezze. Cosicché la Domenica, per
quella via, sotto la finestra delle nostre sorelle era una processione di coppie e di coppiette che si dirigevano lassù
incerte e trepide, o anche sicure, e desiose solamente. Non
bisogna credere che tante coppie fossero formate tutte da

42

creature giovani e belle, o almeno fresche, che portavano in giro lo straripante rigoglio dei bei vent'anni, così ricco di gioia che ne dona e ne se nina sui propri passi senza avvedersene, ma ve n'erano d'ogni specie e colore, d'ogni età, e qualche volta di tale sagoma o sproporzione da seminare soltanto un po' di tolleranza e molta allegria giacché l'amore, di qualunque specie, non è mai triste.

A quella finestra rimanevano fino all'imbrunire e oltre, indugiando senza potersene staccare, e parlando di un passato amoroso inesistente che gonfiavano fino all'assurdo ispirate e sospinte dal passaggio delle coppie, e che mettevano in valore fino alla rivalità. E non inesistente perché tutti le avessero respinte o nessuno le avesse desiderate, intendiamoci bene, non erano più brutte di tante altre che prendono marito, e data la loro condizione avrebbero potuto trovare un partito entrambe, era la loro distrazione assoluta che le aveva fatte rimanere zitelle, spostandone l'orgoglio ed il prestigio sopra un'altra base. La colpa era di esse, esclusivamente, e non come diceva Giselda malignando e sottovoce, che nemmeno il diavolo le aveva volute; di esse e del loro stato particolare, giacché un poveraccio non lo avrebbero preso e un signore, dal canto suo, non avrebbe preso loro; s'erano trovate fuori di strada inconsapevolmente, nessuno si era avvicinato per tale squilibrio, per mancanza di fluido, di rispondenza, di attenzione; perché nessuno avrebbe saputo come incominciare, come spostarne l'interesse per attirarlo verso di sé, sicuro di non far breccia con quelle, che non avrebbero dato retta, non avevano il tempo per stare a sentire, o avrebbero alzato le spalle cadendo dalle nuvole. La cosa non si era fatta perché non si doveva fare, erano combinate in maniera che a nessuno era balenato il pensiero di sposarle, come non fossero state donne.

E il più bello si è che pronunziavano dei nomi mascolini

incalzanti: Guglielmo, Gaetano, Raffaello, Giuseppe... quasi volendo con essi sopraffarsi a vicenda, stabilire un documento inoppugnabile e una superiorità, porre l'altra fuori discussione.

Teresa parlava sempre del figliolo di un avvocato stato in quei pressi a villeggiare trent'anni prima, e divenuto poi il migliore avvocato di Firenze. Di un altro ancora che aveva impiantato con molta fortuna un'industria di oggetti casalinghi famosissima, divenendo ricco e autorevole. E di un terzo, che emigrato in America vi aveva fatto i milioni a cappellate fabbricando le tagliatelle. Giungeva a dare particolari accreditando la possibilità di essere divenuta la moglie di uno di essi, fornendo dettagli e chiarimenti, precisando le cause per cui il matrimonio non era avvenuto, quasi fosse andato a monte alla vigilia delle nozze, e sempre concludendo di essere stata lei la vera e sola responsabile della mancata conclusione.

Carolina, nei suoi racconti, si mostrava ossessionata dalla brutalità del maschio; e più n'era stata lontana e più se ne allontanava, più nella fantasia di vergine quella immagine cresceva e n'era, al solo pensiero, trepidante e sconvolta come se quelle cose che non erano avvenute mai fossero avvenute il giorno avanti. Rifiutatasi al figliolo d'un medico dopo una lotta molto vivace, quello aspettatala una sera l'aveva acciuffata malamente e in un impeto del desiderio sbattuta contro una siepe. Narrava di essere sfuggita per un miracolo alla stretta del forsennato, cadendo poi in deliquio e rimanendo preda dell'orgasmo per l'intera notte, contusa, trafitta dalle spine come il Nostro Signore. Diceva il punto esatto dove era avvenuta la brutale aggressione e la lotta furibonda, il giorno e l'ora. Non era vero niente. Di una conversazione normale la sua fantasia, col volgere di tante domeniche, aveva portato le cose fino a quel termine, facendola diventare una violenza bella e buona, un atto brigantesco, il martirio, e sempre con la tendenza a crescere. Come probabilmente, quei risultati professionali e industriali strepitosi della sorella, erano cresciuti tanto in grandezza aggiungendovi via via un particolare come a un'opera d'arte.

L'ascoltatrice, che sapeva non rispondere le cose a verità, o quanta esagerazione vi fosse, rimaneva indifferente al racconto, fredda, evasiva; guardandosi bene dal riportarle al giusto livello per non compromettere i parti della propria fantasia; e ascoltando, la bocca affettava una smorfia di disgusto quasi che l'altra narrasse di cose sporche e di cattivo odore.

Passavano così nei loro discorsi, esseri poco meno che immaginari e divenuti di famiglia: ipotetici villeggianti, gente conosciuta appena, di formidabile ingegno ed energia, forte e intraprendente o brutale e selvaggia, scomparsa da diecine d'anni, tutta mirante a un colossale successo o che finiva in un atto bestiale. Sentimenti, aspirazioni, tenerezze, non le appagavano se non approdavano a questo fine.

Finché Carolina, come numero di chiusura, ricordava che quando si doveva sposare con un giovane dall'apparenza buona e gentile, col pieno consenso di tutti, all'ultimo momento un amico di casa era corso da sua madre per informarla che il giovane prescelto aveva un difetto gravissimo, uno di quelli per cui è dovere del buon cittadino mettere al corrente le famiglie, e non potendo esse, la Chiesa. La Chiesa chiama questi: *canonici impedimenti*, ragione per cui bandisce le nozze durante tre domeniche consecutive, e ogni parrocchiano che sa deve parlare con chiarezza per la buona riuscita del matrimonio. Un difetto di quelli che non si possono dire, ma che non doveva essere poi cosa tanto triste se di esso finivano per ridere tutti gli uomini del vicinato, e anche la maggior parte delle donne, le più vecchie o smaliziate. Un difetto che faceva incominciare il discorso in reticenze e finirlo in risate, e per il quale il poverino non poteva prender moglie. E anche questo non era vero niente. L'uomo in parola era esistito venticinque anni prima in quelle vicinanze, e in tal senso la popolazione ne aveva sussurrato e riso con quanto fondamento non è facile sapere, ma non aveva la più vaga attinenza con Carolina, anche se lo aveva conosciuto come tutti gli altri; era la sua fantasia che la portava a farsi vittima di quello e ad essere sfuggita, per puro miracolo, a un amplesso fatale.

La sorella la lasciava dire, e invece di mantenersi fredda o evasiva, a poco a poco interveniva nel racconto, annuiva con la testa incitando l'altra a descrivere. Sì, se un uomo doveva averlo, la sorella, era proprio quello; quello sì, pareva concederglielo; sì, sì, che l'avesse conciata per il dì delle feste.

La verità si è che tutte e due conoscevano gli uomini per sentito dire, per il più vago e lontano sentito dire. Non era facile, mi penso, trovarne altre due che li conoscessero meno.

Passavano stringendosi come per freddo le coppiette, ed erano calde a bollore; si stringevano quasi non bastasse mai il calore anche nel colmo dell'estate. Tutti davano uno sguardo fugace alle due donne che eseguivano il loro esame senza incertezze trovando, generalmente, le femmine brutte, antipatiche, e vestite male. Erano invece indulgenti coi maschi, disposte a riconoscerne le qualità del corpo o della faccia, del modo di camminare, e magari degli occhi solamente, dei denti, dei capelli, della voce, la quadratura delle spalle o il vestito tagliato bene. E quello che rimaneva loro inspiegabile sempre, un vero e proprio mistero, si è che un bel giovane, o almeno simpatico, o almeno elegante, avesse potuto innamorarsi di una gestrosa, di una smorfiosa, di un bastone vestito, di un viso vieto, di una bocca piallata, di un trabiccolo, di una faccia da cattiva e dispettosa. « Ma come faranno a innamorarsi di certa gente? » concludevano insieme. Con le donne erano spietate. Anche se belle o carine, un difettaccio glie lo volevano trovare per schiacciarle, diminuirle, ridurle in polvere: dovevano essere almeno cattive. E pensare che erano costrette a cucir loro le camicie e le mutande. E come glie le cucivano bene, con quale insuperabile finezza, squisitezza, sciccheria, dimenticando le persone e il livore, ché altrimenti glie le avrebbero cucite storte, in tirare per farle soffrire, sproporzionate per imbruttirle, ridurle goffe e ridicole.

« A un bello tocca un brutto, si sa. »

« Quella cespùgliola come se l'è saputo scegliere. »

« Che grinta, gli metterà le corna, si capisce. »

« Gli occhi bianchi gabbano Cristo e i Santi. »

« Hai visto che scucchia? »

« È tutta sgangherata, pare un arcolaio. »

« Ha due labbra che ci si farebbe uno stufato. »

« Hai visto che manacce? »

« Sarà una sguattera. »

E se era impossibile demolirla perché proprio carina:

« Si capisce, è tutta tinta, lavale il viso e mi dirai che ti resta. »

« La vorrei vedere la mattina, quando scappa dal letto, che arnese. »

Era una litania contro le donne e uno sguardo benevolo per i maschi ai quali, belli o brutti, avevano trovato sempre qualche cosa di ammirevole.

E le passanti, tutte senza eccezione, rattenevano un riso talvolta o, più sovente, non lo rattenevano neppure, a quella vista lo lasciavano andare; ché, veramente alla finestra così agghindate, era difficile guardarle senza ridere. E solo i maschi, compresi del fatto loro, pure guardandole non si accorgevano di esse o, costretti ad accorgersene, l'epiteto di "befane" era l'unico frutto del loro fugace interesse. O le osservavano come due vecchie grulle che pretendevano di fare le graziose e le bambine a un'età rispettabile: non conoscendo quanta virtù e quanto sudore precedessero le poche ore di spensieratezza tanto modesta, e il malinconico e bizzarro ritorno alla femminilità. Ma quelle, dal canto loro, erano talmente comprese di sé e del proprio piacere da non accorgersi neppure del giudizio sfavorevole.

Soltanto i loro casigliani le salutavano con premura, venivano ad ossequiarle sotto la finestra, si fermavano qualche momento uscendo o nel rientrare. Esse rispondevano dall'alto, non come gli altri giorni senza neppure guardare, bensì con inchini mondanamente, quasi fossero state due dame in un palchetto all'opera o alla commedia, e loquacissime, scherzose, pettegole, e avendole vedute sempre a quel modo non rilevavano più la bizzarria delle loro acconciature, o dicevano che le poverette erano vestite così perché nemmeno sapevano quello che avevano addosso, o quello, invece, che avrebbero dovuto portare; e taluno riconosceva certe cose viste diecine d'anni prima alla nonna e alla madre.

La cosa più singolare si è che, sopra la finestra alla quale stavano affacciate, il muro non finiva col tetto come in tutte le case di queste terre, dove i tetti danno il carattere ai paesi e alla città, ma nella linea orizzontale di un muretto liscio e bianco come quello di una casina araba di Tripoli o di Bengasi, cosa insolita davvero, e su cui erano due anforette di terracotta con delle agavi indistruttibili e incapaci di crescere, decrepite e bambine, ciò che aumentando il ridicolo dava un sapore equivoco al quadro domenicale.

All'alba del Lunedì, rientrate nella loro fucina, col grembiulone bianco e gli occhiali dalle lenti spesse, tutti gli svaghi e le delizie del giorno festivo erano dimenticati nel modo più completo, erano due altre donne: non un fronzolo né un ornamento sulle persone, né il ricordo della cipria sopra le facce, era come avessero recitato una commedia il giorno avanti.

La vita era quella, interamente, ad essa s'erano date tutte allontanandosi dall'altra, dalla vita vera divenuta oramai una commedia per esse, che non aveva nulla di reale.

Chi avrebbe potuto dire che donne sensibili alle mode femminili d'alto rango, per quanto di indumenti di secondaria importanza, ma non secondaria finezza e abilità, capaci d'intuire e comprenderne le più delicate sfumature, e che si vedevano sfilare davanti signore vestite nelle fogge più squisite del loro tempo, potessero passare un pomeriggio a quella finestra di strada campagnola così pittorescamente infronzolatè da sembrare due maschere, e in conversari tanto lontani dalla realtà nella quale erano immerse?

E da un'altra cosa, pure grandissima, le poverette s'erano esiliate senza accorgersene. Nate e vissute in aperta campagna, proprietarie di un podere assai vasto e fertilissimo riconquistato a caro prezzo, non sentivano per la terra il più piccolo trasporto o interesse, anzi ritenevano sudicio e vile il lavoro attinente ad essa: la disprezzavano. Questo male era, in gran parte, ereditato dal padre che, nato benestante da un campagnolo autentico, e attratto dagli splendori della vita cittadina, aveva disprezzato fino da fanciullo l'origine del proprio benessere ritenendolo ignobile per quanto esse, una volta la fortuna venuta a mancare, alla saggezza dell'avo avessero saputo riattingere con una dirittura esemplare. Ma forse, anche stavolta, dobbiamo addebitarne la responsabilità al lavoro che aveva assorbito ogni altra possibilità ed energia, non lasciando per il resto della vita che ombre e scorie.

Teresa giudicava male speso il tempo per recarsi visitare la propria terra e per amministrarla; e se Fellino, il contadino, le doveva parlare delle faccende del podere, gli rispondeva decisa di rivolgersi a Giselda perché lei non poteva occuparsene, aveva troppo da fare; mentre l'altro, si capisce, avrebbe preferito di trattare con la padrona direttamente.

Carolina neppure riceveva certe richieste da parte di Fellino, giacché lui sapeva bene che la padrona non gli avrebbe prestato orecchio, e per mezzo di un divincolamento micidiale gli avrebbe lasciato comprendere, senza parole, ch'ella apparteneva ad un mondo che non era precisamente quello dei cavoli e delle carote, e che non era il caso d'importunarla per simili facezie.

Giselda, d'altra parte, aveva un carattere impossibile e un disinteresse supremo per le cose che amministrava; a seconda dei giorni o delle lune i provvedimenti venivano presi sul colpo o respinti senza discutere, senza ascoltar ragione, prorogati all'infinito senza un perché e con danno grave, facendo ricadere sul contadino e sul podere i frutti del suo malumore e delle sue amarezze. Crollasse il mondo non c'era uomo capace di rimuoverla da una decisione, rappresentasse quella l'errore più marchiano ed evidente.

E a un altro incomodo sarà bene accennare. Trattandosi di un podere coltivato a ortaggio per la massima parte, si rendeva necessaria la concimazione della terra molto frequente e il vecchio fattore, quando aveva intrapreso a costruire due serie di quartierini dietro la sua casa padronale aveva certo pensato, come chiunque altro si capisce, che quattordici famiglie paganti una pigione, sia pur modesta, formavano in capo all'anno una sommetta tutt'altro che disprezzabile; ma aveva pensato insieme a un'altra cosa alla quale non tutti avrebbero saputo pensare, ed è che quattordici famiglie di una stirpe generalmente prolifica, avrebbero pagato una seconda pigione senza avvedersene, corrente per certe condutture e depositi oscuri ch'egli aveva fatto costruire accortamente e che non sarebbe gentile nominare, ma che si trasformava subito in ricchezza sonante e lucente attraverso i cavoli e le carote. Lui era uomo della terra e di certe cose parlava con semplicità solare, senza divincolarsi in nessun modo, senza arricciare il naso o storcere la bocca come avrebbero fatto il figliolo un tempo, e dopo le nipotine. Per modo che quando Fellino doveva spandere tanta grazia di Dio lungo i solchi del podere nelle vicinanze della casa, non trovava mai l'ora adatta per farlo, ché le suscettibili padrone andavano su tutte le furie, adducendo che da un momento all'altro potevano arrivare le signore: le duchesse, le marchese, le contesse, i canonici mitrati e le mantenute. E poi perché il puzzo non lo volevano sentire nemmeno loro che non appartenevano a quelle sfere. E non c'era ora che valesse giacché durante la primavera e l'estate, quando ci sono le furie per gli ortaggi, c'eran le furie anche per le camicie e le mutande, ed erano capacissime di scendere a lavorare alle tre, tanto che il derelitto, per concimare la terra, aveva dovuto approfittare delle occasioni più straordinarie: il lume della luna o, alla chetichella, del pomeriggio domenicale mentre le padrone erano alla finestra, sulla via, a far bella mostra delle loro grazie infinite. Finché il puzzo giunto al loro naso, s'erano erette maligne, velenose, mettendo in serio pericolo tutti i fiocchi e i lustrini delle acconciature. Ma quando Fellino aveva fatto già quello che doveva fare.

Il contadino aveva il proprio ingresso in una strada a lato, guai se qualcosa di lui fosse passata o arrivata davanti alle padrone; se qualcheduno della famiglia per errore o per qualsiasi altro motivo si fosse servito del loro ingresso, del resto molto modesto e in cattivo arnese, ma dal quale dovevano passare le signore. Le donne del casamento, sì, erano ammesse alla loro presenza, quasi come una necessità corale, quali comparse, anzi ci tenevano palesemente, e in segno di scusa sorridevano bonarie se una dama, giungendo, le faceva fuggire, ma era proibito recarsi davanti al trono delle contadine, come creature di una specie inferiore.

Odiavano gli odori della campagna, si scansavano con sdegno, davanti al pollame; non volevano saper di galline, le trovavano immensamente stupide, esose, antipatiche, di una forma puerile; avevano dei buoi un terrore irragionevole, guardavano con disprezzo o compassione un cavallo da lavoro, e consideravano il ciuco un animale riprovevole, indecente.

Quando nel giorno della vendemmia, verso la fine di settembre, nell'alto pomeriggio facevano un'apparizione fra i coglitori d'uva, il contadino invitava per tale faccenda i loro inquilini e altri amici delle vicinanze, tutti correvano loro incontro a gara per salutarle con affetto, per ossequiarle. Quasi non uscivano dalla viottola nella quale procedevano con difficoltà, specialmente Carolina, e se scendevano a far pochi passi sopra le zolle stavano per cadere ad ogni istante e tutti dovevano scortarle, sorreggerle. Lasciavano andare alcuni grappoli nel fondo di un paniere, come un rito di carattere plebeo a cui degnavano abbassarsi, e quasi subito, non essendo capaci né di reggersi né di reggere il paniere che taluno seguendole a guida di caudatario si offriva di portare, piantavano baracca e burattini per ritornarsene nel loro regno con evidente felicità, non finendo mai di pulirsi e ripulirsi le vesti e le scarpe dalla terra, togliendosi di dosso qualche sudiceria, qualcosa di sgradevole che si doveva essere attaccato inevitabilmente, mostrando chiaro di non volersi immischiare in certe competizioni incomode e poco pulite, e rifugiandosi nel seno protettore di Niobe che le aspettava con le braccia spalancate reduci dalla disagiosa spedizione.

Né accettavano l'invito di partecipare al pranzo serale e alla solita veglia di tutte le vendemmie, nella quale i contadini, dopo aver ben mangiato e bevuto bene, si abbandonano a un'allegria sana e semplice, fiorita di scherzi salaci e parole grasse. Con la scusa che la mattina si dovevano alzar presto non si facevano vedere. Ci tenevano troppo a dimostrare che costituivano un mondo che con quello dei contadini non aveva nulla da spartire, quasi fossero uscite dalla costola di un re.

Carolina, che veramente era incapace di camminare sopra le zolle, finiva per cadere producendo intorno uno scompiglio di risa e di soccorsi, e se scorgeva dalla viottola una pesca matura o un fico sporgente e a portata di mano, lo acchiappava a vista, e prima di coglierlo lo teneva stretto per alcuni secondi da lasciar credere che invece di palparlo lo volesse spremere, rivelando non la volontà di sentire se il frutto era maturo, ma il curioso turbamento che le veniva da quel contatto sul quale le piaceva indugiarsi, socchiudendo gli occhi e abbandonandosi ad una scossa e un fluido che partendo dal frutto le attraversava la persona. Finché, risvegliandosi dal fugace abbandono, si decideva a coglierlo per mangiarlo o, più facilmente, a gettarlo via una volta colto, con un riso di repulsione.

Avendo in prima linea descritto, e giustamente, la forza e la virtù, la fatica di queste donne, in quei particolari che ritenni necessari per darvi sufficiente testimonianza del loro carattere, è bene che ora sappiate di queste brevi pause, di queste ore di tregua tanto curiose e rare, e insieme delle loro debolezze che non offuscano la virtù ma anzi, concedono umanità alle creature che spogliate di esse non risultano più né simpatiche né vere, ma aride, artifiziose, monotone e false.

Un solo giorno dell'anno abbandonavano il lavoro non per comandamento, ma per il loro intimo piacere: il giorno di San Francesco per recarsi alla fiera di Fiesole.

Nutrivano per il Santo dei poverelli una particolare tenerezza, e tanto era presente nel pensiero da considerarlo vivo in mezzo a loro, e da poterlo amare senza quell'istintiva soggezione, e spesso terrore che incutono i Santi. Era il Santo del cuore al quale parlavano come a un amico o ad un fratello, vedendoselo al fianco anziché lontano sopra un altare. E Carolina, che aveva spremuto il proprio ingegno per ritrarre con la seta l'immagine di tutti i Santi, quasi rattenendo il respiro per l'altezza della missione, riproducendo il povero di Assisi si era mantenuta fiduciosa e sorridente, e vedendolo a grado a grado uscire dall'ago sopra una tela spoglia d'oro e d'argento, si era commossa fino alle lacrime per ridere subito dopo soddisfatta di sé; e per tutto il tempo aveva parlato, aveva cantato e giuocato, aveva pianto, aveva riso con lui tenendolo sulle ginocchia come un fanciullo.

All'una, come nel pomeriggio di domenica, posavano il lavoro, mangiavano pochi bocconi in fretta, una fretta ancora propria della gioventù, si vestivano con minore ricercatezza di quando dovevano rimanere alla finestra, con meno fronzoli ma sempre in parte doviziosa, e soprattutto con qualche cosa che nulla aveva a che fare con le vigenti mode. Radunata la comitiva, che veniva stabilita in precedenza fra i casigliani di loro gradimento ch'erano liberi e volevano andare, con molti fanciulli, in numero di venti o venticinque persone, le brave sorelle imboccavano l'erta per recarsi alla fiera, lassù, un po' come inseguite o come a una conquista; spingendosi a un pericolo che correvano in realtà tanto erano inesperte delle strade e nel camminare fra la gente.

Una volta arrivate, tra la folla in clamore e in allegria, rimanevano per due ore estatiche, tonte, svanite; fra i barrocci dei brigidini e dei lavori in paglia, i balocchi, i gingilli, le lunghe file di polli arrostiti sulla nuda terra, lo strepito delle trombette e delle campane di coccio, incapaci di pronunziare una sillaba, anzi, di rispondere se interrogate, solo guardando tutto a occhi incantati e lasciandosi annientare dalla confusione e dal rumore. Non vi erano altre due ore nell'anno in cui la loro personalità venisse attutita fino a quel punto, nemmeno durante il tempo della messa. Finché abbacinate dal fracasso, sospinte dal trambusto, non riprendevano verso l'imbrunire la via del ritorno; ritrovando a poco a poco, allontandosi da Fiesole, il brio dell'andata soffocato dagli splendori della festa. Per la via di Maiano, lungo muri e cancelli di tante ville, con una falce di luna o gli ultimi rossori di un bel tramonto d'autunno, sempre di più gridando ridendo e cantando la comitiva, avvicinandosi alla casa cresceva nello strepito, buttando fuori il rumore assorbito a Fiesole durante due ore di silenzio.

Zoppe per la stanchezza, spedate, incalzate dagli amici e dai fanciulli che perduta ogni soggezione le acchiappavano per le braccia stiracchiandole, sballottandole, costringendole a correre o a fermarsi, e magari capitando loro addosso fra urla e risa, come chi giuoca a prendersi e a rincorrersi, godendo di quell'ora spensierata, di quell'abbandono che le rendeva uguali agli altri, gli oracoli erano diventati giuocattoli, suonando le trombe di paglia che portavano a tracolla, i campanacci che avrebbero regalato a quelli rimasti a casa, in uno sforzo finale rientravano a Santa Maria urlanti, trionfanti, scarmigliate, ebbre, mentre tutti correvano ad incontrarle.

Carolina aveva sempre perduto qualche cosa per la strada, almeno un tacco; o tornava con le scarpe sfondate, sbucciate, aperte. Le era saltato un ganghero o s'era rotta la maglietta e per poco non le cadeva la sottana, doveva reggerla con le mani; le si era schiantato un laccio delle calze o alle mutande e perdeva ogni cosa se non si teneva su.

Si buttavano tramortite sul sofà.

Non essendoci gambe meno delle loro assuefatte a camminare, la forza che le aveva sostenute fin lì le abbandonava sul colpo una volta giunte, facendo seguire un periodo di collasso. E Niobe, che stava al cancello in attesa, conoscendo i suoi polli si teneva pronta a tutte le evenienze.

Una volta sul sofà, l'una addossata all'altra, simili a cadaveri riportati dalla piena o sopra un campo di battaglia, o ritrovati dopo un terremoto sotto le macerie, si gettava ai loro piedi per liberarle dalle scarpe, slacciarle al collo e alla vita, e metteva loro le mani sotto le sottane per assicurarsi che erano sempre calde; si dava a far massaggi o pezzette, stropicciarle ai polsi e alle tempie, aceto e canfora in azione, fino al momento che non incominciavano ad esalare dei flebili sospiri, riaprendo gli occhi a fessure sentendosi riavere; sospiri che diventavano lamenti tornando a vivere, e accettando un sorso d'acqua nella quale Niobe aveva versato poche gocce di fior d'arancio. Poi, piano piano, provavano a muoversi: « Ah! Ah! » ogni movimento era una trafitta, un dolore, provavano ad alzarsi per salire in camera: « Ah! Ah! » ciondolandosi da ogni parte, sgangherate, e strascicando le gambe come bestie ferite a morte.

E per meglio esaurire la nostra introspezione aggiungerò un ultimo particolare che non so fino a qual punto possa avere per voi, come invece per me, un significato allettante.

Queste donne, fattesi del lavoro una disciplina ferrea, sola ragione di vivere e, oserei dire, la fede, che abbandonavano soltanto nel pomeriggio di domenica per obbedire a un comandamento divino, e un'ora, forse e senza entusiasmo, per assistere a una celebrazione quale la vendemmia nel proprio podere; e solo una volta all'anno mezza giornata spontaneamente per recarsi ad una festa campestre tradizionale, famosissima in tutto il circondario, essendo Fiesole la regina di queste contrade; alla quale, probabilmente, la madre e il padre, il nonno forse, le avevano accompagnate sempre fino da bambine; soste tranquille, decise dal calendario, che non danneggiavano minimamente il lavoro e venivano preparate con accorgimento, scontate in precedenza ed eseguite con solennità di rito, v'era poi un fatto che si presenta naturalissimo, insignificante, ma per il quale lo piantavano in asso per un periodo breve, dieci o quindici minuti nel caso grave, ma come rispondendo ad un ordine, un richiamo esterno, ignoto, fulmineo al quale non è possibile sottrarsi, e con una decisione che ci sorprende, che sa di sgarberia e d'insolenza, e non più, almeno, del religioso amore che ce le ha fatte conoscere; e ce le fa vedere come un sacerdote che, subitamente impazzito, getti via quegli oggetti che formano il simbolo della propria fede. Al modo che si pianta una persona che ci ha infastidito fino all'assurdo o a cui non si vuol più bene, piantavano il telaio davanti al quale le abbiamo conosciute come davanti al loro altare.

Dovete sapere che per le belle colline di Settigliano e di Vincigliata, non soltanto gl'innamorati vanno ad imboscarsi e gl'inglesi a dire: "oh, yes!" ma sono usi fare le loro passeggiate di allenamento e d'istruzione i reggimenti di guarnigione a Firenze: a gruppi senza troppo rumore, reparti o compagnie, coi tamburi e poche trombette, e non di rado a reggimenti interi, con tanto di fanfara e il colonnello in testa col suo stato maggiore.

Al primo avviso delle trombe, da lontano, o con orecchio di selvaggina percependo il frusciare dei passi, il clamore delle voci già prossime, e più generalmente le prime note dei canti, giacché i soldati per la campagna cantano sempre: inni patriottici, canzoni nostalgiche o sentimentali, quasi che lo sperpero di una seconda energia ne diminuisca la fatica; cantano perché hanno vent'anni e nel petto tanta forza che deve uscire, e invece di due spese ne potrebbero fare tre insieme. Ecco che le nostre sorelle scattavano in piedi e, senza eccezione, correvano al cancello staccando e gettando via, nella corsa, i fili dal grembiule o qualche frammento di stoffa lieve, inalberando la vita e il collo, ravviandosi le chiome, seguitando a levare o aggiungere qualcosa alla propria figura, finché davanti a loro incominciavano a sfilare le milizie.

Carolina posando il telaio, correva alla specchiera della consolle dove eseguiva, palpitante d'impazienza, una teoria di movimenti atti a renderle il corpo sempre più elastico e sottile sotto il grembiulone.

Bisogna riconoscere che le fanterie le trovavano di una resistenza notevole e, se pure non indifferenti, guardavano il nemico bene in faccia, disinvolte. Tutti quegli uomini che camminavano un po' goffi nell'abito di marcia, cadenzati sotto il peso del sacco o dinoccolati nel passo da campagna, le lasciavano padrone di sé e dei propri sguardi, e avresti detto che scegliessero l'insalata piuttosto schizzinose. E all'infuori di qualche tenentino dalla linea diritta e agile, vestito bene, il turbamento non era visibile.

La situazione diveniva più complessa trattandosi di un reparto del genio, formato da giovani di condizione civile, cittadini generalmente, ciò che risultava chiaro dall'andatura, dal modo di guardare o di sorridere, di cantare, dal genere delle canzoni, dalla grazia di un gesto o di dire una parola galante alle donne, accennare un bacio, gli occhi intelligenti giudicando con disinvoltura borghese.

Ma lo spettacolo più curioso era costituito dal passaggio di un reggimento di cavalleria o di artiglieria. L'eleganza e la destrezza degli uomini a cavallo, la solidità di quelli seduti sopra i carri o trainandoli, i cannoni, lo scotimento che producevano, il rumore assordante; l'ampiezza del torace dei cannonieri, la quadratura delle spalle e la conseguente tranquillità del loro aspetto, data dalla forza su quelle macchine di sterminio; ragazzoni sicuri, virili, piantati bene;

lenti nei movimenti, parchi di gesto, anche quelli che rivelavano origine campagnola esercitavano sulle spettatrici uno strano potere.

In tanto stordimento gli sguardi di Teresa salivano ai gradi alti, valutando da quelli, per quanto femmina e zitella, la potenza delle proprie risorse. Guardava estasiata il colonnello, o non meno di un capitano in piena maturità, ma in tale rigoglio virile da farle abbacinare gli occhi con uno sguardo. Quella solidità e sicurezza, quell'aria di comando e di salute l'attraevano con violenza. Spirito solido ella stessa, il pensiero di sentire al proprio fianco un'altra forza, non per abbandonarvisi compiacente o passiva, ma per fondersi con la sua, per comprendersi e stimarsi a vicenda in una solidarietà che giunge alla tenerezza, la costringevano ad aggrapparsi a qualche cosa: a un ferro del cancello, al muro della casa.

Carolina invece, più sensibile e delicata, non poteva tollerare la vista di quegli omaccioni sanguigni, dall'aspetto spregiudicato e brutale, e che mostravano, stringendo la groppa del cavallo, delle cosce enormi, massicce come colonne, e un'aria di autorità e destrezza, ma soprattutto di sazietà da farle correre un brivido di terrore sotto la pelle. I suoi occhi naufraghi si aggrappavano al loro tronco di salvataggio: gli occhi azzurri e un po' velati di malinconia, di qualche tenentino, o magari in quelli neri e ardenti del più spocchioso sergente, imploranti dolcezza su questa terra e bisogno di dar la propria senza calcolo né misura sentendosene egli stesso un vaso colmo, e prossimo a traboccare.

E siccome alle sorelle si univano donne e fanciulle del casamento, i soldati passando lanciavano occhiate scherzose e voraci, provocando i sorrisi le grida e le risate delle fanciulle, le occhiate calme e sodisfatte delle spose mature, la giocondità delle vecchie: lanciavano complimenti, frizzi, parole calde o grassocce, saluti, o gettavano baci ridendo sfoggiando in baleni il candore della dentatura, provocando uno scompiglio nel gruppo femminile, allegrezza e confusione; e con tale generosa abbondanza, propria della gioventù, da lasciar credere che di tanto ben di Dio ce ne fosse per tutte, anche per le brutte, anche per le vecchie.

Dietro i ferri del cancello, non appariva sulla strada direttamente, gli occhi di Niobe ritrovato l'ardore giovanile, sfavillavano grandi sullo sfacelo delle proprie forme: ella non aveva preferenze né di corpo né di grado, né si peritava a guardarli in faccia dal primo all'ultimo; dal colonnello all'attendente le piacevano tutti senza riserve, né era capace di rattenere qualche personale apprezzamento che borbottava dietro dietro: « Che occhi! Che tracagnotti! Che zampe! Che spalle! Bei' moro, perdie! ».

Giselda non partecipava al passaggio delle milizie, e se il caso la faceva capitare per la pulizia mattutina nella camera delle sorelle mentre passavano quelle, se ne andava dalla stanza sbattendo l'uscio per non sentirne nemmeno il rumore, o chiudendo la finestra da far cadere i vetri nella strada: « Brutti musi! » esclamava a denti stretti. E quelli, aizzati al giuoco più da chi si ritrae che da chi si concede pacificamente, le lanciavano dietro un fuoco di fila, grida e allusioni. « Delinquenti! In galera tutti. » Senza curarsi che il proprio atteggiamento ostile venisse notato dalle sorelle in ammirazione, e per le quali pronunziava a se stessa parole di disgusto: « Vecchie grulle! scimunite ». Per un uomo che si era portato male con lei aveva dichiarato guerra al genere. Non conosceva la serena bontà di Niobe con la quale, considerati uno alla volta e sul momento, gli uomini s'erano portati assai discutibilmente, ma ricordandoli tutti insieme le pareva si fossero portati come meglio non era possibile. Si sentiva intenerire, ritornar giovane e prodiga delle proprie grazie, e in fondo all'animo si doleva soltanto

che non si fossero portati anche peggio, che la cattiva condotta fosse finita troppo presto, e di non poter ricominciare. Conservava imperterrita il suo amore per essi, un desiderio sterile che dava ancora ai suoi occhi, sempre giovani,
tanta gioia e un lampo di felicità nel vederli passare.

Teresa e Carolina rientrando con Niobe la guardavano
scambiandosi un sorriso malizioso: per quello che sapevano
tutti, per quello che sapevano loro e gli altri non dovevano
sapere, ma ancora più per quello che sapeva lei soltanto, e
non le era la parte minore, osservando il passaggio dei
militari come una specie misteriosa e terribile, lei che sapeva perfettamente come fosse quella specie.

Così trascorrevano i giorni delle brave sorelle nel mite paese, se paese si possa chiamare, e nella vecchia casa tornata, in forza della loro virtù, asilo tranquillo e dalle basi sicure, allorquando un fatto nuovo venne ad alterare il ritmo e spostare il corso di questa regolare andatura.

Dicemmo sul principio del racconto che le sorelle erano quattro e delle quali, fino a questo momento, ne abbiamo conosciute tre: vediamo che ne fosse dell'ultima, Augusta, terza in grado d'età, la cui storia non è troppo lunga né troppo gaia.

Per quanto ella portasse un nome auspicale la sua esistenza fu umile ed incolore. Cresciuta e sbocciata in momenti di avversità, aveva sei anni meno di Teresa e cinque di Carolina, al suo aprire gli occhi non aveva visto una culla di rose come le sorelle ma già i segni della tempesta nel cielo oscurato della famiglia. Meno intelligente di esse, non ambiziosa e intraprendente, non bella e vivace come Giselda venuta dopo, fra tutte era passata inosservata adattandosi, fino dall'adolescenza, ad una vita grigia di operaia presso una fabbrica di scarpe in qualità di aggiuntatora. Non aveva coltivato aspirazioni per la propria vita né illusioni per la propria persona, aveva sposato un manovale delle ferrovie, buon diavolo, romano di origine, e col quale poco tempo dopo il matrimonio s'era stabilita in Ancona. E come prima per la mansuetudine del carattere era passata inosservata in seno alla famiglia, una volta lontana era stata quasi dimenticata. Non si pensa possa aver bisogno di qualcosa chi non chiese mai nulla. Pur sapendo, le sorelle, che in Ancona stava bene, conducendo un'esistenza decente e alternando in casa, alle faccende domestiche, il suo vecchio lavoro di aggiuntatora

Si scrivevano due volte all'anno per le solennità del Natale e della Pasqua, poche frasi generiche e pressoché identiche, come fa chi non segue una consuetudine epistolare, e nelle quali l'affetto e l'espansione vengono tiranneggiati dalla difficoltà dello scrivere per chi non sia familiare a questo esercizio, se la retorica a buon mercato non ne faccia le spese con luoghi comuni e frasi fatte spumanti d'enfasi o sgocciolanti di pìa rassegnazione e che, pure adattandosi alle più svariate e inverosimili circostanze, non hanno nulla a che fare col vero sentimento dello scrivente. Ma la povera Augusta era ben lungi dal subìre il fascino delle parole e le sue lettere si possono riassumere con facilità: « Mie care sorelle, vi scrivo per dirvi che non ho niente da dire, ma che per ora io sto bene e così quelli della mia famiglia che con me vi salutano e vi augurano una buona Pasqua nella speranza che altrettanto sia di voi con l'aiuto del Signore". Il Signore non manca in certi casi, è la parola di risorsa e, nella frase, come il palo per la vite; e viene tirato in ballo specialmente nelle difficoltà, anche quando le difficoltà sono piccole, come quella di accozzar poche sillabe sopra un pezzetto di carta.

Le sorelle, dalla loro, rispondevano molto succinte, lettere di una pagina e mezzo, e se arrivavano a due erano di contenuto stitiche e con le parole artificiosamente allargate di dimensioni verso la fine.

Incominciavano scusandosi del loro silenzio, protestando la migliore volontà di scrivere più spesso e a lungo, ma sempre attraversata dalle incalzanti faccende, e addossando al benedetto lavoro tutta la colpa di tale brevità e di tale silenzio. E anche questo era vero solo in parte giacché avrebbero preferito cucire sette camicie piuttosto che sudarne una a riempire quelle due paginette. E sempre s'incrociavano inviti o promettevano visite che non venivano mai fatte, quella adducendo di non potersi allontanare dalla famiglia e queste dal lavoro; ma soprattutto le sgomentava la lunghezza del viaggio che giudicavano cervelloticamente, e del quale conoscevano un particolare agghiacciante: che per andare in Ancona si doveva cambiare a Faenza. Che cos'era mai questa Ancona per cui si doveva cambiare, se per andare a Roma non si doveva cambiare proprio nulla? E dava loro noia quell'"in" che si rendeva necessario per pronunziarne il nome. Per tutte le altre città si dice: "a Roma, a Napoli, a Genova, a Milano, a Torino, a Firenze..." per questa invece quell'"in", che pronunziavano preziosamente e che ritenevano indispensabile più di quanto non fosse, un'esosa tirannia, dava l'impressione che arrivati là, come da un sacco a sorpresa, una vera e propria trappola, non si potesse più uscirne. E assumevano nel dirlo un tono così remoto e tetro che ne centuplicava la lontananza, quasi avessero detto che bisognava attraversare l'oceano per andare in America. Dopo di che la parola Ancona assurgeva alla potenza fantastica di New York, di Pekino o di Calcutta: "in Ancona!". Un sospiro finale ne accompagnava il nome: "povera Augusta, dove era andata a portare le gambe! Ecco perché non faceva mai una visitina a Santa Maria".

Una volta soltanto vi fu scambio vivace di lettere: tre anni dopo il matrimonio per la nascita di un bambino. Augusta annunziò prima la gravidanza alle sorelle, quindi la nascita del piccino non appena sgravata. E quella volta le sorelle risposero effondendosi con affetto e inviando a suo tempo, per il nascituro, un pacco d'indumenti graziosissimi: cuffiette e vestitini scelti o eseguiti da loro stesse e di una raffinatezza signorile. Esaurito ciò le consuetudini epistolari avevano ripreso il ritmo vuoto e solenne, tanto che Augusta, partita da casa quando le sorelle erano all'inizio della loro faticosa e fortunata ascesa, non sapeva neppure a quale grado di fortuna fossero giunte, come avessero potuto riconquistare, e al completo, l'antico patrimonio della famiglia giacché dicevano sempre, che non sta bene parlare d'interessi dentro le lettere; e in fondo giudicavano misura di prudenza il non sbandierare troppo ai parenti poveri la prosperità e le ricchezze. Augusta, da parte sua, si sarebbe guardata bene dall'avanzare domande che potessero giungere indiscrete; si era mantenuta tanto mite e riservata e, insieme, indipendente verso di esse, che soltanto pochi mesi prima del matrimonio annunziò il proprio fidanzamento alle sorelle e l'imminente decisione, tanto che quelle ebbero appena il tempo di cucirle una camicia per il giorno delle nozze. E anche il matrimonio fu umile ed incolore, e le lasciò indifferenti come un fatto qualunque; senza rilievo, senza le naturali gelosie che doveva suscitare alcuni anni dopo quello di Giselda.

Ma questa sorella che aveva voluto prendere così poco posto nella loro esistenza, venne a prenderne molto allorquando, per quelle fatalità grandiose che pendono all'insaputa sopra le nostre teste, ella rimaneva vedova e indigente, e dopo un anno appena di vedovanza, còlta da un morbo violento, in pochi giorni moriva anch'essa.

Ricevuta la notizia del suo stato grave, Teresa e Carolina che già da lontano avevano dimostrato il loro interessamento e la loro generosità in quel frangente, mentre escogitavano il modo di poterla meglio soccorrere ripetendole l'invito di venire a Firenze dove le avrebbero dato asilo e soccorso aiutandola a procacciarsi una nuova sistemazione, la poveretta s'era di nuovo impiegata presso una calzoleria giacché il lavoro in casa non le avrebbe dato tanto da vivere, decisa la partenza giunsero appena in tempo per vederla morire.

All'apparire delle sorelle che non vedeva da diciotto anni, il volto della morente s'illuminò, pareva volesse dire una parola per la quale non le bastava l'animo di pronunziarla. Umile e timida nella vita si manteneva tale davanti alla morte; ma riboccandole il cuore di questo tormento, quando sentì prossima a vacillare la ragione, con la vista annebbiata dalle lacrime e un singhiozzo che le serrava la gola, afferrata la mano delle sorelle disse due volte un nome: « Remo! Remo! ». E glie le strinse come si stringe una mano cara per l'ultimo addio.

Lasciava un figlio di quattordici anni che, o sarebbe stato inviato a Roma presso la famiglia del marito numerosa e in disordine, e con la quale avevano diradate le relazioni, o ricoverato in un ospizio di orfani. Sentiva di lasciarlo male e moriva infelice.

Al "sì" rassicurante che l'una dopo l'altra risposero quelle comprese di profonda pietà, la povera moribonda con la fronte rasserenata chinò la testa come per dormire.

Annichilite dalla grandezza della morte, dopo essere pervenute con la sorella a una comunione che durante la vita mai avevano potuto raggiungere, le donne ripeterono a se stesse, più forte, quel "sì" pronunziato tanto spontaneamente. Non è facile dimenticare le parole dei moribondi né le nostre promesse fatte in quell'ora.

Incominciarono a guardarsi disorientate nella casa fredda e vuota, poverissima, quasi sprovvista di masserizie: squallida. E a guardare e riguardare Remo che, ritto in mezzo senza un gesto, né disperato né timido, quasi fosse privato della volontà che ci fa agire, le guardava con due occhi neri e grandi, di un ovale soffuso di luce senza aggressivo ardore, lenti nel movimento, e che indugiavano sull'oggetto né curiosi né attoniti, in atto di attesa, di sospensione, con una limpidezza e serenità perturbatrice che non avrebbe avuto uno sguardo mobile e ardente.

Pareva che il ragazzo, per la voce del proprio istinto, sentisse prematuramente quale influenza esercitano gli occhi sulle persone stabilendo una signoria senza il minimo sforzo, anzi, con una semplicità molto naturale, di modo che si rendeva facile a lui, per questo malessere e questa attrattiva, di leggere il sentimento di esse e scoprirne i propositi mantenendo celati i propri perfettamente. Questi bellissimi occhi erano incorniciati da ciglia lunghe e forti, che una volta unite vi formavano come suggello una minuscola siepe; e coronati da sopracciglia di seta, lucenti e spesse, nerissime, di linea alta e nobile, elegante, che ne mettevano in rilievo la bellezza e la profondità.

Compiuta l'opera pietosa verso la sorella, Teresa e Carolina ripartirono alla volta di Firenze.

Dal momento che al letto di quella poveretta avevano pronunziato il generoso "sì", dopo del quale parve ch'ella si abbandonasse fiduciosa nelle braccia del Signore, le due sorelle si sentirono preda di un turbamento sconosciuto che aumentava a grado a grado osservando il nipote taciturno, non per una ragione che fosse palese, ma quasi che nella giovane mente fosse tanta saggezza da suggerirgli che per ora, nel caso suo, non c'era che da tacere e aspettare. Ciò aumentava a dismisura la loro inquietudine.

Avrebbero preferito vederlo piangere e disperarsi per consolarlo, e prendere esse stesse una posizione decisa, facile o normale, confacente al loro spirito e carattere; giacché in certi casi si giudica facile e normale il massimo della difficoltà e l'atteggiamento più normale. E poter tranquillizzarsi di quella imprevista serenità e compostezza, ne davano a se medesime le più svariate interpretazioni riempiendola, molto istintivamente, del loro sentire.

Nascondeva essa il pensiero dominante? Poteva darsi. La attribuivano a naturale timidità, per quanto l'aspetto del giovane non ne accusasse. O era il freno che s'imponeva virilmente per non abbandonarsi a una incomposta disperazione davanti a persone che non aveva mai viste? Cosa ammissibile anch'essa nel caso suo, e che sarebbero state felicissime di provocare sopportandone ogni eccesso, tutte le conseguenze pur di sentirsi sopra un terreno familiare.

In certi istanti, mentre cresceva in loro l'intimo disagio di un tale stato, pareva che il ragazzo le osservasse con curiosità giudicandole piuttosto buffe, e trattenendosi dal ridere per non averne voglia, e non in forza di un'educazione raffinata e civile. Anche quel sospetto di riso avrebbero voluto provocare, vederlo ridere, sì, ridere a crepapelle, senza pudore; avrebbe riso con lui non sospettando lontanamente di ridere di se medesime, giacché mai era balenato il dubbio, in quelle teste, che delle loro riverite persone si potesse ridere. In fondo, disperazione e allegria davano un identico valore, quello che non volevano era di rimanere sospese.

Una volta in treno, sollevate dalle corse, distratte dal paesaggio che non vedevano neppure pur subendone l'influsso inconsciamente, via via che si allontanavano dalla zona del dolore avvertendone sempre meno il peso, ritrovavano in parte la sicurezza e il loro aspetto, le loro grazie di zitellone in vacanza; osservando il giovane e in certi momenti, quasi immemori dell'accaduto, si domandavano come fosse fra loro, che ci stesse a fare, al tempo stesso che incalzava il momento di questo fatto e che lo sguardo di lui, calmo e penetrante, non faceva che accrescere.

Avvezzo alla serietà della madre, spoglia d'ogni frivolità e

68

civetteria femminile, alla veste nera che portava da un anno con un carico di dolore e di preoccupazioni non indifferente, all'andatura severa e un po' stanca, alla grigia mansuetudine e al suo affetto di donna rassegnata a tutti i rovesci e alla povertà, alla monotonia e durezza di un'esistenza priva d'ogni agiatezza e piacere, considerava quelle donne senza lasciar trasparire il proprio pensiero e senza cercare, fino dal primo incontro, di cattivarsene la benevolenza con parole e atti ipocriti o furbeschi, e che la sua presenza ed il suo sguardo agitavano ed eccitavano alla gioia senza avvedersene, e a essere più femmine, nel modo bislacco di chi non vi ha consuetudine, come lo erano la domenica alla finestra sulla via Settignanese; e mentre cresceva dentro il desiderio di dirgli tante cose rassicuranti per rallegrarlo. Dirgli subito che gli avrebbero voluto bene, ch'egli sarebbe stato con loro come con la madre: « povera Augusta! Ah! Ah! ». Leggendosi il pensiero le due sorelle sospiravano insieme: « proprio come con lei »; avrebbero rattenuto un "meglio" che il ragazzo avrebbe detto con un levar del ciglio tanto breve quanto efficace, senza il bisogno di pronunziarsi nemmeno lui, e senza costringerle al riconoscimento poco gentile. Informarlo che la loro casa era una reggia rispetto al tugurio da cui era uscito, una casa da signori comoda e sana, ammobigliata bene, dove non mancava nulla; con una donna di servizio che faceva la pulizia e preparava la colazione, il pranzo e la cena; lavava la biancheria, e che lui pure avrebbe potuto comandare per le sue necessità. Erano travolte da un bisogno cocente di dare, di dare a quel nipote piovuto dal cielo in mezzo a esse, e che metteva nel loro animo inaridito tanta confusione. Che a Santa Maria avrebbe trovato dei compagni per giuocare, figlioli di brava gente, gente per bene, sì, ma troppo bassina al suo confronto... La parola che bruciava le labbra alle due zitelle era di dirgli che loro erano ricche: ricche, sì, che non spendevano un soldo delle loro rendite delle quali avrebbero potuto vivere comodamente non solo, ma che andavano accumulando anche buona parte di quanto ritraevano dal lavoro... Per non diminuire la sorpresa dell'arrivo era meglio tacere tutte queste notizie, e si limitavano a sorridere tra il furbo e il sibillino, ciò che aggiungendosi allo scompiglio interiore dava alle loro facce un'impronta di poca serietà e pochissima consistenza cerebrale; e che il ragazzo considerava, in apparenza, come il fuggente paesaggio, ma forse con maggiore intensità, specialmente Carolina che gli sedeva a fianco e che ogni pochino sbuffava per il caldo, ai primi di Dicembre, e agitavasi con tutta la persona nel fermento da cui si sentiva possedere.

Il giovane le guardava e ogni tanto guardava fuori dal finestrino il paesaggio, penetrato da esso, ma senza perdere la compostezza; non con quella avidità infantile irrompente e incontenibile, quasi lo avesse visto e rivisto cento volte, era il primo viaggio che faceva, e lo considerava con la pacata compiacenza che lascia trasparire l'occhio assuefatto del viaggiatore.

Le donne invece non guardavano fuori, non si curavano di vedere, si guardavano insieme o guardavano insieme il nipote con intenzione, e non erano nemméno loro delle viaggiatrici consumate, a quei rispettabili cinquant'anni era il secondo viaggio che facevano. I viaggi rappresentàvano delle prove inaudite, pressoché disumane, ed erano fonte del completo sconvolgimento di tutto l'essere; non vi era un organo del loro corpo che funzionasse con regolarità e vivevano come nel delirio della febbre; sia che andassero a Roma per inginocchiarsi ai piedi del Santo Padre, dopo avergli regalato una stola e ricamato la pianeta per un cardinale o corressero per veder morire una brava e buona sorella ritornando dopo pochi giorni con un ragazzo d quattordici anni che rappresentava l'oggetto più strabilia te. Soltanto otto giorni prima avrebbero potuto immaginare di ritrovarsi in quel treno con lui? Quali sorprese prepara la sorte, e proprio allorquando viviamo fiduciosi che nulla avviene alle nostre spalle. Le menti erano in disordine, e ogni tanto le labbra articolavano un « povera Augusta, Ah! Ah! » che a poco a poco diveniva un « Ah! Ah! » semplicemente, e faceva ricordare le persone che rispondono al rosario per abitudine inveterata, e le invariabili parole salgono alle labbra da sé così languenti che vi si spengono appena nate o addirittura vi abortiscono, e anche senza essere pronunciate si capiscono alla perfezione.

Del viaggio a Roma, in quei tre giorni che vi si erano trattenute, era rimasto un ricordo di colonne: colonne fra colonne, colonne in fila; colonne che stanno su, colonne che stanno giù, rovesciate, colonne su colonne; mezze colonne, pezzi di colonne; colonne a sedere che si riposano, distese, malate, infermicce, tagliate a pezzi come le donne che si mettono dentro le valige. Si erano sperdute in una foresta di colonne in fondo a cui era apparsa a rendere la pace del cuore dopo una vaga sofferenza da sogno agitato, la figura bianca e soave del Pontefice benedicente, che senza posare il piede scendeva dall'azzurro nella luce che veniva da un'altra sala inondata dal sole e coperta di arazzi, pitture, dorature magnifiche: il gesto paterno, l'espressione dolce nel benedire i fedeli, e la voce un po' afona, lontana, non per debolezza fisica, ma per una bontà che non è più terrena. Quando le condussero davanti agli avanzi di Roma imperiale e all'entrata del Colosseo il sacerdote che le accompagnava disse che lì gli antichi romani si dilettavano, anche le donne, anche le dame, a vedere i gladiatori lottare fra loro fino ad uccidersi, e lottare con le belve fino ad ucciderle o a farsi sbranare, e che a quel modo vennero trattati i primi cristiani condannati a morte, riavendosi dallo stordimento di quei giorni fuggirono inorridite facendo più e più volte il segno della croce, né vi fu verso di farle entrare, ma rimasero fuori volgendo le spalle al monumento e borbottando indistintamente. Né vollero vedere altro di quella Roma antica che si risolse in un'immagine di ferocia abominevole. E sempre ricordando il Colosseo facevano il segno della croce, raccomandando al Signore di tenere bel saldo sopra il suo seggio il santo vecchio, che non dovessero risorgere costumi così empi da quelle rovine.

Del viaggio in Ancora invece, le poverette, ricordavano di essere entrate nelle viscere della terra, la via che da Firenze conduceva a Faenza comprende quarantotto gallerie, per un corridoio tutto nero che le aveva portate ad una stanza dove era la morte in tutta la sua pietà, in tutto il suo squallore. L'apparire dell'Adriatico, intravisto in una sera piovosa sul finire di novembre, fu una rivelazione oscura, e lugubre la voce del mare che udivano per la prima volta, simile a quella di un'immensa lamiera grigia mossa da una mano ignota per incutere terrore sotto una cortina funebre.

Ora il ritorno, pochi giorni dopo, si effettuava in una mattina umida, alternata da pioggia con qualche sospetto di sole nella luce, un roseo vagante fra le nuvole, e si svolgeva in uno stato d'animo che non lasciava la tranquillità necessaria per guardare e godere.

La fermata a Faenza col cambiamento del treno, maturò notevolmente questo stato di cose.

Quando dopo il fuggifuggi del trasbordo si furono sistemate nel nuovo convoglio che doveva riportarle a Firenze, diedero insieme un gran respiro che fece risentire la presenza dei polmoni nel petto atrofizzato: fuggivano lungo la stazione come sotto i colpi di una mitragliatrice o come inseguite dal nemico alle spalle. Teresa si sedette nell'angolo sotto il finestrino, e nell'angolo in faccia si sedette Remo, accanto a Carolina che lasciò a lui il posto migliore.

E siccome era vicino mezzogiorno e sotto la tettoia correvano degli omìni con in mano il cestino da viaggio, correvano per dar l'illusione del pranzo pronto e caldo, da non lasciarsi raffreddare, Teresa pensò che il ragazzo dovesse aver fame e che quello era il momento favorevole per provvedersi. Dopo uno scambio di vedute senza parole, le sorelle si dissero insieme di non aver voglia di mangiare: « per me... per me... pheu!... » e se non fosse il caso di prenderne due, erano anche troppi: due in tre. Teresa tagliò corto il convenzionale consulto che non sfuggiva al nipote, e per dargli subito un'idea di larghezza prese dall'uomo tre buste, spiritando del prezzo: « figli di... buone donne! ». Su quel punto non le fu possibile trattenersi, ma con l'aria rassegnata e sufficiente di chi sa per lunga pratica che in certi casi bisogna lasciarsi spennacchiare. Con quella stessa somma Niobe avrebbe servito un pranzo a dodici persone.

Incominciando ad avvertire in quell'ora un certo richiamo vicino al cuore, Remo mostrò di gradire subito il pensiero di Teresa, e osservandone la manovra senza intervenire, sorrise a Carolina che gli chiedeva se per caso non si sentisse un po' d'appetito, sorrise di adesione molto evidente. Sorrise schiudendo appena le labbra in un moto fugace della bocca di una carnosità resa pura dalla forma bellissima. Partendo da uno strato fine sotto il naso e sopra il mento, divise da un lieve solco, le sue labbra ingrossavano arricciandosi sensibilmente e concedendo molto spazio alla superficie vermiglia che schiudendosi appena lasciava apparire la dentatura di una regolarità e di un candore affascinanti. Gli angoli della bocca si arricciavano appena per formare il sorriso, illuminando la faccia con un movimento impercettibile. Lo sguardo del giovane era in perfetta armonia col sorriso, ottenendo grande effetto con mezzi che sfuggivano all'osservatore. Ti lasciava supporre di avere studiato a lungo questo fenomeno per ottenere dalla propria fisionomia il massimo risultato col minimo sforzo. La verità è che in lui non era ancora artifizio alcuno, ma la natura soltanto che aveva studiato bene. In modo che i due sorrisi, prima di compiacenza, quindi di ringraziamento, furono già per le donne una mercede da cui si sentirono lusingate e avvinte.

Per essere un ragazzo di quattordici anni, Remo era tanto bene e così armoniosamente sviluppato da dimostrarne sedici con comodità; sia per la figura come per l'espressione del viso e per la compostezza che non appariva momentanea o di soggezione. Nulla era in lui della forza disordinata che fa muovere il ragazzo senza armonia, inconsultamente, seguendo l'impeto del sangue e non la ragione ancora informe; dimostrava in ogni atto una vigilanza nativa, e il portamento era quello del giovane che sentendo incipiente la dignità virile già sa contenersi fra gli adulti, per poi sfrenarsi, magari, con quelli della propria età senza riserve.

Carolina, forse per giustificare a se medesima la forza del proprio impulso, o per sciogliersi da un groviglio di sensazioni che le stringevano il cuore, a quel sorriso che si ripeté non fu capace di resistere: abbracciò il ragazzo e lo baciò sulla bocca. E quegli, a sua volta, più che renderle il bacio abbandonò la bocca alla bocca della donna, né facendo atto di ritrarla ma disposto ad elargirla a piacere. Fu essa che, avvertendo un ignoto turbamento a quel contatto che si protraeva, si ritrasse smarrita seguitando a guardare la bocca di lui rimasta impassibile, imperturbabile, quasi che il colpo di tenerezza avesse rappresentato per il giovane un atto meccanico, senza la più piccola profondità, e senza lasciare la minima traccia.

Carolina invece, si era sentita afferrare, travolgere da un capogiro, dopo del quale era diventata tutta rossa. Estrasse il fazzoletto, si sventolò, s'asciugò la fronte, gli occhi, e divincolandosi sul cuscino seguitò a sventolarsi dicendo due volte: « Ah! Ah! » che non sappiamo se volesse dire ancora: « povera Augusta! ». Tanto che la sorella, avvertendo quello strano fenomeno e distraendo lo sguardo dalla manovra del cestino, si voltò inquieta ai viaggiatori seduti negli angoli opposti dello scompartimento: due di quegli omaccioni ben pasciuti che si vedono viaggiare per le Romagne con tanto di mantello sulle spalle, la faccia di cuor contento e la pancia più contenta del cuore; e subito si capisce essere uomini di affari agricoli, mercanti di vino, di cereali o di bestiame, e alla cui vista Carolina già rossa, divenne bianca, quasi che a un senso vago di vergogna ne subentrasse uno di paura, ma sempre ignota.

L'operazione dei cestini colmò questa lacuna.

Non appena in possesso del proprio, Remo si dette a frugarvi con freschezza di adolescente; quindi, dopo averci eseguito un inventario rapidissimo, a consumarne i cibi con avidità che risultò solo allorquando, tirata su una mela dal sacchetto, si dette, così in buccia, con molto garbo, ma deciso a morderla, mentre le donne erano ai primi scandagli della loro pratica. Frugavano e rifrugavano dentro il sacchetto facendo la faccia dell'armi ad ogni cosa che veniva fatto di pescare: l'avvicinavano al naso di scatto e svogliate alle labbra per allontanarla al primo contatto; torcevano la bocca ora a destra ora a sinistra e facendosi, al tempo stesso, da specchio reciprocamente. Ora la tenevano chiusa e stretta, rotonda, chiusa e larga, orizzontale, ricusandola ad ingerire: un concerto; e per farne uscire il disgusto, sola cosa che ci fosse potuta entrare, rovesciavano il labbro inferiore come per far cadere l'acqua il mascherone di una fonte.

Un po' per non mostrarsi avide, ma difficili e schizzinose, e perché in verità non avevano voglia di mangiare; ma più ancora perché non essendo abituate a mangiar fuori diffidavano istintivamente di ogni cosa da mettere in bocca che non fosse uscita dalle mani di Niobe. Per modo che non appena Remo ebbe divorata la propria razione, osservando e giudicando il panorama visibile, dava occhiate rivelatrici nelle due buste che le donne tenevano sopra le ginocchia come un lattante che da un momento all'altro può fare un regalino che non gli è ancora possibile annunziare.

Dietro simili occhiate incominciarono ad offrirgli qualche dettaglio della loro parte, fino a liberarsi del sacchetto per offrirglielo interamente. Offerta che provocò in ognuno la gioia più spontanea. Nel donatore il quale non chiedeva di meglio che liberarsene, e nel giovane il quale non chiedeva di meglio che mangiare anche la razione delle zie che si accorsero con molto compiacimento come la faccia del nipote, la quale conservava la propria linea nell'atto di guardare come in quello del ridere, rimanesse composta anche nell'azione, più difficile, del mangiare, sostenuta da un appetito di prima classe e senza il necessario per mangiare in modo civile. La voracità rimaneva su quel viso una forza pulita e fresca, che non degenerava nel bestiale rivelando, al contrario, una sicurezza rara in un ragazzo della sua età; allo stesso modo che la bellezza della forma purificava la carnosità delle sue labbra.

Carolina osservò che i capelli, nerissimi e lucenti, con ondulazioni marcate e ampie, regolari, erano pettinati bene, seguendo con grazia e semplicità la forma della testa, e che malgrado il suo abito fosse di una cattiva stoffa e cucito grossolanamente, non riusciva a nascondere la prestanza e le proporzioni di un corpo forte ed elegante.

Tutte queste osservazioni e macchinazioni venivano fatte col pensiero a Firenze, a Santa Maria, a Niobe e alternate con quelle che in forma di sospiro si dirigevano ancora verso Ancona che si allontanava a passo celere: « Ah! Ah! ». I "povera Augusta!" divenivano un gridolino sempre più breve, impercettibile. Quello che rispondeva al rosario essendosi appisolato definitivamente emetteva oramai certi suoni che solo la più incallita abitudine è capace di strappare al sonno: « povera Augusta! Ah! Ah! ». Per compensarla di essere rimasta povera e buona e disgraziata, come chi della vita non conobbe altra gioia che le rinunzie e il dovere: « povera Augusta! Ah! Ah! ». Santa creatura, disgraziata sempre, fino alla fine. E concludevano i sospiri con un « Santa Maria! » guardando il nipote e frenandosi a stento dall'aggiungere quelle parole che davano loro per tutta la persona un pizzicore irresistibile.

Remo, nel sentir pronunziare questo nome, sorrideva schiudendo le labbra vermiglie e gettando dagli occhi fari di luce senza calore, o, più precisamente, che riscaldavano gli altri e non lui insieme; alzando appena un sopracciglio, o arricciando appena un angolo della bocca, sorrideva a questo nome per il quale gli sembrava di andare a finire in un convento di monache: « a Santa Maria, vedrai... » gli ripetevano quelle non potendosi contenere: « vedrai Giselda, vedrai Niobe ». Questi nomi, tutti di femmine, non facevano che avvalorare la sua impressione giovanile: « vedrai, d'estate, quanta frutta nel podere! ». Proprio come nell'orto delle monache.

Le guardava una alla volta dimostrando la migliore attitudine per comprendere quanto gli veniva annunziato dalle loro bocche: « quanta frutta nel podere! ». La parola frutta gl'illuminava il viso facendolo sorridere.

Sotto una galleria che non accennava a smettere, Carolina, sopraffatta una seconda volta dalla tenerezza, lo abbracciò, lo baciò, lo strinse; prima per non poter resistere, ma insieme per sapere se si sarebbe ripetuto quel senso misterioso che l'aveva fatta turbare abbracciando il nipote alla stazione di Faenza: tale e quale, anzi, più forte. E come allora il ragazzo le abbandonò le labbra articolandole appena, senza baciare; per modo che si sarebbe ritirata anche più presto se non l'avesse protetta l'oscurità della galleria.

Al ripetersi di quell'atto Teresa guardò stupita la sorella pestando i piedi con stizza, e guardando dall'altro lato i due che, immersi nei loro pratici discorsi, erano ben lontani dall'occuparsi di esse.

Venivano a vendere i maiali a Firenze.

Arrivati a Santa Maria, con grande letizia delle zie che avevano tante e poi tante cose da fargli vedere, Remo non faceva che guardare. Parlava poco, e di questo le donne non si sentivano altrettanto letificate, desiderando una maggiore espansione da parte sua. Avrebbero voluto delle proteste di gioia e di legittimo orgoglio nel veder cose che non dovevano riuscirgli sgradite e che, in certo modo, incominciavano ad appartenergli. Ma la timidità, e soprattutto il dolore, gl'impedivano di espandersi, di dare libero sfogo ai propri sentimenti, ai suoi giovanili entusiasmi. Addossavano tutta la colpa alla timidità e al dolore che, a poco a poco, si sarebbe dileguata la prima e calmato il secondo per il naturale andamento del vivere e delle cose. E cercavano con ogni cura, pur rispettando quei sacri affetti, di anticiparne la scomparsa quanto fosse possibile.

Remo parlava poco e guardava molto, mentre intorno si esaurivano i racconti del famoso viaggio, delle quarantotto gallerie: « quattr'ore sotto terra! ». E sempre con quell'uggiolina allo stomaco che è facile comprendere, di non rivedere la luce del Signore. Il trasbordo a Faenza, col timore di sbagliar treno e andare a finire chi lo sa dove; quante volte avevano chiesto terrorizzate: « È questo il treno per Firenze? È proprio questo? Si va proprio a Firenze? ». Fino a quando non era squillata la cornetta del capotreno e il convoglio s'era mosso per entrare un'altra volta dentro quelle infernali gallerie. L'arrivo in Ancona, con quell'"in" davanti così pungente, così antipatico e ostile, così invincibile; la notte umida e fredda, il mare tutto nero, e il suo rumore che faceva accapponare la pelle: la catastrofe. A quattro anni e mezzo di distanza, e con diversi colori, si ripetevano a Santa Maria i fasti del viaggio romano: la visita al Santo Padre, con quella sudiciona di Messalina e le vestali che si divertivano a vedere i cristiani sbranati dalle belve: "per tutti, per tutti". Nel nuovo viaggio, vedi fatalità, un'altra parola, ripetuta due volte, s'era stampata nella mente e nel cuore: "Remo! Remo!". La soave carezza del santo vegliardo, la stretta disperata della sorella morente. Per il buon nome della famiglia attenuavano le condizioni di miseria in cui avevano trovato la sorella: « stava in una casina... in una bella casina... » ma lo sapevano bene come fosse in realtà quella casina tanto bellina; addebitandone la tristezza alla regione, quasi barbara, e alla morte. Con Giselda, con Niobe, coi contadini, sissignori, anche con loro, con tutto il vicinato accorso per sapere della povera Augusta, che gli anziani ricordavano benissimo, e i suoi coetanei: la persona, il carattere, rievocandone la figura, esaltandone la bontà, bontà vera, effettiva, senza macchia, senza riserve e che ora, dopo la morte assurgeva a inaccessibili vette; la sua rassegnazione alla sorte sempre avversa, la malinconia di cui era soffuso il suo viso, quasi avesse portata scritta in fronte, fino dalla nascita, l'amara sentenza. I giovani, i giovanissimi che non la ricordavano o non l'avevano conosciuta, i fanciulli, provavano l'effetto di sentir parlare di una figura celeste, di una santa, di una martire. E lì sospiri, ricordi, invocazioni, occhi al cielo, mani giunte. Succede sempre così, anche per coloro di cui nessuno pensò mai ad occuparsi viventi, nell'ora della morte c'è un istante di attenzione; e anche se non si sarebbe scomodato per salutarli, un cane con la coda, quando passano coi piedi all'ingiù tutti si scoprono il capo con rispetto. Ma per il momento non vogliamo affondare nei terreni soffici. Tutti correvano per sapere, per veder Remo, il figlio della santa, della martire, quello che rimaneva in terra di tanta celestiale virtù, di tutta la sua divina bontà.

Per debito di ospiti, per dovere verso la morta, e per gli ottimi rapporti che li legavano alle sorelle, tutti sentivano verso il giovane una spinta molto accentuata, quindi un certo disorientamento e una tregua non rispondendo egli calorosamente a quel calore, agli assalti e alle effusioni di simpatia e di affetto; e osservando con perfetta tranquillità, senza spostarsi di un millimetro, quello spontaneo movimento di tutte le donne e donnette del borgo verso di lui; le quali raffreddate dal suo contegno finivano per guardarlo stupite, estatiche, con le parole che si spengevano sopra le labbra, e deviando il loro torrente verso le zie per l'opera benefica che facevano, di cui il Signore le avrebbe ricompensate in eterno in terra e in cielo, ma in cielo più specialmente, aprendo la loro casa all'orfano che per aitante che fosse, e oramai giovinetto, abbisognava ancora di tante cure, di guida soprattutto, e di amore vigile; anzi quella era proprio l'età in cui s'imponeva la vigilanza e l'affetto delle persone care; rallegrandosi perché lì avrebbe trovato tutto, tutto come nella più amorevole famiglia; rallegrandosi con le benefattrici non potendosi rallegrare col beneficato quanto avrebbero preteso, non ricambiando egli in grado sodisfacente questa partita di dare e di avere. Taluno sussurrava, malizioso e cortigianesco, che per le due sorelle l'opera buona era tanto grande quanto il sacrificio era minimo, e aggiungeva, strizzando un occhio: che una bocca di più in casa delle Materassi era come levare un pelo a un gatto. Altri ancora esclamava in tono misterioso e solenne: « ci fa buca, ci fa buca, qui ». Volendo dire che tutte le sciagure andavano a finire lì, su quelle spalle: « che donne! che donne! ». Avevano mantenuto per tanti anni il padre povero e infermo, avevano mantenuto la sorella e la madre, avevano riconquistato i beni della famiglia; sposatasi la sorella, dopo cinque anni solamente era tornata lì a vivere: « sempre lì, tutti lì a mangiare, tutti su quelle spalle. Ci fa buca! Ci fa buca! ». E infine, la sola persona che non aveva mai voluto pesare sopra di esse, moriva ancora giovane lasciando in eredità un ragazzo da campare: « Ci fa buca, qui! È un destino. Ci fa buca! ». A tutto avevano saputo riparare quelle donne straordinarie: « che donne! ». Avevano fatto fronte a tutte le avversità, superate tutte le disgrazie, riempito tutte le buche: « che donne! ».

Remo parlava poco, e più intorno si accendeva il cicalume meno parlava e guardava molto; guardava molto e ascoltava tutto senza mai perdere la compostezza e la tranquillità, anzi, dimsotrandone una dose maggiore proprio allorquando ci sarebbe stata ragione di perderla. Rimaneva olimpico senza mescolarsi alle ciance, alle proteste dell'intero paese, senza dare vantaggio di sé per un senso virile già sviluppato: né si mescolava né si ritraeva, osservava silenziosamente custodendo con naturale grazia il proprio sentire. E quelli, non sapendo più che pesci si prendere, protestavano di non voler violentare la sua timidità e il suo riserbo, disturbare il dolore da cui lo giudicavano compreso, pervaso ricolmo: « i grandi dolori sono muti », aveva insinuato taluno saggiamente; e altri aveva concluso con voce da apocalisse: « più grande di quello del figlio per la madre ve n'è uno solo: quello della madre per il figlio ». Egli sapeva mantenersi così bene educato che neppure accennava a certi contatti consueti e rapidi cui gli uomini ricorrono fino dalla giovane età, in segno di scongiuro, sentendo tirare in ballo catastrofi o porre in giuoco la propria esistenza; come il resto della persona anche le mani sapevano frenarsi, e tutti finivano per fissarlo e scrutarlo domandandosi con insistenza che bestia fosse, se assomigliasse davvero alla madre: « povera Augusta, Ah! Ah! » e in che; e passatane in rivista ogni parte del corpo avevano concluso, esclusi quelli capaci di ritrovare le somiglianze fra un toro e il bruco, che somigliava alla madre soltanto nel carattere, sì, nel carattere riservato, chiuso, tranquillo, timido... E il ragazzo pareva lì apposta per avvalorarne le ipotetiche affinità, giacché non vi era chiacchiera, per insulsa o intrigante che fosse, capace di smuoverlo dalla sua esemplare attitudine, dimostrando l'effetto che devono fare gli zeffiri a una torre.

Le zie invece lo osservavano nella tema ch'egli si trovasse sperduto in un ambiente nuovo, fra gente sconosciuta; che si vergognasse, soffrisse, non si sentisse bene o avesse paura ad esprimersi; e credendo indovinarne i pensieri attraverso gli sguardi, gli davano informazioni su informazioni. Chi era la tale o il tale, di chi era figlia, figlio, suocera, nuora nipote o madre; quanti figli avesse, che facessero di mestiere, per metterlo in istato di padronanza e intimità.

Egli guardava le cose col medesimo interesse delle persone: porte, finestre, piante, senza attrazione apparente, guardava come chi conta o prende misure.

Soltanto i telai delle zie provocavano la sua curiosità infantile e ne sorrideva aperto; cose che gli apparivano bizzarre e gli piacevano insieme; e guardava come due bestie rare le donne del treno tanto diverse nei grembiuloni bianchi, con gli occhiali dalle lenti spesse, curve sopra i telai dalla mattina alla sera, perdute e far camicie e mutandine per le signore, combinazioni e sottanine. La sua curiosità, infantile solo nell'aspetto, ne nascondeva una ben più profonda e non ancora formata nell'animo dell'adolescente. Quando si trovava solo in quella stanza, con le zie e con Niobe, si guardava intorno fra trasognato e sodisfatto come chi, cadendo dal cielo e riprendendo la conoscenza e il vigore, si accorge di essere caduto bene fra quegli indumenti quasi misteriosi, quasi segreti di cui rigurgitava la stanza: sentiva d'essere caduto sul morbido e se ne compiaceva intimamente.

L'interesse col quale osservava le cose sopra le tavole o ne seguiva la confezione, distoglieva un poco nella loro disciplina le due donne che formavano un corpo solo con le loro macchine grottesche, le distraeva, le faceva ridere e, per la prima volta, ne allontanava il pensiero vigile. Si chinava dietro le loro spalle per vedere il disegno, indovinarne il ricamo, e sentendosi sfiorare il collo e il viso da quell'alito fresco profumato di frutta proprio degli adolescenti, le invadeva un benessere sconosciuto e inaspettato che dava una rapida ebbrezza, una leggera vertigine.

Un giorno Remo ebbe un gesto rivelatore così evidente che le pose in scompiglio più di tutte le parole: preso dalla tavola un paio di mutandine rosa, compiute e pronte per essere stirate, reggendole alte fra le dita pareva volerle mostrare alla luce. Piacque tanto il gesto alle donne che smisero di lavorare tenendosi la pancia dal ridere. Visto da occhi nuovi e in quelle mani, l'oggetto diventava nuovo anche per esse, quasi vedessero per la prima volta le cose che creavano da più di trent'anni e da cui erano circondate. Carolina, grondante di fili, posato il telaio in terra tentò di strappargli dalle mani le mutandine ma il ragazzo, al momento di essere preso, le sfuggiva agilissimo per andarsi a piantare in un altro punto della stanza con le mutandine tese; e facendola correre intorno alla tavola finché, stanco del giuoco, non ve le ripose. Assalita da un colpo di tenerezza, Carolina, serrandogli il collo con le braccia lo baciò come già in treno, ritraendosi in disordine. Remo non rispondeva con un bacio rapido e fresco, o distratto e alla sfuggita al modo dei ragazzi si lasciava baciare, essi elargiscono senza sospettarlo vagamente la loro freschezza e il loro candore, ma abbandonava la bocca né accennava a

83

ritrarla, quasi avesse dato un oggetto a baciare e non una parte di sé. Era questo senso sconosciuto e strano che la spingeva ad abbracciarlo e la faceva ritrarre turbata pi' assai che se quello le avesse ricambiato il bacio.

Vedendo ripetersi la faccenda del treno, Teresa che a quell'atto aveva smesso di ridere, incominciò a pestare i piedi contrariata e impaziente quasi ci fossero ancora i venditori di porci a vedere. Né sapeva spiegarsi il disturbo che recava in lei la vista di quell'atto affettuoso, urbano e innocente, che rappresenta per qualunque madre una consuetudine quotidiana, un'espressione perenne dell'affetto materno e filiale. A una zia cinquantenne, che doveva assumere le funzioni di madre, non era dunque concesso di baciare il nipote che si poteva considerare ancora un bambino?

A tanto scompiglio era accorsa Niobe.

Remo guardava con curiosità anche Niobe, ma a lei, quando non vedevano le zie, già sorrideva deciso, e se non fosse che i suoi occhi non prendevano mai un'attitudine volgare si sarebbe detto che le desse delle occhiate intelligenti alle quali la donna, incapace di contenersi, rispondeva con le proprie in cui la volgarità veniva riscattata dalla bontà e dal calore. Cuore semplice, era incapace di nascondere il proprio sentimento e la gioia che provocava in lei la presenza del nuovo padrone. E Remo, entrando in casa, con quell'istinto sviluppatissimo nei fanciulli di correre dove si forma la simpatia verso di essi, aveva colto al volo l'offerta che gli veniva da quella parte. Niobe era stata la sua prima conquista, la donna si era sentita sollevare alla sua apparizione, quei pantaloni piovuti per un miracolo fra tante "sottanacce" le facevano sentire ancora piú bello il vivere, e non poteva credere ai propri occhi per la felicità. All'infuori delle padrone, che per la loro prodigiosa attività vedeva innalzate a dignità mascolina, considerava la donna in genere una merce vile, e il maschio soltanto degno di rispetto e di stima; per cui aveva offerto a Remo, e senza indugio, la propria amicizia, fiera di servirlo e di essergli utile.

Una cosa soltanto egli guardava con diffidenza, sospeso e serio: Giselda.

Rappresentando in quella casa la scontentezza, la contrarietà, Giselda si era astenuta da manifestazioni troppo tenere, non solo, ma vedendo quale piega prendessero le cose aveva insinuato alcuni saggi consigli. Ella diceva che per la buona riuscita del giovane bisognava usare la maniera forte, un contegno meno dedito e indulgente, se si voleva farne un uomo utile e da bene, e non un delinquente come ce n'erano tanti in circolazione; e che certe preoccupazioni esagerate, certe smancerie erano inutili e dannose.

Fingendo di ascoltarla, le sorelle annuivano evasive alle sue proteste: "sì... già... certo... è naturale..." scambiandosi delle occhiatine eloquentissime: "la maniera forte sarebbe stato bene usarla con lei quando ne aveva dato pieno motivo, e non col nipote che non ne dava. L'uomo utile e da bene non era stato nei suoi disegni a quanto pare, se si era rivolta esattamente dall'altra parte, contro tutti i buoni consigli che non potevano mancare, e le informazioni che non erano mancate. E in quanto a delinquenti recitasse il *mea culpa* se l'era capitato di conoscere un famoso campione". Quella partenza spavalda e felice a vent'anni, col giovane avventuroso, bello e vestito bene, aveva lasciato delle strizzatine croniche nella vescichetta della bile. E si capisce subito che delineandosi una tale resistenza da quel lato, Teresa e Carolina si prodigassero il doppio dal loro verso il ragazzo, che considerava serio quella terza zia come una cosa di cui non riusciva a fare il conto né a prendere le misure.

Niobe considerava Giselda un anfibio, una cosa di mezzo fra la serva e la padrona. Come bene si sa non vi è di meglio che i domestici per disprezzare e porre fuori causa i falsi padroni, i padroni a metà, quelli che non sono né ·carne né pesce; e dava man forte alle padrone vere, non solo, ma le precedeva con tanto di bandiera spiegata, facendo quanto poteva da suggeritore nel dar dimostrazioni d'affetto e di premura al giovane che la guardava, quando non vedevano le zie, col suo sorriso più luminoso, quasi fosse concluso fra essi un patto indissolubile.

Molte erano le innovazioni che le zie avevano introdotto con l'arrivo del nipote. Non si mangiava più in cucina come sempre, ma nel salotto da pranzo come le domeniche, con una bella tovaglia e le migliori stoviglie; e invece di buttar giù in fretta e furia il boccone, si mangiava con agio borghese parlando del più e del meno, e non solamente di camicie e di mutande, ma discutendo sui cibi e sulle abilità di Niobe, che preparando il programma per il giorno dopo ci faceva cascare, senza farsene accorgere, tutte le cose che si era accorta piacevano a Remo; e le zie, accorgendosene perfettamente, la lasciavano fare facendo le tonte. E un giorno che a tavola gli avevano chiesto se gli piacessero le bistecche egli rispose con un « perdio! » tanto efficace che piacque un mondo e mezzo alle donne, ripetendo la scena delle mutandine quando non era possibile di ripigliargliele. Quella virile risposta fece ricordare a Teresa la cuffia bianca e rosa che gli avevano confezionato quando doveva nascere e Carolina, scattata in piedi al ricordo, col suo tovagliolo costruì una specie di turbante sulla testa di Remo che rimase fermo come una bambola a lasciarsi aggiustare prima, quindi ammirare; e assalita dalla tenerezza dei grandi momenti lo strinse fra le braccia e gli diede un bacio al quale egli rispose nella maniera che sapete. Teresa un po' rideva per la faccenda del turbante, un po' pestava i piedi per quella dei baci che la irritavano tanto senza saper perché, allo stesso modo che senza saper perché turbavano la sorella: forse perché Remo, per la figura e la serietà del portamento, aveva già un aspetto troppo virile per trattarlo fanciullescamente, o per un sospetto di peluria incipiente nel labbro superiore?

Giselda, che non aveva aperto la bocca durante il pranzo, né riso durante la scena comica finale, buttato giù l'ultimo boccone si alzò e lasciò la stanza senza dir verbo. E Niobe, venuta sulla porta per godersi quanto possibile il gaudio delle padrone, appena Giselda ebbe varcato l'uscio, dopo essersi fatta indietro per lasciarle il passo, le indirizzò alle spalle certe boccacce che fecero scoppiare dal ridere le commensali ancora sedute.

Prima preoccupazione verso l'ospite fu di dargli da mangiare facendolo riempire a più non posso, e sempre temendo che non fosse pieno a dovere. E su questo punto incontrarono subito una rispondenza e un'espansione senza riserve, ché esso era pronto a superare in tal campo tutte le prove. Quindi di stabilire i gradi di relazione col vicinato. Tutti dovevano trattarlo come appartenente ad una classe superiore alla loro, e gli altri ragazzi, quelli del contadino come quelli dei pigionali, dovevano dargli del "lei"; e del "lei" doveva ricevere da tutti, nessuno escluso. Quella distanza che non erano riuscite a mantenere per sé, ché il vicinato dopo un esordio rispettoso, un saluto deferente, sotto sotto nel volgere della conversazione le trattava con familiarità, dicendo "Teresa e Carolina" senz'altro, "le Materassi", senza metterci nulla avanti, e mai le "signorine", come sarebbe giunto gradito al loro cuore: "le signorine Materassi". Ma la gente dei paesi e delle borgate bada poco alle forme, si sa, è alla buona nel trattare, anche perché dalla intimità della vita la confidenza si sviluppa rapidamente. Tale distanza pretendevano venisse rispettata col nuovo membro della famiglia.

Anche su questo Giselda avanzò il proprio parere, giudicando un'assurdità il mantenere certe formali differenze fra gente semplice, e fra ragazzi, poi, coi quali simili fanfaluche sarebbero cadute da sé. Erano cose da far ridere le galline. Al che Teresa, gettando il tovagliolo sopra la tavola, aveva risposto autoritaria che le galline erano padronissime di ridere ma che lei, in casa sua, faceva quello che credeva bene di fare. Ripeté un "mia" due volte guardando lei a grinta dura. Carolina non aveva fatto che ribadire la risposta della sorella segnando dei "sì" che andavano dal soffitto all'impiantito e viceversa. E Niobe, facendo il gesto di tirare il collo a un pollo, intendeva dire che lei sapeva benissimo come si fa per far uscire la voglia di ridere dal corpo delle galline. E scrollava e dimenava il capo perché Remo potesse capire che quella spesso spesso si levava male, col buco arrovesciato, come dice la gente del popolo a Firenze; e che non bisognava darle ascolto perché in quella casa contava quanto il due a briscola. Il pranzo, trasportato solennemente nel salotto per la presenza del nipote, finiva spesso in queste discussioni un po' asprigne.

A tante rispettabili discussioni e differenze che lo riguardavano da vicino, Remo opponeva una serenità celestiale, fingendo di nemmen capire fino a qual punto lo riguardassero quelle zuffettine domestiche; e non avendo tardato a comprendere quanto vantaggiosa risultasse per lui la irriducibile opposizione di Giselda, incominciò a guardare la terza zia con quell'arietta di chi al completo della tranquillità e del compiacimento, sussurra un motivetto a fior di pelle nell'ora della migliore digestione, canzonandola con molta leggerezza per averla nemica il più possibile, e per evitare il caso funesto di vedersela placata da un momento all'altro.

Gli venne assegnata la camera già appartenuta ai genitori, che nessuna delle sorelle aveva voluto prendere dopo la loro morte, e rimasta intatta in un'atmosfera di stupore. Aveva la finestra che guardava sui campi, ed era situata esattamente sopra la cucina che, come tutte le stanze del pianterreno, era provvista di un'inferriata bianca mangiata dalla ruggine.

Il gradimento da parte del ragazzo fu palese, la camera era la più bella e spaziosa del primo piano, con mobili di ottimo legno che il bravo fattore aveva fatto costruire per le nozze del figliolo. Vi era ancora un lettone col baldacchino di damasco celeste su colonne di ferro che finivano in quattro pine dorate. Remo era felice di spaziare in quel letto dove avrebbero dormito comodamente tre persone: sotto quel baldacchino e quelle dorature i suoi primi sguardi, la mattina, erravano a lungo, e i suoi ultimi la sera, prima di addormentarsi. Lo strano letto conferiva al suo spirito di fanciullo uno stato da sogno fiabesco finché era sveglio, preparandogli il campo ai sogni veri che erano di una vivida realtà per quanto fiabeschi ugualmente.

Fra le rivelazioni riguardanti il carattere del giovane, sulle quali con diverso animo, ma con identica intensità spiavano le quattro donne, l'insaziabilità d'acqua fu la prima a colpirne la fantasia. Della brocca che Niobe gli teneva sempre piena nella camera, e di un secchio supplementare, non ne aveva abbastanza, e gli rimaneva la catinella troppo piccola per potersi lavare a suo talento. Di maniera che appena alzato scendeva in cucina, portava un mastello fuori della porticciola che metteva sul campo, e a torso nudo e sulla nuda terra, nel pieno della stagione invernale non la finiva più di sciacquarsi e risciacquarsi le braccia e il collo, il petto e le spalle. Lo stesso faceva rientrando in casa accaldato. Niobe fu la prima ad ammirare una tale consuetudine, e per quanto la cosa le piacesse non fu capace di tenere la gioia tutta per sé, volle raccontare alle padrone, e nei minimi particolari, in quale modo si svolgesse ogni mattina, la cura personale del nipote. E siccome l'acqua non era stata mai in quella casa una necessità impellente se non per bere, ne rimasero allibite, ammirate e preoccupate al tempo stesso. Non avrebbe potuto buscarsi a quel modo un raffreddore o, peggio ancora, un mal di petto? Niobe seppe rassicurarle su questo punto adducendo che, se quella era la sua abitudine, descriveva la baldanza del corpo eseguendo tale esercizio, l'aspetto di vigoria e felicità che rivelava la faccia asciugandosi rapido e forte fino ad arrossarsi la pelle, non soltanto non poteva essere causa di malanni, ma valeva a preservarlo da essi e a temperarlo per far fronte a tutti i venti e le tempeste. Finché al primo decrescere dei rigori invernali il ragazzo, una mattina, chiese a bruciapelo alla donna: "ma dov'è il fiume, si può sapere?". Messa in sospetto da tale argomento, essa rispose che lì non c'era fiume, poi, replicò: "e che ne voleva fare del fiume in quella stagione?". "Lo so, lo so", rispose, "a primavera, quando non fa più freddo", e aggiunse: "non vuol dire". Comprese di essersi sbottonato troppo. E a torso nudo, asciugandosi, guardava all'orizzonte cercando l'acqua come il rabdomante col proprio desiderio infallibile. Si capisce che attraverso i campi e le viottole, spintosi sopra e sotto dal paese, aveva incontrati i due torrenti, l'Africo e il Mensola, nei quali l'acqua ruina solo al momento del temporale e mezz'ora dopo non ve n'è più le tracce, si può dire, e lungo i due rigagnoli rimangono appena delle pozzanghere capaci a malapena per il bagno delle ranocchie.

Altra cosa colpì le nostre donne che per la prima volta prendevano contatto con la virile adolescenza; dopo poche mattine, per scendere in cucina a lavarsi, Remo non si servì delle scale, ma trovò che la finestra era la strada più breve e confacente; lungo l'inferriata di Niobe che, intenta a bollire il latte, scorgendo quell'ombra scendere dall'alto e subito sparire, non avendo avuto il tempo di veder chi fosse:

« Vergine Santissima! » gridò con l'ultima boccata di fiato che l'era rimasta nella gola. E il latte andò di fuori, si capisce. Un ladro? Un fantasma? Un'apparizione ammonitrice? Il diavolo che la veniva a prendere? E scorgendo Remo alla porticina con la sua faccia imperturbabile: "figlio d'un sette!" esclamò col primo fiato di ritorno "m'ha fatta tutta rimescolare... e il latte m'è andato nella cenere". Quindi ritrovando la voce: "e se resta infilato in quelle lance?". Remo sorrideva: no, non era uomo da restare infilato in quelle lance, bastava guardarlo, lo capì anch'essa e trovò che l'esercizio era ammirevole. La mattina dopo, Niobe, in un'attesa di compiacenza, aspettava di momento in momento l'apparizione dall'alto mentre preparava il caffè e latte, ma rimase guardinga per il latte, e guardinga nel rivelare la nuova scoperta alle padrone. Trovato il momento propizio narrò il fatto non sapendovi resistere. Teresa si mostrò preoccupata per il male che il ragazzo avrebbe potuto prodursi cadendo, e Carolina in convulsioni per quelle maledette lance nelle quali poteva rimanere trafitto; ma leggendo negli occhi di Niobe quanto essa la sapesse lunga, avendo potuto valutare con quale destrezza si compieva tale esercizio: "non s'infila nelle lance... non cade... non si trafigge... restino pure tranquille, non si stiano a disperare..." ripeteva strascicando le parole. Conclusero che anche a loro sarebbe piaciuto tanto di vedere.

E la mattina dopo, con la complicità di Niobe, rinchiuse nel sottoscala che serviva da ripostiglio e da dispensa, attiguo alla cucina, e nel quale era un finestrino inquadrato da due sbarre accanto alla finestra di essa, aspettavano trepidanti e incuriosite. Ma essendo Remo abile per natura nel fare le sorprese, quella mattina, lento e composto, già lavato e finito di vestire, scese ufficialmente per le scale, e non trovando le zie nella loro stanza come le altre mattine entrò in cucina, e fermandosi davanti alla porta del ripostiglio

91

dove erano nascoste, prese a dire con Niobe: "o le zie? Dove sono le zie? Come mai non sono a lavorare? Non sono ancora scese?". Sapeva che a quell'ora c'erano sempre. Né accennava a distaccarsi dalla porticina, e guardando Niobe che non si teneva più dal ridere. Appena uscito nel campo ella le fece fuggire, ed esse corsero ai loro telai come gatte frustate.

Ma non tardarono ad ammirare anch'esse l'agilità del nipote, e rattenendo un grido per non spaventarlo, poterono assistere alla discesa senza bisogno di nascondersi. Remo allora, per onorare la loro presenza, una volta in terra volle risalire rapidissimo nella sua camera, facendo vedere che non soltanto sapeva scendere, ma risalire bensì, e una volta sopra in un batter di ciglio ridiscese. Le donne si guardavano senza fiato. Ma anche questo divenne un fatto normale e se ne parlò a tavola. Remo, guardando le zie, sorrideva all'una e all'altra per assicurarle che scalar quella casa era un'impresa elementare, da principiante; e spiegò come da qualunque lato si potesse salire e scendere senza difficoltà; per modo che le poverette presero a guardare sopra e sotto disorientate, non sapendo più da qual parte sarebbe apparso o sparito il nipote. "Bene bene", tagliò corto Giselda con la voce grave, " ti faremo fare il pompiere." Al che il ragazzo non dimostrò né offesa né maraviglia, mostrò anzi di accogliere tale proposta come una professione di suo pieno gradimento. Teresa diede di traverso, alla sorella, uno sguardo tagliente, micidiale, senza dir nulla: « quella non apre la bocca che per dire delle sciocchezze o delle cattiverie ». Carolina la guardò stirandosi tanto sulla vita da raddoppiare la propria statura: « sì... pompiere... Povera disgraziata, vedrai che razza di pompiere! Piglialo te il pompiere ».

Pur non essendo corso nessun proposito con esattezza, si capisce che accarezzavano già per il nipote delle aspirazioni elevatissime. Remo, gradatamente, incominciò ad assentarsi, a rimanere fuori per molte ore consecutive; né si arrivava a sapere dove fosse e con chi, dove fosse stato e di dove venisse. Le sue risposte erano tanto tranquille quanto confuse, inconcludenti, evasive; sapeva sfruttare con abilità il fatto di essere nuovo del paese per dare certi resoconti dai quali non era facile ricostruire dove e come avesse passato le ore; descriveva luoghi e persone così contraddittoriamente che le dispute si accendevano vivacissime fra le donne desiderose d'informarlo perché non andasse in luoghi pericolosi o frequentasse persone indegne di lui e della sua nuova famiglia. Pareva a un tratto che l'enigma fosse risolto e vi aggiungeva una notizia, un particolare che ricacciava tutto nelle tenebre: il mistero diveniva impenetrabile. Alle ore dei pasti, quasi per incanto, si vedeva apparire con la puntualità degna di lode, ma in quanto a spiegazioni si era sempre in alto mare.

Le zie sentivano che questo principio non andava bene, sentivano nascere dentro la responsabilità della loro posizione di fronte all'orfano, il dovere di occuparsene sul serio. Ma come potevano fare assediate com'erano da un lavoro che non concedeva tregue?

Le divergenze scoppiate con Giselda per la poca simpatia dimostrata al ragazzo fin dal suo arrivo, impedivano d'incaricare lei di occuparsene, la sola che avrebbe avuto il tempo disponibile: tutto veniva rimesso sopra le spalle di Niobe, occupatissima dalla mattina alla sera e la quale, diciamola pure, non era l'istitutrice più consigliabile, sia per la grande ignoranza come per la infinita bontà e, maggiormente, per la simpatia rivelata al giovane senza indugi né restrizioni, e della quale egli era consapevole. Infatti essa non tardò ad iniziare il giochetto di ricoprir magagne e marachelle, sempre adducendo che era coi contadini del podere e stava buono, si portava bene; o nel cortile a fare il chiasso con quelli del casamento; quando non aveva essa stessa la più vaga idea dove fosse e già si sentiva preoccupata di ciò. Aggiungete il turbamento e la novità che la presenza di Remo era venuta a creare nella famiglia capitando come un bolide fra quattro donne che spesso rimanevano interdette o sgomente dal poco parlare che faceva, o dal suo sguardo interrogativo tanto suggestivo e attraente, ma nel quale non era facile di leggere.

Il ragazzo era arrivato nei primissimi giorni di Dicembre, e per un primo tempo, nel trambusto del caso tragico e inaspettato, nessuno aveva potuto pensare al suo stato con senso pratico; poi erano venute le feste di Natale a prorogare ogni iniziativa: l'anno scolastico quasi a metà... si dovettero far venire da Ancona le sue carte e ce ne volle prima di averle in regola e tutte, e dalle quali risultò che non possedeva nemmeno la licenza elementare inferiore, ma che aveva frequentato a malapena la terza classe. I suoi titoli di studio e tutta la sua istruzione finivano lì. Per scaricarlo di tale responsabilità conclusero che certe cose succedevano soltanto in Ancona. E questa volta pronunziarono quell'"in" con un accento di condanna senza riserve: fu un colpo di revolver. Chiestogli poi come passasse i suoi giorni in quella tremenda città: "dal meccanico", rispose con semplicità e dignità virile.

"Dal meccanico..." Le due sorelle seguitavano a baloccarsi fra le labbra questa parola che, è facile comprendere, non erano disposte a buttar giù, ma a sputare con decenza quando nessuno le vedesse. "Dal meccanico..." Questa parola metteva sempre più a nudo uno stato di cose, richiamava al ricordo l'oscuro viaggio, illuminava sempre meglio il quadro della miseria anconetana, e la scena della morte diveniva sempre più tragica e imponente: "Remo! Remo!".

"Già, già", conclusero esaurendo il discorso e stendendovi un velo discreto come avevano fatto su altri particolari riguardanti quella medesima provenienza. "Il meccanico... all'officina... già, già." Non ne parlarono più, ma si capisce che anche quella qualifica apparteneva al passato del giovane nel quale non era bene approfondire. "Un magnano?" dissero poi insieme quando furono sole nella loro camera interdette e pensierose: "un magnano?" ripeteya Carolina librando nel vuoto la parola, e Teresa vi aggiunse, puntandola ed inchiodandola in terra per sempre come una bestia velenosa sotto il piede: "macché!".

Per alcuni giorni intorno alla casa vi fu un traffico misterioso, eccezionale: conversari segreti, discussioni bruscamente interrotte, reticenze, scambio di lettere e missive, imbasciate affidate a Giselda per mezzo di carte scritte e sigillate bene, e finalmente un annunzio ufficiale: la prossima domenica Santa Maria avrebbe ricevuto una visita di grande importanza che nulla aveva in comune con le solite per le camicie e le mutandine, e per la quale venne sbarazzata anche la stanza da lavoro e messa in ordine, spazzato e spolverato il salotto buono, aperto per ricevere con un'aria e una luce da chiesa prima della funzione, e un leggero profumo di petrolio, col quale era stato lucidato il pavimento, che ne aumentava l'aspetto mistico più che solenne. Infine era stato, molto accuratamente e senza economia, preparato un rinfresco.

Chi doveva arrivare verso le tre di quella limpida domenica a fine di Marzo, già tiepida e trepida, coi fiori dei mandorli e dei meli, dei peri soffici e candidi come neve sui rami, che gettavano un velo su tutta la pianura e le colline; e quelli rosei dei peschi che già si insinuavano pungenti annunziando il primo calore; e nella terra gli anemoni viola, e qualcheduno rosso o bianco tra il grano adolescente?

Anche il pranzo venne consumato in fretta e servito alla mezza, mezz'ora e anche tre quarti d'ora prima del solito; e con insolita fretta fu sparecchiata la tavola, rimesso in ordine il salotto per mano di Giselda, mentre nell'attigua cucina già si sentiva, dentro i catini, l'acciottolio delle stoviglie: Niobe eseguiva rumorosamente la rigovernatura masticando ancora. Tutto assumeva un'aria di attesa religiosa come nel giorno di quaresima quando si aspetta l'acqua benedetta.

Remo sovrastava a questo straordinario trambusto aggiungendo un pizzico di mistero alla solennità circostante, conservando la sua calma imperturbabile, e rispondendo senza apparente curiosità alle occhiate troppo espressive, fingendo di non accorgersi di certe parole dette e non dette dalle zie, frasi mozzate a tempo, sibilline, dalle quali traspariva che tanti eccezionali preparativi erano fatti per lui esclusivamente.

Non appena buttato giù l'ultimo boccone, le sorelle corsero a rinchiudersi nella loro camera come tutte le altre domeniche, ma quel giorno con altro ritmo e preoccupazioni diverse. Ripeterono al nipote di indossare l'abito blu e di trovarsi pronto prima delle tre.

Non avevano voluto, e giustamente, che il ragazzo vestisse di nero per il lutto della madre, fragile istituzione della morale borghese che tutto basa sopra le forme e le apparenze, ma da un giovane del Ponte a Mensola, che era stato a scuola presso un buon sarto di Firenze, gli avevano fatto cucire due vestiti, uno grigio di flanella, e uno di un bel pettinato blu, entrambi coi pantaloni corti e i calzettoni di lana nei quali colpivano gli sguardi le gambe agili e dritte, di forma signorile, e che assumevano una grazia cervina nei movimenti. Portava la cravatta nera di seta, e al braccio sinistro una fascetta per imporre il rispetto del proprio stato, e che pareva un avvertimento più per gli altri che per sé: un freno a non oltrepassare quel recinto sentimentale in cui veniva custodito il suo cordoglio.

Remo fu il primo a scendere anzi, diremo, non era finito di salire che già era ridisceso: bello, elegante, coi capelli pettinati bene e lucidissimi, interdetto da ogni iniziativa, da ogni volontà, dondolandosi appena sul terzo scalino della porta come una barca legata alla riva.

Anche la povera Niobe faceva i miracoli quel giorno, poco dopo le due la cucina era all'ordine da poter passare una rivista. Scomparsa quindi nella sua cuccetta attigua ad essa, ne uscì tirata a pulimento, senza un capello che le cadesse per la nuca o sulle orecchie, e con un bel grembiule di rigatino che conservava scrupolosamente le linee delle piegature, e il quale rappresentava per la serva la tenuta di gala.

Con la granata in mano venne dov'era Remo e pelle pelle dette un'ultima spazzatina, agli scalini e davanti alla porta, lungo il lastricato fino al cancello e davanti ad esso; e sempre più superficiale via via che si allontanava, quasi che la granata le si fosse trasformata fra le mani in un ventaglio. Ultimi tocchi di quella eccezionale aspettativa finché allo stridore del tranvai sulle rotaie a una lontana svoltata, corse per nascondere la granata in cucina, gridando alle padrone che il tranvai si avvicinava, e sempre meglio spiegandosi e carezzandosi il grembiule come una tovaglia sopra la tavola, e aggiustandosi accuratamente il giacchetto come un uccello le piume, ritornò verso la porta.

Per quanto le zie avessero fatto del loro meglio, non erano ancora scese pochi minuti prima delle tre. L'agiatezza di quella cura domenicale intorno alle loro persone, era il logico compenso di tanta fretta dovuta usare per tutto il resto della vita, il lusso derivante da tanta febbre, la naturale reazione. E quando lo stridore del tranvai si fece sentire alla svoltata più prossima, scesero a precipizio, fruscianti, scintillanti, spumeggianti, infarinate e arzigogolate come meglio non era possibile. Per cui fu chiaro che non avevano interrotto il lavoro intorno alla propria persona, già esaurito da un pezzetto probabilmente, ma la propria compiacenza dalla quale non era facile distoglierle.

Remo, già assuefatto a certe trasformazioni e a certi abbigliamenti delle solennità, non le guardava più con l'interesse del treno quando con esse era venuto a Firenze, e quel giorno ci sarebbe stato tanto da ammirare che il tempo era la sola cosa che mancasse, giacché lo stridore del tranvai fattosi sempre più insinuante, a pochi passi dal cancello ebbe un'interruzione secca dove Niobe stava gridando e annaspando: "la direttrice! la direttrice!".

Teresa e Carolina, con tutte le loro chincaglierie, si gettarono fuori incontro all'ospite.

Scese prima una ragazzina dalla faccia rossa e rotonda di mela lazzeruola; non portava cappello e mostrava una treccia nera bellissima che avvolta intorno alla testina rotonda formava la sua pettinatura da educanda. Una ragazza che a prima vista poteva sembrare, per la figura e quel musetto, una bambina di quindici anni; ma che una più accurata indagine faceva arrivare il conto assai più in su: ne aveva ventinove precisamente. Una servina, si vedeva subito, composta e saporita, spepera forse, certo schizzinosa, e che una volta guizzata dal predellino in terra si pose a braccia spalancate per ricevere in esse, con suprema dedizione la propria padrona. Anche Teresa, sotto il predellino, aprì le braccia, anche Carolina, e anche Niobe, dietro a tutti, fece l'atto di aprirle. Soltanto Remo rimase con le braccia giù, ma pronto ad inchinarsi con rispetto davanti alla monumentale apparizione. La vettura parve rientrare in se stessa, quindi chinarsi, chinarsi come una gallina quando deposita l'uovo, per partorire il volume tutto nero non indifferente.

« Teresa! »

« Beatrice! »

« Carolina! »

Non appena la signora fu in terra: "plan", la terra parve vacillare e la vettura, sollevata di alcuni centimetri sulle rotaie, riprese leggera e rapida il suo stridere lunghesse.

« Come stai bene! »

« Anche te. »

« Anche te! »

« Dopo quanti anni! »

« Davvero. »

« Che combinazione! »

Dopo essersi guardate e riguardate, ritrovate e riconosciute, il gruppo delle donne entrò dentro il cancello bianco, sempre aperto a metà anche quando doveva passare la direttrice, e mangiato dalla ruggine.

Fermandosi ogni due passi, e fermando in tal guisa l'intera compagnia alla quale sovrastava come una chioccia, anzi, diremo meglio, come un tacchino, o meglio ancora come tutti e due alternativamente, la direttrice si guardava intorno, guardava in basso, in alto, lontano, per riprendere possesso dei luoghi e, avresti detto, dell'aria stessa, tirando lunghi respironi dal fiato grosso, e che le arrivavano molto in giù dove premeva una mano quasi premesse un bottone, e riprendendo contatto con le amiche, stringendole alle braccia, chiamandole "figliole", prima "figliole" e poi "figliole mie".

Tonina, la servetta, fu mandata con Niobe a spasso nel podere. Piacque subito questa idea alla direttrice che rispose dall'alto del terzo scalino:

« Sì, sì, puoi andare, vai, cara, vai pure... »

Entrarono in casa.

Come il lettore comprende i suoi "sì" non erano dei "sì" qualunque, ma pesati bene, e scendevano da quell'altezza accompagnati da sorrisi esercitati a scala come le parole, e che mandavano alla baionetta i denti gialli già in evidenza, lunghissimi, in cui i tarli formavano taccarelle e forellini, macchioline oscure.

Entrarono nel salotto.

La direttrice guardava la stanza e pareva volerla respirare in quell'aria e luce chiesastica profumata di petrolio e preparata per lei.

Aveva due o tre anni più delle sorelle, ma sia per la corporatura, e più per l'imponenza dell'incedere e del porgere le poverine, accanto a lei, specialmente Carolina, erano diventate due bambine timide, anche per l'atteggiamento affettuoso e deferente.

Fu fatta sedere alla destra di Teresa, sul canapè, e nelle due poltrone che lo affiancavano, nell'una Carolina vicina alla sorella e tutta protesa verso l'ospite, nell'altra Remo accanto alla direttrice che pur non avendogli ancora rivolto la parola come al personaggio meno importante già gli aveva elargito, alla sfuggita e di traverso, sorrisi e occhiate che volevano significare tante cose: che l'interesse per lui sarebbe venuto a suo tempo, e dalle quali albori d'indulgenza passavano già pomposamente attraverso l'autorità, come roselline che si aprono il varco attraverso una siepe di spine.

Si slacciò un po' la cappa intorno al collo, una cappa tutta nera nella quale era un mantello quasi talare a da cui, scaturendo le braccia, potevano esplicare un'azione vasta ed imponente; e rivelando un cordoncino nero al quale erano appese le lenti cerchiate di metallo bianco e infilate fra due bottoni del sottostante giacchetto alla sommità del seno. Incominciando a parlare si mandò indietro anche il cappello, una specie di ciminiera alta e rotonda, tutta nera, con fiocchi, penne e velo che non potevi dire né alla moda né fuori di essa come quelli che portavano le Materassi, ma solamente autorevole. La risoluzione di mandarselo all'indietro sulla testa fu presa, è certo, perché avesse maggior

100

rilievo la faccia grande e camusa, provvista di un naso monumentale che vi produceva una parabola, e con la pelle insugherita avviata a divenire spugnosa, e che al microscopio doveva mostrare certi panorami di montagne e di colline come quelle della luna. E, curiosa circostanza, questa donna che si chiamava Beatrice, assomigliava moltissimo a Dante, e non aveva la più piccola affinità con la sua amante spirituale.

« Ti ricordi? »

« Ti rammenti? »

Risultò che la vera amica era Teresa, ma che in fondo lo erano entrambe. La direttrice era attratta alla confidenza, sempre relativa, dal tono più forte e deciso di Teresa che a fianco di quella mole era diventata una vitellina vicino al bue. Carolina non faceva che annuire, diceva a tutto "bene", e a tutto "sì", venendo ad assomigliare la colomba che tuba ma, si capisce, era la direttrice che doveva dire ogni cosa, e non vi era donna capace di superarla nel far domanda e risposta, tutto da sé, modulando così bene la voce da lasciar credere che rispondesse all'interlocutore.

« Dopo quanti anni ci siamo rivedute! »

« Chi l'avrebbe mai detto? »

« Davvero. »

« Appena letta la tua lettera: "ci vado, dissi, ci vo da me, ci voglio andare, una domenica dopo pranzo". Cosa volete, figliole mie, sono anch'io in prigione come voi, anche la domenica mattina debbo andare in direzione, c'è la corrispondenza da aprire, da sbrigare, ci sono tante cose, non ho che queste poche ore del pomeriggio per me. »

Eguagliando la propria prigionia a quella delle sorelle è facile comprendere che faceva una concessione non indifferente giacché la sua, come direttrice di una scuola elementare, era una prigione illustre rispetto a quelle delle povere cucitrici di camicie e di mutande.

Era figliola di un impiegato delle poste e aveva trascorso l'infanzia e la prima gioventù, fino ai ventitré anni, in una casa al Borghetto, fra il Ponte a Mensola e Santa Maria; aveva iniziato la carriera come maestra. Poi la famiglia si era trasferita a Firenze.

Fu rievocata la vita di quei tempi: la famiglia delle Materassi, la famiglia Squilloni, quella della direttrice. Alcune scampagnate fatte insieme sulle colline, alcune serate trascorse nell'una o nell'altra casa, e una famosa pentolaccia con Carolina che si era strappata la benda senza nemmen tentare il colpo, senza voler fare un solo passo una volta bendata, per la paura. Teresa invece aveva fatto i passi necessari, ma era andata tutta torta, e credendo di spaccar la pentola aveva dato all'aria il colpo fatale.

« Ah! Ah! Ah! »

« Ah! Ah! Ah! »

« Ah! Ah! Ah! »

Era venuto, finalmente, il turno della futura direttrice, che nella sua qualità di padrona di casa doveva essere l'ultima a tentare il colpo. Ella era andata a passo franco fin sotto la pentola, al punto giusto, quasi non avesse la benda sopra gli occhi e, preso bene lo slancio, le aveva vergato una tale stangata nella pancia che erano piovute in blocco tutte le caramelle e le cioccolatine, e senza essere lei investita dai cocci.

« Ah! Ah! Ah! »

« Ah! Ah! Ah! »

« Ah! Ah! Ah! »

Furono rievocate le figure: i genitori, i nonni, tutti i Materassi, tutti gli Squilloni: morti tutti.

« Ah! »

« Oh! »

« Già. »

E dopo le allegrezze, poche, furono rievocati i dolori,

102

molti, le sventure, moltissime, i disastri, sorvolando su tutti.

« Già, già... »

« Eh... »

« Ma... »

Fu rievocata la casa.

« La vuoi rivedere? »

Con la testa bassa, ma sempre presente e vigile, la direttrice non dava risposta.

« La vuoi rivedere? Si passa dal campo, non ci vede nessuno. »

Inalberatasi sul busto e ancora a testa bassa, cedevole, molleggiante, la direttrice lasciò cadere dei "no": "no... no, no... no..., no... no" su tale scala che sembravano caderle lungo la veste dalla quale con la mano, macchinalmente, li gettava via quasi volendo liberarla di un minuzzolo, da un filo o un grano di polvere.

Non la voleva rivedere, no, ma un tal distacco non era indifferenza, si capiva bene.

« No... Ci sono passata due anni fa, ero a Settignano per gli esami, in commissione. »

« Perché non ti sei fermata? »

« Non ero sola, ero con l'ispettore. »

Remo non aveva aperto bocca e si manteneva di una compostezza e di una grazia esemplare. In tutti quei sospiri, sorrisi, risate, rievocazioni, si era accorto solamente che i denti della direttrice mettevano in valore quelli delle zie; se n'era accorto quando smesso insieme di ridere per passare da un tema allegro alla malinconia, i denti erano rimasti fuori a tutte e tre; quasi si fossero dimenticate di ritirarli in bocca, tanto da non sapere, per le facce divenute serie, se non li avessero lasciati fuori per mordere.

Macché! Macché!

Questo curioso ragazzo, che aveva saputo comprendere e

senza indugio di esser caduto bene fra le camicie e le mutandine, aveva già capito un'altra cosa importante, essenziale, che quelle vecchie cavalle, anche quando mostravano i denti o li lasciavano fuori per dimenticanza, non erano lì per mordere, e mangiassero la biada o spalancassero la bocca per nitrire rimaneva impassibile. Né si prendeva sgomento del loro numero sempre crescente, ma si mostrava lietissimo di vederlo crescere.

Fu rievocata la vita sentimentale.

« Cosa vuoi, noi... capirai... »

Dissero insieme l'una con là voce l'altra con gli occhi le due sorelle:

« Non abbiamo conosciuto che il lavoro... eccoci qui. »

Nel punto di doverlo affermare a una terza persona, la forte e selvaggia schiera degli Alfredi, Gaetani, Raffaelli e Guglielmi, con tutti i loro pregi inestimabili e gli assurdi difetti, spariva come un manipolo di vigliacchi non appena sia nell'aria l'odore della polvere.

« Lo so... lo so... »

La direttrice aveva sentito parlare delle loro abilità, dei loro successi, conosceva le loro meritate fortune:

« Brave, benone, lo so che siete straordinarie. » Ma non quanto lei. « Sai con chi si parlò tanto di voi tempo fa? Ti ricordi la Bettina Risaliti, ora Tirinnanzi? Veniva spesso da noi la domenica, d'estate... Ha i figlioli grandi, sono stati tutti miei scolari, tre maschi e la femmina che a Maggio si deve sposare, e quando si parlò del corredo fu fatto il vostro nome, ma disse che siete troppo in su per le sue forze, non ci può arrivare. »

« Ah! Ah! »

Le Materassi non ricordavano la Bettina Risaliti, né sapevano che fosse diventata Tirinnanzi, moglie di un pizzicagnolo quasi celebre, ma al riconoscimento del loro grado chinarono il capo con modestia. Il lavoro le aveva distolte da tutto, conclusero, e aveva fatto perdere anche la memoria di tante e tante cose. Erano delle cucitrici, delle ricamatrici, ecco tutto, e dovevano morire così:

« Oramai... »

Questo "oramai", però, non era definitivo nel modo con cui veniva pronunziato; per chi capisce i toni e le sfumature del linguaggio, c'era rimasto nel fondo un puntolino di luce che si poteva anche allargare, e al momento di riconoscerlo non avevano voluto ammettere la realtà, e cioè che sarebbe finita proprio in quel modo, che le possibilità di cambiare erano pronte, ma che loro le avrebbero tutte respinte; l'"oramai" riguardava la loro volontà, si erano esiliate dalla vita volontariamente, e quel punto sarebbe rimasto tale e quale.

La direttrice invece custodiva nella sua storia un dramma a forti tinte: era stata abbandonata, pochi giorni prima delle nozze, da un giovane maestro, suo collega, che sparì lasciandola col corredo pronto e le carte fatte. Né mai si era potuto sapere la vera causa dell'inatteso abbandono per parte del fellone. E siccome le sorelle conoscevano bene questo dramma avvenuto trent'anni prima, negli ultimi tempi di permanenza sulla via Settignanese, ella aveva ben poco da aggiungere.

« Te ne ricordi, eh? » disse placando l'autorevole voce e dondolando il capo, guardando Teresa in un istante di abbandono del quale sentivi bene che aveva in mano le guide, e che un batter di ciglio poteva far tornare alla maniera forte. Ma no, no, una volta portatasi sopra i terreni morbidi e sdrucciolevoli alla cara signora piaceva ancora di slittare.

« Purtroppo! » rispose Teresa.

« Mio Dio! » aggiunse Carolina.

« È a Roma, già, direttore didattico. »

Ecco la spiegazione della provvidenziale per quanto tragica fuga. Un direttore e una direttrice! È mai possibile? Li vedete due Napoleoni che vivono insieme? È una cosa mostruosa, disumana, folle, che non fa nemmeno ridere. Non si sarebbero ritrovati i coperchi delle tabacchiere.

« Non l'hai più visto? » azzardò Teresa tornandole alla memoria la figura del fuggiasco in partenza.

« Sì, una volta, a Firenze, cinque anni fa. Stette qui alcuni giorni per la morte della madre. Lo incontrai per la strada, è molto cambiato, quasi irriconoscibile, ha i capelli tutti bianchi. Fu il sangue che me lo fece riconoscere, me lo sentii salire tutto su, e poi scendere tutto giù. » Si scrollò intera quindi, inaspettatamente, s'impennò. « Ma gli passai davanti a testa alta. » Alzò il capo proprio come faceva Napoleone quando le cose volgevano al peggio.

« Del resto... cosa vuoi... »

Queste reticenze di Teresa accarezzavano vagamente una possibile per quanto tardiva riparazione.

« Ma ha moglie! » urlò la direttrice ritornando tale, e togliendo a Teresa ogni possibilità di procedere. « Ha moglie » scandì aprendo la bocca e gli occhi per modo che le sue parole divennero tanti circoli che si allargavano partendo dalla faccia, investendo e ingoiando l'interlocutrice: « otto figlioli, otto, otto, capite? ».

Dai quattro lati della stanza venne confermato quel numero: otto! otto! otto! otto!

Se ci fosse stata Niobe avrebbe esclamato: « salute! ». E se il rispetto e la soggezione per la direttrice le avessero imposto il silenzio, avrebbe detto « salute! » ugualmente, con la testa, con le spalle, con le braccia, con le mani, con un piede, non vi era direzione che glielo potesse impedire. La gente semplice non ha bisogno della bocca per parlare, e a lei piacevano tanto quelli che tirano a riprodursi senza economia: "Otto figlioli".

Teresa e Carolina guardavano l'amica smarrite e sgomente, e si guardavano l'una l'altra senza saper che aggiungere:

"Otto figlioli."

Tanto strazio di viscere che quel crudo le aveva risparmiato con la sua ignominiosa fuga, l'era andato al cervello in tanta autorità. Ecco un'altra utile spiegazione.

Con questo intermezzo di violini, e il finale strappo di corde, si venne al presente, al viaggio di Ancona, le quarantotto gallerie: "Povera Augusta! Ah! Ah!".

La direttrice non si ricordava di Augusta, che doveva essere una bambina al tempo dell'amicizia con le sorelle, non se ne ricordava, né si peritava a dichiararlo. La morte della poveretta, il ritorno col nipote, finché tutti gli sguardi e i sorrisi delle tre donne si concentrarono su di lui. Fu abbastanza la voce nel dover confessare che un ragazzo di quattordici anni, fisicamente così aitante, non possedeva la licenza elementare, ma aveva frequentato appena la terza classe. E qui la direttrice superò tutte le altezze: le sue, vertiginose, e quelle del caso abbastanza imbarazzante. Lasciò le sorelle parlare sommesse, vergognose, spaventate manovrando essa la ciminiera imponente, annuendo con vastità, quasi che tanta vergogna e paura fossero più che giustificate, e le fossero anzi dovute; quindi, volgendosi prima accigliata verso il colpevole, e incominciando ad abbozzar sorrisi in cui erano tutti i misteri impenetrabili, tutti i segreti, i fascini dell'autorità; e nei quali il ragazzo poteva leggere tutti i giudizi, tutti i commenti, tutti i rimproveri, e anche tutte le promesse; e iniziando infine un saliscendi di risate eseguite tanto magistralmente: larghe, strette, larghe che finivano strette, strette che andavano ad allargare, lasciate cadere, riprese, picchiandosi un pugno sui ginocchi e mandando ancor più all'indietro il trofeo dell'autorità, tanto che le sorelle rimasero trasfigurate.

La direttrice volle sapere il nome.

« Remo, bene, mi piace, benone, meglio Remo che Romolo il quale, pure avendo fondato Roma aveva ucciso il fratello: bisognava fondare Roma senza uccidere nessuno, sarebbe stato meglio. Non vi pare? » concluse la direttrice.

Le sorelle dicevano: "sì, sì", e stavano a sentire, si capiva che la storia non era il loro forte, e in quanto a Remo sappiamo bene, oramai, dove arrivassero le sue facoltà dottrinarie. Quindi, come il campione che scendendo in campo sicuro della propria forza e del proprio valore incomincia ad agitare con naturalezza quelle membra con le quali svolgerà il prodigio dinanzi alle folle attonite: "Ah! voi, signorino, a quattordici anni compiuti, così grande e grosso non avete ancora la licenza elementare, e non vi vergognate? E avete anche il coraggio di stare davanti a me?". Rideva, rideva la direttrice. La cosa più stupefacente si è che Remo, davanti al fuoco di quelle artiglierie rimaneva impassibile, con un raggio fra labbro e labbro, proprio come appena giunto a Santa Maria e guardandosi attorno non vedeva che camicie e mutandine. Da quel ragazzo intelligente ch'egli era, allora aveva capito l'articolo, ora capiva il genere.

La direttrice, in volute serpentine esauriva le sue risate il cui significato era ben diverso da quello che le amiche potevano supporre. Quello che dava a loro tanta vergogna e tanto timore, a lei faceva soltanto ridere, e ridere proprio di gusto essendo una cosa di ordinaria amministrazione. Dar la licenza elementare a Remo era per lei come mangiare una pallottolina di zucchero per un elefante.

Lo scorso Ottobre aveva dato la licenza elementare a un giovinotto di ventinove anni, ad altri di ventiquattro, ventisei, venti, diciotto, era una cosa che capitava tutti i giorni e alcuni anni prima l'aveva data ad un vecchio di sessantatré: « sessantatré » ripeté perché sentissero bene il numero e non si vergognassero altrimenti. Un signore, meticoloso e formalista, senza quel documento non lo voleva assumere in qualità di portiere. All'esame scritto il poverino dovette fare, con gli altri alunni, un componimento su questo tema: "Pierino, andando a spasso con la mamma, assiste ad una scena commovente" e sa la cavò anche troppo bene. Ma per l'esame orale la direttrice aveva il suo piano prestabilito che custodiva gelosa all'altezza delle proprie cime e di cui si sentiva gonfiare. Quando il licenziando venne avanti alla commissione, e soffrendo un po' di gotta camminava di traverso, i commissari si guardarono interdetti non sapendo su che cosa interrogarlo e da che parte incominciare. « La storia, la storia », suggerì la direttrice con freschezza di acqua che zampilla dalla sorgente: « la storia », ripeté come davanti alla commissione. Fu un successo strepitoso. Il bravuomo aveva seguito la carrozza che portava Canapone quando lasciò Firenze il 27 Aprile del 1859. Era fra i giovani che gridavano "Via! Fuori! Bisogna andare! Fuori!". Fin lungo la via Bolognese. E Canapone rispondeva: "O non lo vedete che cosa faccio? Che ve ne pare? Eccomi, me ne vado, me ne vado, sarete contenti, ora!". E quelli incalzavano ballando e saltando dietro la carrozza: "Fuori! Fuori!". Mentre le donne codine dalle finestre lo salutavano piangendo: "Povero Leopoldo! Povero babbo! A presto! A presto!". "A presto! A presto!" rispondeva il Granduca salutandole, ma guardandosi attorno stringeva la bocca: "sarà, ma non ci credo... Può essere, ma non mi rivedete". Quando poi disse di aver conosciuto Vittorio Emanuele e stretta la mano a Giuseppe Garibaldi, la commissione scattò in piedi e gli dettero la licenza con lode.

A questo punto tacque, la direttrice, e si mise a guardare giù in fondo, più giù... ma non in fondo alla stanza, il suo sguardo oltrepassava tutte le muraglie. E veramente quando rientrando i denti, non al completo perché la bocca non era capace di contenerli, e socchiudendo gli occhi guardava laggiù laggiù... non era più la direttrice di una scuola elementare, ma non si sapeva dove potesse incominciare né dove andasse a finire la sua direzione. Quindi tamburellando le dita sopra la coscia, fece un conticello:

« Aprile, Maggio, Giugno... ce n'è d'avanzo » e disse un nome: « la Calliope, la Calliope Bonciani: vi ricordate della Calliope? ». Le poverette non si ricordavano nemmeno della Calliope, ma dissero "Sì, sì", facendo finta di ricordarsene in modo vago.

« Veniva sempre al Borghetto con la madre, è già in pensione da qualche anno e la madre è ancora vivente: novantadue anni », scandì la direttrice che bandiva i numeri nel discorso come parti di un valore eccezionale: « novantadue » scandì più forte.

Peccato che Niobe fosse con la Tonina nel podere, nessuno le avrebbe impedito di rispondere a quel numero: "figlia d'un cane!". Essendo la vita tanto bella non poteva rattenere un grido di compiacenza e di solidarietà per coloro che se la succhiano senza discrezione.

La Calliope era un altro fiore, anzi, il più bel fiore del mazzo. La causa per cui era rimasta nubile le tornava di onore grandissimo. Aveva perduto il fidanzato nel colera di Napoli del 1884, scoppiato mentre faceva il servizio militare in quella città. Essendosi prodigato generosamente nella triste epidemia, era rimasto vittima del dovere di carità. La Calliope, bella e giovane, non volle poi sapere di dare il proprio cuore a un altro uomo, e come tante belle e romantiche creature del secolo scorso, rimase fedele a lui oltre la morte. Sopra il suo cassettone era un bel ritratto del giovane nella montura del bersagliere, col cappello dalle ricche penne che gli scendevano fin sopra le spalle. Davanti a esso erano sempre dei fiori e un piccolo lume.

« Novantadue! » la direttrice ripeté ancora gli anni della madre della Calliope. « Se la vedeste camminare! Un frullino, un granello di pepe. Stanno bene ma, capirete, fa sempre comodo di guadagnare qualche cosuccia, e poi non ha nulla da fare. Che maestra, quèlla! Sempre coi maschi e nelle classi alte: la quinta, come facevo io, come me. »

Per quanto non fosse diventata direttrice la Calliope riscuoteva tutta la sua stima. Aggiunse che le vere maestre si distinguono fra i maschi e nelle classi alte: la quinta! Come lei e la Calliope. Carolina osò tremolante:

« Sono migliori i maschi delle femmine? »

La direttrice roteò gli occhi in senso pratico. Era del parere di Niobe. Per quanto i maschi avessero lasciato anche a lei un conticino aperto, erano sempre migliori delle femmine. Disse che i maschi si sa sempre quello che vogliono, e quando fanno un malestro si sa come e perché lo fanno, sono vivaci, rumorosi, turbolenti, spesso dei veri e propri demòni, ma sono aperti, si leggono fino in fondo con grande facilità; se ne conoscono i sentimenti e basta saperli prendere se ne fa quel che si vuole. Le femmine invece sono più quiete, rispettose, composte, ubbidienti, ma serbano spesso qualcosina per sé, e te la mettono fuori quando meno te l'aspetti; non si sa mai precisamente quello che hanno in corpo le femmine, credi di averle tutte e ti accorgi, alla fine, che non avevi proprio niente.

Povere donne, non sarà mai un'altra femmina a fare l'apologia del vostro genere.

« Dunque: Aprile, Maggio, Giugno... due ore tutte le mattine... » E rivolta a Remo erigendo la testa e alzando una mano: « ma bisogna studiare, bisogna riacquistare il tempo perduto, rimediare alle magagne » concluse severa: « mio caro signore ».

Risolto il problema con tanta semplicità, sollevate dal peso che le opprimeva da molti giorni, Teresa e Carolina si alzarono insieme di scatto e corsero alla tavola, nella penombra, dove erano preparati i rinfreschi. Servirono prima un'aranciata alla direttrice che mentre le sorelle erano corse al tavolino, estratte le lenti dal giacchetto le aveva inforcate: voleva veder bene quello che era venuta ad inghiottire; quindi del vino santo del 1907 (si era nel 19) con dei biscottini e delle tartine finissime.

La direttrice mostrò di gradire molto la cortesia e accettò, con gran copia e varietà di sorrisi, il vino santo e i dolci, e una volta visto di che si trattava infilò presto le lenti nel giacchetto buttandosi senza guardare. Venuto poi il momento di dir basta si mise a rifiutare facendo delle sbarrature con le braccia, tirandosi indietro con la testa: "no, no, è impossibile". A questo punto intervenne Remo per vincere i dinieghi e le riluttanze. Andato a prendere un vassoio sulla tavola con premura e senza dimostrare timidità, lo presentò alla direttrice che si fece indietro sul canapè, sul cranio le si rizzarono le penne tutte insieme, come a un gallo che abbia davanti il rivale, sgranò gli occhi, spalancò la bocca mostrando i denti per divorare l'audace. Ma lui, oramai, non aveva paura di quei morsi, conosceva il carattere delle vecchie cavalle e ci sapeva stare. "Ah! tu osi offrire un biscotto alla direttrice che ha già detto di no tante volte alle zie? Tu hai tanto ardire?" Quindi, da quell'atteggiamento offeso di bocca spalancata per divorare l'offensore, pareva sputare i denti per comporre il sorriso, dalla gioia non li poteva contenere, cedeva, sorrideva e finiva per divorare il biscottino. Sì, sì, da lui se lo lasciava dare un altro biscottino, dalle amiche invece no, niente da quelle, ma da lui lo prendeva e lo buttava giù. L'esercizio fu ripetuto parecchie volte, e sempre dopo crescenti offese, e capitolazioni più clamorose. E anche un altro gocciolino si lasciava mescere, dopo aver detto alle amiche che le avrebbe fatto male. Ma quelle, invece d'ingelosire si mostravano raggianti per il successo del nipote. Un altro gocciolino dal futuro licenziando elementare, e un altro biscottino. Le tirava l'occhio, il maschietto, alla direttrice. E Remo, offrendoglielo, non aveva per nulla l'aria impacciata o supplichevole: macché! glie lo presentava con la sicurezza dell'affare concluso pure sapendo che bisognava aspettare, rimanendo impermeabile alla scena di quell'ennesimo stupore in fondo al quale era l'accettazione.

Una di queste scenette venne interrotta dall'apparizione di Niobe con la Tonina sulla porta del salotto. Anche la faccia di Niobe s'illuminò a quell'allegria, si capiva che tutto camminava nel miglior modo possibile, la direttrice non era venuta a Santa Maria inutilmente, mentre la Tonina ripeteva in gran scompiglio e fervore: « Signora, signora, guardi, se vedesse! ». Le sue braccia erano cariche, ed erano cariche anche quelle di Niobe: fiori, frutta, insalata, la ricciola, il radicchio scoltellato, la lattughina delle ventiquattrore; tutto quello che piaceva alla direttrice (che cosa non le aveva fatto piacere, la Tonina durante quella visita, anche qualcosina che piaceva a lei, probabilmente) semi e piante per il giardinetto della direttrice, frasche, sissignori, perché le piacevano tanto anche le frasche, e le teneva in camera, sul cassettone, mentre i fiori li teneva nel salotto da pranzo. L'astuta Niobe aveva tirato su le calze alla Tonina, e l'aveva ricoperta di quanto potesse tornar gradito all'augusta padrona.

Si capiva già, non essere quello che un semplice campionario, un anticipo, la direttrice si sarebbe vista capitare a domicilio cose del genere, e molto meglio probabilmente, per tutta la primavera e l'estate avrebbe avuto di che tenersi fresca e dolce la bocca.

Per la seconda volta estrasse le lenti dal giacchetto e le inforcò a metà del naso monumentale: voleva vedere quel che portava via intanto che iniziava le più alte maraviglia e proteste e la Tonina ripeteva:

« Io non volevo, me l'ha voluto dare. »

Tutta la comitiva, uscendo, si fermò nella stanza del

lavoro quasi irriconoscibile così in ordine, con le stoffe bene ammassate e disposte sulle tavole, e i telai con la faccia alla parete.

La direttrice volle veder qualcosa.

« Lo sanno tutti che avete le mani d'oro. È scritto sui boccali di Montelupo che siete tanto brave... »

Teresa le mostrò alcune camicie, mutandine e combinazioni appartenenti al corredo di una contessina che si doveva sposare nell'imminente Aprile, quindi quelle di una baronessa molto famosa e non più giovane.

La direttrice, che ammirando il corredo della contessina era rimasta estatica per la squisitezza del lavoro, quando si fu alla baronessa non fu capace di contenersi oltre ed esplose, per le dimensioni insospettate di quelle camicie e di quelle mutande. Quella era la biancheria che portavano le donne?

Teresa, che fino a quel momento si era mantenuta timida e sottomessa, di fronte al proprio articolo sorrideva senza rispondere, nemmeno accettando la discussione. Ora era lei la direttrice, e con un'aria di sufficienza, cortese e indulgente, lasciava che l'altra sporgesse le proprie querele, prendendo una rivincita con molta generosità.

Ma Carolina, più ingenua, intervenne:

« E vanno a diminuire, si fanno sempre più corte e più piccole, capirai, con gli abiti che usano oggi il disotto bisogna ridurlo a niente, bisogna farlo sparire. »

« Ah! Anche più corte? Bene. Questa è la biancheria delle donne moderne? Bene! Brave! Spudorate. Ridicole e oscene. » Gracchiò una risata satanica osservando che le mutande della baronessa erano molto più larghe che lunghe. Si capiva che sotto quell'abito, quasi talare, ci dovevano essere dei mutandoni da prete, di trent'anni fa; quelle del corredo rimaste intatte per il fatale abbandono, e che dovevano arrivarle alla caviglia con le gale ricamate.

114

A questo punto volle salvare le amiche da tanto disordine, riversando tutta la colpa sopra le donne moderne e i pazzi che creano le mode.

« Voi poverette non ne avete colpa, lo so, nessuna colpa, fate bene a fare così, lo dovete fare, è la vostra professione, si capisce, ma se fossi uno di quei mariti e la moglie mi venisse davanti con simili vesti, prenderei un bastone... » Con la mano fece l'atto di picchiare a dovere.

Non era indovina, la direttrice, non era il bastone che interveniva, forse, in date circostanze; né si mostrava di buona memoria, ch'ella dimenticava, in quell'attimo, d'esser rimasta a piedi con le mutande lunghe.

Teresa aveva strizzato un occhio a Carolina per troncare il discorso e quella, corsa all'armadio, tirò fuori una pianeta già disegnata e incominciata a ricamare, e davanti alla quale l'amica andò in brodo di giuggiole. Le mostrò poi uno scialle nero sul quale eseguiva un ricamo, tratto da disegni cinesi originali, e al quale lavorava ogni tanto giacché, per quanto pagato bene, non rendeva la fatica incalcolabile. La direttrice si mostrò curiosa di avere notizie solide.

« Quanto ti danno per un lavoro simile? »

« Ho chiesto tremila lire e non hanno replicato. »

« E quanto ti ci vuole per eseguirlo? »

« Forse due mesi, lavorandoci senza interruzione, ma così come faccio... un anno almeno. »

Arrivata sulla soglia per scendere il primo scalino, si volse a Remo alzando la mano ammonitrice:

« E se ti capita una moglie che porta la camicia e le mutande così corte, mandala via, o prendi un bastone. »

Remo sorrise, povera donna. E per quel giorno fu il suo ultimo errore.

Questa eccezionale domenica venne coronata da una decisione straordinaria: dovendo Remo incominciare subito le lezioni presso la signorina Calliope, fu deciso di comprargli una bicicletta perché potesse andarci con rapidità, e per quanto si sarebbe reso indispensabile.

Decisero di recarsi a Firenze, la mattina dopo, tutti e tre; cosa che fece sbalordire l'intero paese, quasi si fosse trattato di sentinelle impazzite che abbandonano il posto; avendo assicurato, Remo, di intendersi di biciclette e di sapere qual era la marca preferibile.

E qui successe un fattarello abbastanza curioso: Remo conosceva la città alla perfezione, ma siccome non doveva esserci stato perché nessuno aveva pensato mai di condurvelo, faceva un grande sforzo per non farsene accorgere. Le zie lo conducevano dove credevano che fosse meglio, e lui invece sapeva bene dove bisognava andare a cercare la bicicletta che piaceva a lui; finché non riuscì a farcele capitare esatto e senza che se ne fossero accorte.

Si fermarono dopo al Bottegone a prendere una cioccolata con delle brioches. Remo conduceva a mano la sua bella macchina che non aveva ancora il bollo sacramentale, e guardandola sempre con una compiacenza di amante. E quando le zie furono salite sul tranvai di Settignano egli, montato sulla macchina, per quanto priva di bollo lo fiancheggiò, lo superò, lo lasciò andare e poi riprese, con grande e mal celato giubilo delle zie che lo seguivano correre leggero e destro fra la gente, felici di viaggiare con quella scorta gentile. E non appena il tranvai si fermava lui vi faceva intorno delle evoluzioni di attesa o si fermava appoggiando una mano ai vetri della vettura, proprio dietro le spalle di Carolina che non potendo contenere la gioia si divincolava a quel contatto ideale, e per nasconderlo diceva alla sorella che tremava tutta per la paura di una contravvenzione. Ma gli occhi di Remo sapevano far fronte anche alle biciclette non ancora bollate.

A poco a poco Teresa, senza accorgersene, aveva preso il vezzo, una smania incontenibile, di far conoscere il nipote alla gente, e più specialmente alla clientela illustre, riscuotendo da tutti plauso e consenso, sia per l'opera degna, sia perché Remo si presentava bene; e in quell'abito grigio, di flanella, era davvero elegante; ben pettinato e lucido, nemmeno facendo il chiasso si scomponeva, sapeva mantenere la propria linea in ogni caso, e si poteva mostrarlo con sicurezza di soddisfazione. Narrava la disgrazia capitata al poverino e si accollava la colpa che non fosse vestito di nero per il lutto della madre. Le signore esprimevano i loro complimenti sia per le zie generose, sia per il giovane promettente, e le devote per la buona azione che facevano, e di cui il Signore le avrebbe compensate nell'altra vita, senza degnarlo di uno sguardo.

Quando il nipote la guardava a lungo, Teresa doveva distrarre gli occhi come per sfuggire a una domanda; Carolina invece, assalita da uno slancio a cui non era possibile resistere, finiva per abbracciarlo e baciarlo forte, cosa che la sconvolgeva senza poterne capire il perché: era presa da un capogiro, nelle sue vene si alternavano il caldo e il freddo. Bisogna riflettere che per la prima volta la zitella cinquantenne baciava un maschio, per quanto adolescente; fino a quel momento ne aveva baciati solo dei molto più giovani di lui, dei bambini fino ai cinque o sei anni o poco più, e il suo bacio esprimeva tutta l'innocenza e la gentilezza del suo stato di vergine. Sarebbe inorridita se di quel turbamento taluno le avesse fatto conoscere le origini remote e confuse.

Teresa non nascondeva la propria irritazione a quell'atto che si ripeteva e che riteneva inesplicabilmente eccessivo. Ma pareva che Remo facesse di tutto per incontrarsi da solo a solo con lei nella penombra delle scale. S'indugiava in quell'oscurità quando ella doveva passare, la seguiva a distanza, finché una volta, che in tale oscurità egli le faceva sentire i propri occhi, lo prese, lo strinse, lo baciò a lungo e forte. Il ragazzo le abbandonò la bocca come non fosse stata una parte di sé. Ma lei, dopo il bacio, andò a rinchiudersi in camera turbatissima, né mai più da allora lasciò rinascere un tale desiderio che aveva dovuto nascondere. Pensò anzi se di quel fatto non dovesse parlarne in confessione, ma non ne parlò mai, né si irritò più quando Carolina, cedendo agli assalti del cuore, baciava il nipote davanti a tutti. Remo però, ricordando il tempo ed il luogo, con abilità sorprendente provocava d'incontrarsi a solo con lei nel punto più oscuro delle scale, ciò che costituiva per essa un rimprovero anziché un atto di amore.

Passò così l'inverno e la primavera nella casa delle zie.

A Niobe, intanto, erano pervenute da parte del vicinato alcune lagnanze. Un'altra virtù di Remo veniva in luce: tirava pugni con una forza e agilità superlative. E quello che rendeva più straordinario il fenomeno, si è che mentre l'avversario si scalmanava in preda all'ira e al furore, lui non soltanto si manteneva calmo, indifferente, in una posa responsabile, ma sorridendo quasi gli avesse fatto le carezze o gli avesse offerto dei confettini da sgranocchiare. Più il colpo era assestato bene e più sorrideva tranquillo, ciò che aumentava le furie dell'avversario, e insieme quelle dei parenti che avevano incominciato ad accorgersene.

Le madri del vicinato, le nonne, le sorelle, le zie, prima di parlarne con le padrone di casa di cui avevano soggezione, ne parlavano con Niobe, andando per il campo fino alla porta della cucina senza che se ne avvedessero quelle:

« Un occhio non lo apre più. »

« Ha un braccio che non lo muove. »

« Gli ha fatto gonfiare la gota. »

« È tutto lividure. »

« Gli tentenna un dente. »

« Da tante che glie ne ha date gli ha fatto venir la tosse, poverino, ha avuto la pleurite due anni fa. »

Che il figliolo dell'Augusta o meglio, il signorino, per dire come dovevano, come volevano che si dicesse, ma lo dicevano male, per canzonatura, con ironia, con rabbia, il signorino, e taluno vi aggiungeva: il duchino, l'erede, li cucinava tutti per il dì delle feste.

Finché un giorno, Remo che all'ora dei pasti era uso apparire composto e puntuale, vi giunse con una chiosa intorno a un occhio, ampia, oscura, profonda, testimonianza certa di una libecciata in grande stile. Ma la portava con tanta disinvoltura e così bene che era proprio come non ce l'avesse, tanto da doverglielo domandare.

Palle

« Palle! Palle! Palle! Senti, Palle. Vieni, Palle. »

Nei pressi di Santa Maria non era difficile sentire, con molta insistenza e una certa vaghezza, pronunziare questo nome al quale non rispondeva la figura di un personaggio ufficiale né troppo loquace, né che occupasse un posto così eminente per riscuotere tanto interesse. E il più bello si è che a tale interesse il personaggio in questione rispondeva con pochissima premura e minore vaghezza dal canto suo; e il più delle volte non soltanto non si degnava di rispondere, ma non si voltava neppure, e bisognava corrergli dietro per potergli parlare: « Accidenti a Palle! Quel maledetto Palle! ».

Palle è uno di quei nomignoli, un soprannome, di cui il popolo si serve, quello della città in parte quello delle campagne indistintamente, per rendere colorite, pittoresche le persone, e comprenderle meglio con esso che col nome dello stato civile, e ciò col beneplacito del ribattezzato che di un simile baratto si guarderebbe bene dall'aversene a male giacché egli stesso non sa quando gli venne messo e da chi; anzi non gli venne messo per niente, è il nome vero che gli fu messo e tutti sanno quando e da chi, e gli rimane male appiccicato come il cartellino sempre più sbiadito e consunto, che sta per cadere sopra un barattolo o una bottiglia, che non ci vuole stare, e ogni tanto con un po' di saliva, in fretta, bisogna rimetter su. Il secondo invece, è lui che a un certo, imprecisabile momento, lo ha fatto nascere, è sbocciato da lui come dalla pianta il fiore, ha radice nel fondo del suo essere; e anche se, come nel caso nostro non significa niente, significa sempre molto più del vero nome né se lo caverà giammai; e anche se lo diminuisce o troppo lo scopre, caso frequente, e ne mette in rilievo difetti fisici o manchevolezze, consuetudini scorrette, non può aversene a male. Che se poi glie ne capitasse il ghiribizzo si sostituirebbe al primo in un tempo assai più breve che lasciando correre per il loro verso le cose. Costume che non rivela nel popolo un difetto di pietà, ma piuttosto un maggior caraggio di fronte alla vita, una dose minore d'ipocrisia, offrendo alla realtà una cittadinanza più ragionevole.

Palle era un giovane bassotto, piccolo si può dire, ma così traverso e rotondo di torace, massiccio, da assumere una sua imponenza ugualmente. Aveva le mani tozze e le gambe corte e un pochino torte, ma non a x che è segno di debolezza, torte in fuori, quelle dette ercoline, fortissime; e un'andatura trascurata, dondolante, che ne rafforzava la base.

Se non doveva usarle teneva le mani in tasca. Portava un berrettino con la visiera calcata sulla fronte e non capitava spesso l'accidente capace di farglielo togliere. Nessuno sarebbe riuscito a fargli portare un cappello che avrebbe reputato, sulla sua testa, una cosa da ridere, come un paltò sopra la sua persona: «ah! ah!» ne avrebbe riso di cuore. Sotto quella visiera erano due occhietti chiari, chiarissimi, furbi e buoni; e, completamente nascosti dentro il berrettino, i capelli biondi e abbondanti, privi di lentezza, aridi, rivelavano una rapida cura quanto la facile dimenticanza. La faccia pallida, dall'apparenza impubere malgrado i suoi ventidue anni, lasciava luccicare sovente rade e tenui pagliuche d'oro intorno ad un sorriso come gli occhietti, buono e furbo insieme. Ma sopra ogni cosa risaltava dalla sua figura la forza fisica e la tranquillità virile, attraverso quel dondolamento che celandone l'energia e l'ardore lo faceva apparire indolente. Se qualcheduno lo avesse chiamato Belisario, era il suo vero nome, con tutta sicurezza non avrebbe risposto, o ci sarebbe voluto uno sforzo per farglielo ricordare.

« Palle! Palle! Senti, Palle. Vieni, Palle. »

Più specialmente intorno alla casa delle Materassi si sentivano pronunziare queste frasi e questo nome; sporgendo il capo da una porta, affacciandosi alle finestre, e rincorrendo il giovane per due o tre passi fuor dal cancello, nella via; e con tale sollecitudine da lasciar credere che il sollecitato o richiesto dovesse correre, invece non ci pensava neppure, non correva né rispondeva ai richiami, ma si fermava piegando il capo ad ascoltare, con l'aria di volersi sciogliere e di sapere già quanto gli si andava dicendo o gli si voleva dire, opponendo la propria solidità alle furie e a tutti i nervosismi delle donne.

Quando otto anni prima Remo, giovinetto, capitato a Santa Maria da qualche mese, ritornò a casa un giorno mostrando un occhio pesto e nascondendo certe lividure che si sarebbe guardato bene dal mostrare, per quanto le zie avessero aperto un'inchiesta stringente, nessuno seppe mai che tale ammaccatura era dovuta alle mani corte e tozze di Palle, a quel tempo quattordicenne anch'esso. Né la madre di Palle poté mai sapere da quale parte fossero venute le ammaccature verdi rosse e violacee con le quali ritornò a casa il figlio una sera, preoccupato soltanto di nasconderle quanto fosse possibile; giacché non è da credere che egli vi ritornasse pulito e fresco dopo averle date. Ma quasi esistesse fra i due adolescenti un'intesa solenne, per la forza del loro carattere ognuno nascose le origini e le conseguenze di una cazzottatura formidabile di cui nessuno era stato spettatore.

Come dicemmo già, Remo, novizio del luogo, incontrandovi quelle ostilità o diffidenze così naturali verso chi non rassegnato a lasciarsi sopraffare anzi si vuole imporre, uno alla volta, per futili motivi, con tutti i suoi coetanei aveva avuto che dire, le aveva date a tutti e tutti le avevano prese. La bomba era per scoppiare. Niobe non era capace di arginare il malcontento prodotto intorno dalla presenza del ragazzo, cosa di cui le zie erano all'oscuro perfettamente giacché esso teneva in casa, in faccia a loro, il contegno corretto e disinvolto di un adulto educato bene; e aggiungiamo pure che avrebbero rizzato la testa come due vipere se qualcheduno fosse andato a sporgere querele o a dirgliene male.

Ma Palle aspettava al varco il forestiero, aspettava un'occasione per fargli sentire che sapore avessero a Santa Maria le mani chiuse; sentiva che nelle sue era la giustizia e l'onore del paese, e appena capitata non se la lasciò sfuggire: l'agile ed elegante Remo e il bassotto forte si assalirono con violenza, e per la prima volta Remo ne dette, ma anche ne prese. E come la loro tattica, senza sapere l'uno dell'altro fu di tacere, il giorno dopo, contemporaneamente, nacque nel loro animo il disiderio di rivedersi, e si ricercarono rimanendo insieme prima cupi e minacciosi, senza aprir bocca, quasi che da un momento all'altro la zuffa si dovesse riaccendere, ma era la cupezza della nube gonfia che sta per sciogliersi, e una volta disciolta con quelle oscurità e brontolamenti che permangono nel cielo quando è passato il temporale, finché un sorriso schietto di simpatia, come l'arcobaleno, spuntò dalle due parti. I baldi campioni già si volevano bene. Dalla prova era nata la stima e la simpatia, da queste l'intesa e l'amicizia che suggellava ogni rivalità, ogni rancore.

E da quel giorno si ricercarono sempre, non ricercando

la compagnia degli altri, anzi scartandola di proposito, bastando a sé e dimostrandolo senza riserve.

Diremo subito che le zie non si mostrarono edificate di una tale preferenza, anzi, tutto il contrario. Palle non era un loro inquilino e apparteneva alla classe indigente; viveva poco lontano, con la madre, in una casa poverissima. Avevano soltanto una camera al pianterreno con uno sgabuzzino che serviva da cucina, e glie le davano quasi per carità. La madre era vedova di un barrocciaio morto di polmonite, andava a lavare all'Istituto Umberto I dove vengono educati i bambini tardivi, deficienti, mezzi grulli, scemi; e le davano, con l'esigua mercede, da mangiare a mezzogiorno. La sera, tornando a casa, si metteva a fare la minestra che serviva per lei e per il figliolo, e una parte glie ne lasciava in un tegame più piccolo per il giorno dopo, quando lei era a lavare. Dall'Istituto riportava pane avanzato, tozzi di cui faceva minestre, residui di cibo che le suore le regalavano, frutta poco buona, lo spoglio delle verdure.

Secca, mostrando e lasciando intravedere nell'andatura cadenzata le corde di tutto il corpo, aveva l'aspetto del vecchio cavallo da tiro a cui la fatica pare aver ridotto le membra allo stato di legno e fune.

Palle amava la madre di un amore religioso. Avrebbe potuto comandargli di morire, non avrebbe esitato un istante, non le avrebbe chiesto il perché né lo avrebbe chiesto a se stesso; avrebbe potuto picchiarlo in faccia a tutti, non si sarebbe sottratto né avrebbe avuto un cenno di ribellione. Ascoltava con lo stupore e la riverenza dell'asceta le poche parole che uscivano da quelle labbra di donna rozza e ignorante.

La madre non sporgeva un'esortazione verso il figliolo, un rimprovero, un consiglio, non lo riprendeva mai; in parte per la bontà di lui, e per la sua in parte; senza sentirsi spinta a un atto di tenerezza, una carezza, un bacio, un complimento, uno sguardo dolce: lo amava con quella forza per cui il silenzio è l'espressione più grande. Senza giudicarlo lo sentiva perfetto, incapace di cattiveria o ingiustizia, di nuocere o di mentire, sarebbe diventata feroce per difenderlo offeso.

Con le mani in tasca, la testa dondolante, Palle si recava spesso, la sera, ad aspettarla quando usciva da lavorare. Davanti al cancello dell'Istituto l'aspettava appoggiato al muro, se aveva un fagotto glie lo prendeva, e senza rivolgersi il saluto né dirsi una parola, si poneva a camminarle a fianco guardando in terra e dondolando il corpo al modo di chi cerca qualche cosa; e la madre spingendo avanti la testa e puntando sulle anche come il cavallo vecchio e stanco. Giunti a casa essa accendeva il fuoco, lui rimaneva seduto alla piccola tavola appoggiata alla parete, e col berretto in testa la seguiva in ogni movimento, si alzava per porgerle un oggetto senza che lei glie lo chiedesse e di ciò lo ringraziasse in modo alcuno; si scambiavano dei monosillabi più che parole, o parole solite, finché al momento giusto egli metteva sulla tavola le due scodelle, intorno il cucchiaio, il bicchiere, tirava fuori il pane dalla credenza, andava a riempire la bottiglia alla fontanella pubblica, si sedevano l'una di fronte all'altro, mangiavano insieme. Nella buona stagione Palle usciva ancora un poco mentre la madre rimetteva al posto le cose, e nell'inverno andavano a dormire subito, si spogliavano a lato dei due lettini bianchi fra cui rimaneva nel mezzo appena un vano per poterli rifare; si spogliavano ai lati, rasente la parete, pregustando il sonno forte del giusto, i due miserabili, ed eseguivano l'atto del coricarsi con quella semplicità e quel candore di cui sono capaci solo gli angeli o le bestie.

Durante il giorno Palle girellava per i dintorni senza essere amico di nessuno, senza intrattenersi con gli altri, guardava gli altri giuocare senza invidia e senza mischiarsi alla loro gioia; la povertà aveva anticipato in lui il senno, e fra i coetanei benestanti, che potevano permettersi il lusso di rimanere fanciulli a lungo, era un uomo precoce. Lo si vedeva apparire sulla via maestra, all'angolo della stradina che portava alla sua casa, nel modo che un leprotto scappa dalla siepe, e allo stesso modo ch'era venuto, scomparire, senza il tempo di accorgersene. Era vestito male, di spogli generalmente, con giacche troppo grandi o troppo piccole per la sua figura, riadattate alla peggio; e delle grosse scarpe terrose con le suola ricoperte di bullette. Ogni tanto andava a casa, senza regola, apriva l'armadietto, si tagliava una fetta di pane, ci versava sopra poche gocciole d'olio e di aceto, vi spargeva un po' di sale; o altrimenti, con un pezzetto di tonno, una sardina, una fetta di mortadella si metteva a mangiare, o finiva le ultime cucchiaiate di minestra rimasta nel tegame; poi andava a bere alla fontanella sulla via Settignanese. Era cresciuto così. Non era stato capace di studiare; con immensa fatica, e maggiore indulgenza, era riuscito a strappare una licenza di terza classe; non sapeva scrivere, e davanti a un foglio stampato, sul quale la sua attenzione poteva resistere un tempo brevissimo, gli occhi e la bocca tradivano la difficoltà e lo smarrimento nel caos della parole. Non era per cattiveria o cattiva volontà che non aveva potuto imparare nulla, ma per rozzezza innata, per impossibilità di natura, era figliolo di due analfabeti, di gente che quasi non sapeva parlare. La madre non lo aveva rimproverato una sola volta né forzato allo studio, rassegnata al proprio destino senza amarezza, aveva alzato le spalle sapendo già che il figliolo, un giorno, avrebbe fatto un lavoro manuale come lei, come il padre, e non sapendo essa pure né leggere né scrivere giudicava naturale che non avesse potuto imparare quelle cose difficili e astruse... Per questo non si trovava male a star solo, né soffriva di essere lasciato in disparte dai coetanei tendenti o aspiranti alle consuetudini della vita borghese.

Tutti i giorni Palle andava fino al Ponte a Mensola e si fermava davanti alla porta del meccanico che gli aveva promesso di prenderlo con sé non appena lo avesse giudicato possibile; si fermava e di sotto la visiera guardava l'uomo negli occhi senza dir niente, nel modo che il cane acquattato guarda il padrone confermandogli il proprio affetto, la devozione, per ricordargli la promessa e assicurarsi che non l'avesse dimenticata; aspettando un cenno per scattare, come il cane, un cenno che gli avrebbe detto: "vieni, levati la giacchetta, mettiti a lavorare con me". Lo seguiva nel lavoro giustificando con un bagliore di sorriso la sua presenza, facendosene il salvacondotto.

Era incantato dalle macchine, da tutte le macchine, dalla più bella automobile alla più sgangherata bicicletta; vi girava attorno, si chinava per guardarle, vi rimaneva davanti con le mani nelle tasche, estatico per delle ore; quasi volesse carpir loro un segreto, conquistarne la confidenza, l'amore. Talora il meccanico gli faceva eseguire un lavoro di fatica, trasportare degli oggetti, portarli al proprio domicilio, reggergli un pezzo durante il lavoro, e lo ricompensava con qualche soldo o con una parola che rafforzava la speranza.

Andarsi a scegliere per amico quello sciagurato zuzzurellone, quel coso brutto e goffo, vestito Dio sa come... era un boccone che le Materassi non riuscivano a buttar giù. E pensare che senza correre troppo lontano c'erano fra gli inquilini due giovinetti della sua età figlioli di un impiegato alle gabelle, il figliolo di un maestro muratore, che studiavano con impegno, destinati a divenire uomini di condizione agiata e da bene, superando con vantaggio lo stato attuale delle loro famiglie; e ai quali Remo s'era curato soltanto di elargire cazzotti generosamente. Non soltanto, ma in una villetta d'affitto, modestissima, per andare al

Salviatino, abitava un conte di Venezia che da molti anni s'era stabilito a Firenze, e che se si poteva dire toccato a fondo nelle finanze, non altrettanto si poteva dire per la nativa dignità e cortesia di cui era rimasto all'apice. Le Materassi lo conoscevano bene, il conte le chiamava "signorine" e non come la gente volgare: "Teresa e Carolina" o "le Materassi" direttamente, ma "signorine Materassi". E parlando diceva loro: "comandi, servo suo, le sono obbligato, i miei rispetti, per servirla, mille ossequi, il loro signor nevodo". Data la sua condizione privilegiata Remo avrebbe potuto diventare amico dei figlioli del conte giovinetti anch'essi presso a poco della sua età. Ma c'era di meglio, il conte aveva anche una figlia di dodici anni, graziosissima, chi sa... chi sa che un giorno, per ritirare un pochino su quella corona in angustie non gli avessero fatto comodo certe solidità di cui loro potevano disporre, le case e il podere, e i biglietti di banca che via via mandavano a depositare alla Cassa di Risparmio: far tutt'una col conte, diventare anche loro mezze contesse... A questo punto Carolina sentiva il bisogno di aggiungere: "che corredo dovrebbe avere quella sposa!". E Teresa, levatasi in piedi, alzava una mano e, quasi volesse pronunziare una minaccia all'universo invece di un'affermazione, concludeva a piglio duro: "neanche la Regina".

Andarsi a mettere con quello zotico ignorante, che aveva una madre con la quale non si poteva fare un discorso in regola, che salutava con grugno anziché con le parole. Altro che "mille ossequi" e "i miei rispetti"! Un brindellone che stava sempre solo perché con lui nessuno ci voleva stare. Quando glie ne chiedevano il perché, Remo rispondeva convinto: "è un buon ragazzo, mi piace Palle", e a lui diceva: "vieni Palle, via Palle, si va". Palle si guardava bene dal rispondere, e l'altro non guardava neppure dopo averne pronunziato il nome, sapeva di averlo accanto senza esitazione. Non gli era possibile iniziare un'impresa senza di lui, qualunque fosse. Ed era raro che glie ne esternasse il progetto, non era necessario per nessuno dei due discutere, bastava fare; a meno che l'idea non fosse balenata ad alta voce essendo insieme; ma erano solitamente di poche parole, quelle indispensabili per le loro imprese giovanili; e certe iniziative nascevano a colpo e venivano sul colpo comprese ed accettate.

Verrebbe fatto di pensare che affinità naturali sviluppatissime li avessero avvicinati per tenerli insieme, e la consuetudine di due spiriti affini ne avesse stretto i vincoli a poco a poco e cementata l'unione. Senza anticipare troppo nel racconto dirò soltanto che siamo ben lontani da ciò.

Questo era Palle, divenuto il compagno e l'amico indivisibile di Remo, del quale otto anni prima conoscevamo solo una traccia misteriosa ed oscura intorno a un occhio di lui. Ed era per arrivare a Remo, per sapere di lui, intrufolarsi nella sua vita il più possibile, con l'accanimento proprio dei luoghi dove la vita langue che tutti gridavano: « Palle! Palle! ».

Teresa e Carolina stanno a vedere
Giselda canta
Niobe va a vendemmiare

Molte sono le fasi attraverso le quali, durante questi otto anni, erano passate le zie nei riguardi del nipote. Credettero sulle prime che la fortuna del giovane si sarebbe ottenuta esclusivamente per via di studi gravi, regolari e lunghi, ai quali egli si sarebbe assoggettato con inflessibile volontà approfittando felice dei mezzi di cui poteva disporre la sua famiglia di adozione. Si direbbe che le buone sorelle, alle quali il lavoro aveva preso la mano sopra ogni altro potere, per la prima volta dedicassero un attimo a fare i loro conti invece di quelli delle clienti, a voltarsi indietro per accorgersi stupite che le loro risorse erano di tale importanza da permettere molte cose. E non di vivere esse più umanamente seguitando a lavorare con un ritmo meno febbrile, concedendosi qualche ora di riposo e di pace, di spasso, uno svago, una distrazione; no, ma fare di quel ragazzo caduto dal cielo in mezzo ad esse, un cittadino ragguardevole e da bene. La quale cosa oltre a rappresentare la più intima aspirazione e riceverne un benessere sconosciuto, avrebbe suscitato e riscosso il plauso di tutti. A queste gioie terrene si aggiungevano quelle celesti, le benedizioni che la buona e infelice sorella dal cielo lasciava cadere come petali di rosa sopra le loro teste. E siccome non era difficile accorgersi, fino dai primi giorni, quale trasporto avesse il ragazzo per la meccanica e come fosse franco nel confessarlo, decisero di

130

comune accordo di farne un ingegnere, un ingegnere meccanico; un costruttore di macchine, di navi, forse; per quanto avessero del mare una nozione tanto fantastica e primordiale; un uomo che un giorno sarebbe stato a capo di un'officina, di un cantiere, che avrebbe comandato migliaia di operai, che avrebbe inventato una nuova macchina o almeno perfezionate quelle in corso, ricco a milioni, che sarebbe diventato deputato, senatore, ministro, probabilmente. Le piccole operaie e possidenti della pianura fiorentina sognavano un'ascesa incalcolabile: come un faro il nipote doveva elevarsi da quel punto per illuminare il mondo.

Teresa architettava questi sogni mentre Carolina li abbelliva di particolari, ci ricamava intorno proprio come faceva per la scollatura delle camicie e lungo le bande delle mutandine che la sorella le dava tagliate; ogni tanto si sentiva assalire da brividi di vertigine, da un capogiro che la esaltava. Non alzavano la testa dal lavoro, non rallentavano il loro sforzo se non per godere il panorama delle aspirazioni nascenti.

Ma Remo, ahimè, amava quella meccanica che esercitava con Palle in una stanza dietro la casa, strappata al contadino non senza gravi difficoltà, e da essi trasformata in rimessa, in officina, in cantiere; provvista di una saracinesca, e dove si potevano ammirare i più disparati arnesi e congegni tenuti in bell'ordine e gelosia, fino a un motorino da applicarsi alle barche, al quale lavoravano da tempo con misterioso accanimento. Chi aveva insegnato all'uno e all'altro quella sia pur rudimentale meccanica? Nessuno. Per l'ardente passione la scienza gli si rivelava giorno per giorno da sé: la scienza si respira, è nell'aria.

Sfumata, non senza molta pena, la speranza del costruttore, dell'ingegnere, dell'inventore di macchine, scesero a voli più accessibili verso una scuola industriale dalla quale sarebbe uscito un organizzatore di stile, un uomo di minore scienza ma di pratica assai più grande; che avrebbe raggiunto una cima ugualmente passando per le scorciatoie, sottraendosi al peso di studi lunghissimi e gravi per i quali non pareva inclinato, in un tempo come il nostro in cui la pratica è il coefficiente maggiore d'ogni successo. Teresa assicurava che i grandi uomini non avevano fatto studi regolari e che dalle università uscivano i mediocri, gli sgobboni; e che in Italia, come in America, uomini che sapevano fare a stento la loro firma erano pervenuti ad iperboliche vette. Anche Carolina la pensava così, diceva che Remo aveva l'occhio dell'uomo pratico, e in questo forse non diceva male, dell'uomo pratico e di azione, e non quello dello sgobbone; l'uomo che sa creare un mondo dal nulla, senza altro sussidio che la propria volontà e il proprio valore. Questo le dava dei brividi e una vertigine ancor più forte delle solite.

Ma piano piano anche la grande arteria delle industrie s'impicciolì, divenne un vicolo, un vicolo cieco, un cul di sacco in fondo al quale si trovarono, privi di movimento, il nipote con le zie.

Si dové uscirne e trasportare le mire sopra un campo più ragionevole.

Remo sarebbe stato un giorno padrone del podere, e delle case che fruttavano bene, e di una certa somma con la quale avrebbe potuto ingrandire il possesso: sapevano che sarebbe stato facile acquistare nuova terra nei dintorni, sapendole quattrinaie erano andate ad offrirgliela; avrebbero potuto avere un altro podere, in seguito due, che loro si erano guardate bene dal prendere non potendosi occupare della terra e, soprattutto, non avendo per essa il più piccolo trasporto. Ora se ne dolevano insieme e vedevano nel giovane il futuro agricoltore come il nonno, un semplice contadino, e questo non lo dicevano nemmeno sottovoce per quanto lo bandissero gli altri con le trombe, che dal nulla era riuscito a fare una piccola fortuna, da questa era facile farne una grande. Un agricoltore indipendente, non un sottoposto, con impianti moderni quali ancora non si conoscevano in quelle zone. Parlando con le ricche clienti, con molto riguardo e falso timore, chiedevano chi fosse il loro signor fidanzato, quel fortunato che esse pure si arrabattavano con ogni mezzo per affascinare, o per mantenerne i fascini in ebollizione: nobile certamente, e spesso si sentivano rispondere che era un possidente e aveva le terre in questa o in quella provincia, che si occupava di terre, che aveva impianti agricoli con allevamenti di bestiame. Iniziare a Santa Maria coltivazioni sconosciute, impiantarvi grandi cascine con fabbrica di burro e di formaggi, culture di primizie con serre... un nuovo sogno nel quale la fantasia dilagava fino a vedere il nipote proprietario di tutta la pianura fruttifera: il sogno si fermava laddove le strade incominciavano a salire, per la collina nutrivano odio e rancore etnico, inestinguibile: "la collina è una macìa di sassi, diceva il povero nonno che se ne intendeva di terre".

Senza levar la testa dal telaio costruivano insieme, ed era un canto il loro pensiero e il loro almanaccare. Si dolevano di essere state esse poco amanti della terra, di aver tenuto sempre a rispettosa distanza il buon Fellino coi suoi puzzi e il suo bestiame non meno puzzolente; e dimenticavano per un momento la scarsissima considerazione nella quale tenevano una mucca e il suo vitello, e in quale obbrobrio un povero ciuco, e di non voler nemmeno vedere le galline davanti alla loro porta, e di aver dato per ciò una fiera consegna. Ora, se una per disgrazia vi si fosse avventurata, non l'avrebbero mandata via, le avrebbero dato qualche briciola di pane.

Remo fu mandato alla scuola agraria, e stavolta con

accompagnamento di raccomandazioni autorevoli e l'interessamento di personaggi ufficiali.

Ogni autunno vi fu un progetto nuovo, un nuovo piano minuziosamente stabilito, iniziato con auspici magnifici, e che finiva a coda di pesce con l'avvicinarsi dell'estate. La colpa del fallimento veniva riversata, prima sul nipote che non aveva voglia di studiare, quindi sui professori che non sapevano insegnare, sulle scuole organizzate male.

Era possibile che non riuscisse a andare avanti un ragazzo che in tre mesi soltanto di preparazione era riuscito a prendere a pieni voti la licenza elementare, con tutti gli onori, degli insegnanti e della direttrice, compreso un pranzo, quasi storico, a cui avevano partecipato non solo la direttrice e la Calliope Bonciani, ma la madre di questa, di novantadue anni, la signora Cherubina che da giovane aveva fatto la modista, e che andò a Santa Maria vestita color pulce, con la mantellina di pizzo e gè appuntata al collo da un bel cammeo di corallo rilegato in oro, dono di nozze, e nel quale era scolpita una scena del diluvio universale. E sulla testa bianca, con tre torcoli neri applicati a guisa di crocchia che pareva si fossero dimenticati d'imbiancare, un'acconciatura nera simile a un puliscipenne. Anzi, si può dire ch'ella avesse portato a Santa Maria due puliscipenne, uno sul cranio e uno sulle spalle. Proprio così quel frullino, quella trottola, quel granello di pepe, quello schizzapiscio della signora Cherubina che in quel giorno idillico e memorabile aveva mangiato per tre, col naso e la bazza che un po' si becchettavano e un po' facevano all'amore, onorando il pranzo preparato da Niobe con arte magistrale, e servito dalla Tonina che da mela erasi trasformata, per il trambusto del salotto e il calore della cucina, in una ciliegia lì lì per schizzare il sangue dalle gote. La signora Cherubina aveva raccontato aneddoti e barzellette per tutto il tempo del desinare, tanto da tener testa alla direttrice il cui eloquio erasi appannato quel giorno, smorzato, coperto di un velo

134

roseo; pareva concedersi un'ora di tregua benigna e dolce, tutta illuminata da un sorriso inestinguibile, come il gigante che dopo avere atterrato l'uomo, il leone o il toro, disteso sull'erbetta giuocherella fanciullo con gl'insetti e le farfalle. In quell'ora grandiosa Niobe si era limitata ad osservare, rallegrandosi con lei rispettosamente, che alla signora Cherubina il Signore aveva fatto le fognature buone; a cui l'arzilla vecchietta aveva risposto che durante tutta la gioventù aveva sofferto di male allo stomaco, e che i medici non sapevano come avrebbe fatto a tirare avanti. "Figlia d'un cane! Se il Signore non le avesse mandato il male allo stomaco c'era da guardarsi la pelle." Questo Niobe pensò e non disse, ma pensò alla sua maniera, tanto coloritamente, che possiamo dirlo noi senza tema di sbagliare.

Il nuovo sogno illuminava tutto di nuova luce, tutto tornava a sorridere fino alla nuova catastrofe.

In tanto almanaccare il fenomeno per noi più interessante si è che Remo manteneva un contegno irreprensibile: non solo non recalcitrava ai cambiamenti di rotta, ma accoglieva la nuova via, non con entusiasmo che non era del suo carattere, ma con prontezza esemplare, fredda prontezza che le zie prendevano per decisione bella e buona, profonda, virile, senza bisogno di esclamazioni o smancerie; per modo che ogni volta erano sicure, con gran sollievo, di aver trovato il bandolo della matassa, la strada giusta; e che a noi lascia capire come egli si trovasse disposto a ripetere il giuoco senza fine. E allorquando anche il nuovo progetto andava a monte, diveniva evasivo, misterioso, impenetrabile; guardava lungi, come chi scruta nel futuro con acume per arrivare a un risultato eccezionale. Ciò che manteneva sospeso l'animo delle donne le quali leggevano nei suoi occhi tanta volontà e penetrazione, e una fiducia che non poteva mentire; e insieme la tranquillità e la sicurezza di chi ha in sé, fino dal primo momento, quello che ci affanna a cercare. Si sentivano disorientate nelle loro aspirazioni e ricerche.

Le scuole agrarie, industriali e scientifiche, si eran risolte in passeggiate bellissime, fatte con Palle per le vie di Firenze e delle campagne, nei paesi del circondario, in Arno, alle Cascine, in ogni specie di giuochi o luoghi dove si studiavano le macchine e si sfruttavano i benefici effetti delle piante, le riposanti ombre e i saporiti frutti, senza il bisogno di andare a scuola, e soprattutto s'imparava a vivere. E mentre teneva la scuola nel più remoto cantuccio dei propri pensieri, non appena interrogato diceva a tutti con sollecitudine, assumendo una dignità giovanile tanto edificante: "faccio l'ingegnere, sono studente d'ingegneria; sono alla scuola industriale; sono alla scuola agraria, faccio l'agricoltore", quasiché fosse avviato a divenire il capo di tutti gl'ingegneri, di tutti gl'industriali, di tutti gli agricoltori.

L'un dopo l'altro, con la naturalezza e la giocondità dei fantocci nei bersagli umoristici dietro i colpi assestati bene, tutti i sogni, piani e progetti, fra le risa degli spettatori erano andati a gambe levate.

Smarrite, interdette, incapaci di organizzare un nuovo piano, le zie ebbero crisi di nervi acutissime, perdettero la calma: strillarono, piansero, fecero delle scenate al nipote, lo coprirono d'ingiurie, di contumelie, minacciarono di disinteressarsi di lui, di mandarlo all'officina, a fare un mestiere da povera gente, il facchino come faceva suo padre, o il barrocciaio come il padre del suo degno amico Palle. Non avevano obblighi verso di lui, e quanto facevano era per pura bontà, non per dovere.

A queste sfuriate Remo sorrideva appena, ma sorrideva così pacifico e, soprattutto, così bene, che ad esse pareva di leggere nel suo sorriso come il minacciato abbandono e disinteresse non lo atterrissero minimamente, e che senza una parola di rimprovero o di preghiera se ne sarebbe potuto andare anche da sé: lo avrebbero veduto scomparire. E fin qui non ci potevano arrivare.

A pochi uomini è dato di sorridere così bene. Un bel sorriso può nascondere o lasciar vedere tante cose, anche quando non sia che la grazia e l'illusione uscenti da una bocca modellata e colorita perfettamente. E soprattutto non intendeva di aver fra i piedi quel maledetto Palle.

Non appena si affacciava l'idea di perdere il nipote buttavano a mare Palle: lui, almeno, la doveva scontare, doveva andarsene. Lo lasciasse per i suoi venti, non erano disposte a mantenere due bighelloni di quella specie... Una marmotta che se taluno non gli diceva di levarselo, si sarebbe seduto a tavola col berretto in testa. È bene sapere che a poco a poco, per l'arte invincibile di Remo, Palle si era insediato lì a mangiare e bere, specialmente la mattina quando a casa non c'era la madre, e se occorreva anche a dormire; e la madre, a casa, per nulla addolorata o sgomenta di non averlo presso di sé, viveva felice sapendo che il figliolo aveva trovato della brava e buona gente che gli voleva bene, e sapendo quanto egli meritasse un tale affetto. All'ora del pranzo, dopo le scenate, mentre Palle rimaneva sul cancello incapace di farsi avanti, disposto a correre a casa sua a prendere un pezzo di pane, Remo diceva ridendo: "via Palle, vieni Palle, si va a mangiare". E allora i fantocci umoristici da mandare a gambe all'insù sotto i colpi assestati bene, erano proprio le zie attraverso le loro lambiccate architetture.

Esaurite anche le furie dopo esaurita l'immaginazione, spossate, vinte, le due sorelle rimasero in posizione di attesa, guardandosi l'una l'altra sospese come per dire: "si starà a vedere". E ritrovata un po' la calma, col medesimo atteggiamento presero a riguardare il nipote senza le vecchie mire né il rancore susseguente: "si starà a vedere", esprimevano guardandolo come guardandosi senza dir nulla: "si starà a vedere". E Remo, che mai si era sottratto alle precedenti esperienze prendendo la nuova attitudine come una nuova via, se ne mostrava convinto, sodisfatto, sicuro di sé; e anche stavolta, prestandosi al giuoco come se l'ultima decisione fosse sempre la migliore, con la prontezza della sua consueta impassibilità, offrendo lo spettacolo più gradevole pareva rispondere alle zie: "state a vedere". La risoluzione di stare a vedere che sembra, così a colpo, tanto facile, non lo è, invece, quanto si pensa o si crede e non fu presa, infatti, che dopo tante altre: quando la mente, stanca di cercare, si sentì vuota, scarica, e quasi non fosse una risoluzione, ma l'incapacità di almanaccare oltre sul conto del giovane, di provocare gli eventi con mille sbalorditive architetture o fantasie buone soltanto per togliere la pace del riposo notturno e quella necessaria, durante il giorno, per poter lavorare.

Una volta finito a viva voce e a tutte braccia, e senza un pratico risultato di chiamare a sé gli eventi, con la più grande disinvoltura gli eventi vennero avanti da sé. È una cosa che succede sempre. Nella nostra vita quotidiana si è spesso vittime di certi abbagli, sia come attori che come spettatori, è un'illusione dei sensi, della vista principalmente, e quando più siamo sicuri di essere noi a mandare la barca, proprio in quel momento ci accorgiamo (un momento terribile) che la barca ci fa andare, e dove vuole; ed è allora che ci affanniamo con ogni mezzo per mantenerci nella primitiva illusione e dimostrarlo a chi vede. Voi penserete certo che la giuntura sia delle più bislacche, giacché se possiamo mantenerci noi nell'illusione, ciò non accade per coloro che dalla riva ci stanno a guardare, i quali sempre meglio accorgendosi che la barca va da sé, se la ridono a crepapelle di tutto il nostro gestire e gridare. Macché! Da altro non essendo attratti che dallo strepito, atto solo a nascondere il reale movimento della barca, costoro vivono arcisicuri che siamo noi a mandarla, perfettamente. E al nostro mirabolante strepitare aggiungendo il loro, cento volte più grande, sfido l'oste ad accorgersi come stanno le cose. Soltanto quando la barca si ferma, e chi c'è sopra per il suo irragionevole annaspare non accorgendosene seguita imperterrito ad annaspare, allora tutti vedono, alla fine, che la barca camminava da sé: "Ah! Oh! Eh!".

Per questo fenomeno curiosissimo fino a quando le donne si diedero dattorno con cento sogni, progetti e fantasie, davanti ai loro occhi sbarrati dall'impazienza e annebbiati dallo stupore, non ci fu nulla da vedere, altro che il crollo dei sogni e delle fantasie; il loro sforzo rimase sterile e lo stupore era prodotto dal fatto che in risposta non vedevano niente, e solo quando si posero con le mani alla cintura incominciarono a vedere molte cose.

Molte, infatti, sono le cose che un giovane come il nostro può far vedere a donne di questo genere.

Di Palle conoscevamo soltanto una traccia misteriosa e oscura intorno a un occhio di Remo, questi invece lo abbiamo visto bene impiantato per divenire un giovane bello, agile e forte, e non facile a lasciarsi sopraffare. Nessuno, però, avrebbe saputo indovinare fino a qual punto potesse giungere la straordinaria bellezza e la istintiva eleganza di questo giovane.

Quei lineamenti che già gli conosciamo si erano maturati producendo un'armonia di colori e proporzioni che raro si riscontrano in un essere vivente.

Alto senza lasciare impressione di lunghezza, le sue membra si snodavano in movimenti di una grazia virile che non dava mai nel raffinato o nel grossolano; tutti i muscoli del corpo erano bene nutriti senza mettere in rilievo il loro travaglio.

Ma quello che più lasciava perplesso l'osservatore, era la classica bellezza del viso sotto la testa bruna, ondulata e lucente; viso di un ovale marcato e aristocratico, spirituale, in cui si attardava all'infinito l'impronta dell'adolescente; e nella cui pelle era la rigogliosa freschezza della gioventù senza lasciar trasparire la vigoria del sangue; di sanguigno non aveva che la bocca: vermiglia, le cui labbra, per la perfetta modellatura, il labbro superiore arricciandosi sporgeva sull'inferiore sensibilmente, per quanto carnose e carnali non apparivano di carne.

Soltanto nella scultura greca e in quella del rinascimento ci è dato riscontrare campioni di questa specie: Leonardo, Michelangiolo, Donatello, il Verrocchio, ne sarebbero rimasti colpiti. Quindi non ci farà stupire il fatto che due povere donnine si indugiassero a guardare.

Gli occhi di Remo, sormontati da sopracciglia marcate e lucide, erano grandi, puri, coi bianchi netti; e solo la bellezza li faceva apparire dolci non potendo assumere, in grazia di essa, un'espressione di indifferenza; sentivi, osservandoli, che non rispondevano calorosamente al tuo sguardo, ma accettavano il calore della simpatia senza ricambiarla, senza pronunziarsi, anzi, interrogativamente. Avresti detto che per non alterare l'armonia della persona non assumesse mai un eccesso di esteriore vitalità; gli occhi non guardavano mai avidi pure fissandoti, e tanto più mantenevano la loro luce quanto più avidamente venivano fissati.

Tutte queste cose, fiorite e maturate sotto i loro sguardi, pareva che le zie vedessero per la prima volta e con sodisfazione assai palese, dopo che avevano abbandonato le vecchie fisime dell'agricoltura, della meccanica e dell'industria, andate a finire come vecchi trucioli nello sgabuzzino delle memorie.

Talvolta, chine sul lavoro, pensavano insieme alla stessa cosa, e sollevando il capo un istante comprendevano il pensiero l'una dell'altra, che era rivolto a questo fatto straordinario, da sogno, del ragazzo capitato nella loro casa in modo arcano, e divenuto con inseguibile rapidità un bellissimo giovane, forte, elegante, che attirava l'interesse di tutti. Avevano pudore di esternare il loro pensiero, e alla fine una diceva: "a che ora torna Remo?", "al tocco", rispondeva la sorella. Era una domanda inutile, ma non era possibile aprire la bocca senza parlare di lui, e la ragione pratica era una piccola scusa innocente: lo sapevano bene a che ora tornerebbe.

Parlava poco sbriciolando o sorvolando le parole, a scatti, a monosillabi; non alzava mai la voce e usava di preferenza la raffinatezza delle scorciatoie: invece di chiamare le zie per intero, col loro nome, con graziosa voce di falsetto usava chiamarle: *Zi' Tè, Zi' Cà,* e variazioni e intonazioni gustosissime. E chiamava Niobe, *Ninì, Bebè,* e anche *Nì,* solamente. Ella era come i cani, non si può dire fino a qual punto potesse comprendere certe singolarità ma si era sicuri di vederla rispondere.

Se alle padrone piaceva un mondo intero l'esser chiamate *Zi' Tè, Zi' Cà* con quella voce, la serva si sentiva liquefare sentendosi chiamare *Ninì* o *Bebè,* e anche *Nì* senz'altro. I loro nomi usuali, sentiti pronunziare, sempre allo stesso modo e da ognuno, pronunziati in tal guisa dalla sua bocca divenivano una delizia sconosciuta, e avevano la forza di far sentire altre se stesse: tre donne nuove.

Non si abbandonava mai a una risata, non oltrepassava il sorriso, anzi, si può dire non vi arrivasse neppure, giacché vi arrivava col minimo movimento delle labbra, lasciando balenare il prodigio di una dentatura perfetta. E la sua faccia era tutta illuminata quasi non facesse che sorridere.

Né era possibile, guardandolo, sorprenderne il pensiero minimamente (le zie avevano di che alimentare per un pezzo la loro osservazione) e questo senza traccia di tenebrosità o di tristezza, con purità elementare e, se mai, di un intimo compiacimento contenuto e composto, e quel leggerissimo tono di canzonatura di chi, conoscendo gli altri, conosce a maraviglia il valore delle proprie risorse. Giacché bisogna sapere che l'essere canzonati un pochino, e qualche volta un po' di più, è cosa che attrae molto, tanto gli uomini che le donne, più assai che l'essere trattati con serietà e rispetto.

Sotto quella fronte giustamente spaziosa, il pensiero era assente o si celava per non turbare l'armonia e la freschezza del viso? In ogni atto era questo calore esterno e questa freddezza interiore, quasi lo spirito vivesse isolato, né lui faceva nulla per farlo uscire da tale isolamento, anzi vi rimaneva sicuro. Freddezza che dava un senso di sospensione dopo avere attratto, che agghiacciava dopo avere acceso.

Aggiungerò che alla bellezza e all'eleganza fisica Remo accoppiava una signorile eleganza nel vestire, per modo che, fino dal suo arrivo, senza dare importanza alla cosa, le zie si sentirono trasportate a vestirlo bene, rappresentando un fatto naturale; e a pagare i conti del sarto e del camiciaio senza star troppo a discutere. E dal momento, poi, che avevano deciso di stare a vedere, la cosa aveva assunto proporzioni più vaste, come è facile comprendere, e anche i conti si erano ingranditi di conseguenza, tanto che qualche volta avrebbero preferito di non vedere, ma oramai era impossibile chiudere gli occhi. Sapeva portare l'abito e il cappello superbamente, annodarsi la cravatta. Sapeva scegliere le stoffe armonizzandone i colori: nel suo abito era sempre un'armonia risultante più che da uno studio da un istinto, da una grazia nativa e leggermente trascurata. Era infatti rapidissimo nello scegliere, senza cincischiamenti o pentimenti di femmine, e avrebbe potuto indugiarvisi senza limite non avendo altro da fare. Anche dal sarto era rapido nella prova di un vestito: una volta dentro vi eseguiva certi suoi movimenti tendenti a possederlo con la persona facendosi seguire nelle varie parti, si irrigidiva quindi, puntava i piedi con le gambe semiaperte, piantando le mani dentro le tasche della giacca e dei calzoni, dava un colpo d'occhio generale, suggeriva una correzione; lo gettava al modo di chi abbia pressanti faccende che lo aspettano: il vestito andava bene.

Era rapido in ogni atto ma in uno, su tutti, la sua rapidità diveniva inverosimile: nello spogliarsi. Non era possibile seguirne la teoria dei movimenti, lo guardavi vestito e te lo vedevi nudo davanti. Straordinaria abilità ch'egli esercitava e sfoggiava con inconscia civetteria fra gli altri giovani nelle associazioni sportive o di educazione fisica, e che in casa una sola persona aveva potuto sorprendere e ammirare: Niobe.

Fosse rientrato alle due, era la sua ora generalmente, alle tre, alle quattro come alle cinque, accadeva talvolta, Remo si levava alle nove, non più tardi. Non gli era necessario un lungo riposo per ristorare le forze, né riposava mai durante il giorno. Niobe gli portava in camera due secchi d'acqua fredda e, poco dopo, la colazione che consumava in pigiama o, qualche volta, per la fresca bramosia di mangiare, avvolto ancora nel lenzuolo di spugna col quale finiva di asciugarsi, e togliendosi la sigaretta dalle labbra. Col caffè e latte e i panini imburrati c'era sempre dell'ottima frutta per la quale dimostrava il proprio gradimento con esultanza infantile.

Era uso dormire con la finestra spalancata di qualunque stagione; Niobe aveva trovato entrando, la mattina, la camera allagata dal temporale, l'acqua ghiacciata dentro le brocche o, in terra, la neve. E sempre nudo sotto le coperte. Appena Niobe era partita, dopo aver posato i secchi, il giovane saltava dal letto, entrava nel grande piatto di zinco che durante il giorno rimaneva attaccato alla parete, e con una grossa spugna faceva a questo modo il proprio bagno, inondandosi il corpo di acqua fredda più e più volte, passandovi rapidamente un piccolo sapone. Si asciugava percorrendosi e percuotendosi in ogni senso, eseguendo esercizi e evoluzioni: bagno e esercizi che potevano essere ripetuti un'ora dopo alla società dei Canottieri, alla Rari Nantes, o in altro ritrovo del genere che frequentava con assiduità. Infilava due ciabattine di paglia, e accesa la sigaretta seguitava, percuotendosi e stropicciandosi, a girellare per la camera facendo salti, esercizi, acrobazie.

A questo punto Niobe appariva per la seconda volta col caffè e latte e la frutta, e poco dopo una terza col brocchetto dell'acqua calda per radersi la barba.

Era avvenuto che nel via vai di queste tre portate, senza che Remo avesse mostrato di accorgersene la donna, un po' alla volta e per puro caso avesse sorprese le fasi dell'attività mattutina descritta e che si esplicava in men di un'ora, in modo da poterla ricostruire intatta senza uno sforzo dell'immaginazione. Nell'andare e nel venire, arrivando troppo presto o partendo troppo tardi, e talora per uno spiraglio rimasto nella porta a cui non poteva mettere la stanghetta avendo le mani ingombre; e che Remo, compreso del fatto suo era stato ben lungi dal notare. Per quanto non dovesse essergli sfuggito un precedente cigolìo, il passo mal celato della donna corpulenta, o una chiusura tardiva della porta.

Questa era la parte che le padrone, per il loro grado superiore non potevano vedere e che la serva, invece, per il suo grado infimo, vedeva perfettamente.

Ma Niobe, talora, non riuscendo a contenere la gioia che le arrecava quel servizio, s'era lasciata scappare con esse qualche esclamazione, un'immagine, un confronto, una similitudine, parola buttata là che l'era uscita dall'anima, tutta intesa a lodare la forza e la bellezza fisica del giovane, e

144

a cui esse avevano sorriso d'intelligenza, pensando che dovesse essere il prodotto della fantasia in gran parte, più che della sua stessa curiosità: fantasia di donna che aveva un passato molto criticabile, giacché il nipote davanti a loro aveva mantenuto sempre un contegno di una correttezza esemplare e se, talvolta, per una necessità era sceso in pigiama e si era trattenuto nella loro stanza, erasi comportato in quel costume con tanta naturale riservatezza come fosse stato vestito per uscire. Cosicché, per quanto guardassero, alle poverette rimanevano sempre molte cose da vedere.

E la cosa più bizzarra si è che le sorelle, avendo incaricato Giselda di sorvegliare i vestiti di lui, essendo oggetti di pregio che richiedevano una cura intelligente, la poverina era stata più volte assalita dal furore di lacerarli con le proprie mani, specialmente i pantaloni. Dacché aveva preso a odiare il genere mascolino non poteva tollerare la vista dei pantaloni, il loro contatto la faceva delirare, e una volta costretta a maneggiarli li aveva gualciti, stiracchiati, sbertucciati in malo modo da romperli, e tanto da doverli accuratamente ristirare, riscuotendo per tale zelo il plauso incondizionato delle sorelle. E allorquando per le suddette incombenze si trovava a passare davanti alla porta, o doveva entrare nella camera dove Remo, la sera, si cambiava per andare a Firenze o ritornandone, davanti a lei era rimasto nudo come il Signore lo aveva creato, impassibile, senza un cenno di rispetto o di pudore, conservando quella indifferenza che avrebbe avuto trovandosi davanti a un altro uomo così; o peggio ancora, ostentando la propria nudità in maniera provocante, offensiva, triviale. Volgendo le spalle irata, Giselda a quella vista cui non aveva potuto sottrarsi, si allontanava sputando fiele: "brutto porco! indecente! mascalzone!". E quello che costituisce il super del bizzarro si è che non poteva lagnarsene con chicchessia proclamando la verità, la giusta offesa, giacché Niobe sapendosi in difetto per lo spiraglio che già abbiamo intravisto, e non sapendo fino a qual punto Remo potesse essersene accorto, era lei dalla parte del torto, e quanto! Il fatto sarebbe diventato un capo d'accusa contro di essa, e giusto, dopo di che non le sarebbe rimasto che entrare e uscire dalla camera in tempo debito, chiudere la porta in tempo, e non facendolo, dopo la ingrata rampogna avrebbe pensato a farlo lui senza indugio: farla entrare a tempo e a tempo uscire, cosa che non solleticava minimamente la vecchia serva la quale non desiderava di meglio che rimanere sulla base attuale. Giselda da quella parte avrebbe trovato il terreno avverso alle sue rimostranze: Niobe sarebbe insorta in difesa del giovane proclamandone, e con giustizia, l'innocenza e il pudore. E le sorelle, poi, con le quali anche in pigiama aveva mantenuto un contegno da portarsi per esempio all'universale, contegno che sarebbe stato bene ad una vergine... le si sarebbero scagliate contro come due belve. Povera Giselda, per lei non c'era che una strada: tacere, tacere sempre. E una cosa ancor più buffa si deve aggiungere, ed è che l'austero, verginale contegno del nipote, da portarsi per esempio a un istituto di educande, non si sa come mai aveva servito di esempio alla rovescia alle vergini zie, e aveva fatto perdere ad esse un po' di quella austerità e riservatezza ch'erano state sempre la regola inflessibile del loro vivere. Ed era accaduto che avendo Niobe o Giselda bussato alla porta della loro camera per qualche necessità mentre si erano chiuse, con urla laceranti si erano sentite rispondere: "Non si può! Non si può entrare. Non entrate! Sono nuda! Sono in camicia! Sono in mutande!". Quasi taluno volesse entrare per usar violenza alle loro persone o per trafiggerle con un pugnale. E non erano nude per niente o solo in parte, tanto da potersi mostrare a chiunque; o stavano magari, vestitissime, riordinando gli oggetti dentro il cassettone, e

146

chi voleva entrare non era che Giselda o Niobe. E se erano nude davvero, e avevano orrore di essere vedute, una volta dentro sentivano il bisogno di gridarlo: "siamo nude! siamo in camicia! siamo in mutande!". Perché?

Eran lontani i giorni in cui le sorelle, lavorando insieme, sognavano sull'avvenire del nipote: egli era divenuto una realtà presente ed urgente; e per quanto possedesse un'arte sopraffina di non far sentire il proprio peso, il peso si faceva sentire. Ma la sua presenza, l'aspetto sereno della persona risolvevano con estrema semplicità situazioni ritenute insolubili. E servendosi della persona negativamente, sapendo scomparire al momento giusto e al momento giusto ricomparire. Assomigliava in questo a Napoleone il Grande, che vittorioso si faceva aspettare, quando tutti non ne potevano più e pestavano i piedi dalla voglia di rivederlo, dando il tempo di preparare nuovi archi e archi più grandi al proprio trionfo, e accrescere fino allo spasimo il desiderio di sé. E quando aveva perduto la battaglia capitava come un fulmine a Parigi, dove nessuno sentiva il bisogno della sua vista, vi arrivava nascosto in una carrozza oscura e sconquassata, e ci sarebbe andato sopra un ciuco, a cavallo a un manico di granata pur di arrivare. Remo non aveva bisogno di parlare, né di raccomandarsi né difendersi, era sua abitudine parlare pochissimo con le donne, mantenendole in uno stato di orgasmo e di sospensione al quale opponeva la sua serenità celestiale; ed esternando sempre, fra quelli che per l'esistenza si dilaniano da mattina a sera, il proprio convincimento che la vita è facile; sorridendo all'inutilità delle loro fatiche.

Questo ragazzo, nato in Ancona da due operai disgraziatissimi, romano il padre e la madre di Firenze, rimasto bambino alla mercé dei venti, che non aveva voluto piegarsi a studiare quasi sentisse per sé la vacuità di un tale sforzo, non solo possedeva l'intelligenza fisica, ma un senso della vita eccezionale, e sapendo per istinto che la vita è dura e difficile, incominciava ad affermare il contrario basando la propria sul nuovo principio infallibile, convincendo se stesso a mano a mano che convinceva gli altri su tale affermazione. Per modo che gli era stato facile ottenere molte cose facendo cadere, con abili colpi, tutte le difficoltà che si frapponevano ad esse, e più ancora dimostrandolo apertamente. Allorquando diciottenne aveva chiesto alle zie, ma senza insistere, una motocicletta d'alto prezzo, diecimila lire, e quelle si erano rifiutate prima, quindi ne avevano dilazionato l'acquisto, il giorno dopo sentirono al loro cancello la tromba della nuova macchina e il fragore dei suoi gagliardi stantuffi; e per quante investigazioni facessero non riuscirono mai a sapere di dove il denaro fosse venuto. Cosicché alle prime attese angosciose di Remo che non tornava a casa la notte, seguirono quelle, angosciosissime, per quello che Remo tornando poteva portare.

Questo mistero che aleggiava intorno alla figura di serena bellezza, sconcertava le donne.

Erano state penose e lunghe quelle prime attese nelle quali il giovinetto aveva incominciato piano piano ad allontanarsi dal nido delle ore notturne.

Prima erano state le fughe clandestine, le ansie nel timore delle disgrazie.

A quella finestra, dove le sorelle da tanto tempo non stavano più nel pomeriggio di domenica per farsi ammirare e ammirare la processione degli amanti verso le colline, erano rimaste fino ai chiarori dell'alba, con Niobe che ogni tanto si affacciava alla porta della camera: "si vede?" per rassicurarle sulla saggezza del giovane al quale non poteva essere accaduto nulla di male, sul suo valore: sapeva il fatto suo ed era capace di cavarsela in ogni cimento; e che il ritardo era dovuto soltanto al trattenersi all'infinito con gli amici per parlare di macchine, di corse, di gare, di partite; argomenti nei quali i giovani di giorno trovano sera, e di sera un'altra volta giorno senza accorgersene; e per cui non sentono più il sonno, non solo, ma neppure la fame. Concludeva invitandole a coricarsi cercando di dormire, che avevano troppo bisogno di riposo, altrimenti avrebbero finito per cadere inferme. Quelle non rispondevano neanche, volevano vivere il loro tormento sino in fondo, sino alla fine. Pensavano a tragedie, ad avventure complicatissime che avevano sempre nel fondo l'amore e la morte. Dove era andato e con chi? Chi lo aveva visto? Con Palle, sempre con Palle, era andato via con Palle: "con quel maledetto Palle. Con quel brutto muso di Palle". Palle era la causa di tutto, diventava il responsabile: "accidenti a Palle". Niobe si recava dalla madre di Palle, a svegliarla per sapere se lui fosse a dormire: viaggio inutile. Quando Remo non c'era era superfluo cercare di Palle, non si poteva sbagliare. E la madre non si mostrava preoccupata del fatto minimamente, anzi, era nel suo cuore la fiducia e la tranquillità, ovunque fosse: una fede incrollabile sul conto del figliolo e della sua sorte, non poteva ammettere né colpe né errori, né formular dubbi: se era fuori doveva essere così, era bene fosse così, qualunque ora fosse; l'ora per lei non aveva la più piccola importanza, né pensava che il Signore volesse colpirlo facendogli capitare una disgrazia: impossibile. In Dio e nel figliolo aveva un'unica fede. Giudicava tutte quelle inquietudini, smanie e smancerie di mandare avanti e indietro la serva per confabulare, futilità da persone ricche, lussi che ella non si doveva concedere. E rispondendo del figliolo pareva che un'immunità soprannaturale fosse sul suo capo. Era bene dove fosse, ovunque fosse, doveva essere così e nulla poteva accadergli di male. Se un giorno, per una fatale sciagura glie lo avessero riportato esanime, lo avrebbe preso sulle braccia come Maria, senza una lacrima, senza un grido di rivolta, impietrita nel dolore, e verso il cielo avrebbe pronunziato: "Signore, sia fatta la tua volontà così in cielo come in terra".

Niobe veniva via scrollando il capo per quanto, con diverso spirito, fosse della medesima opinione. Le Materassi invece a quel racconto, a quella fede cieca andavano su tutte le furie: dicevano che quella donna era un'insensata, che era una cretina, èbete, demente, mentecatta, un pezzo di mota incapace di sentir qualche cosa per chicchessia; che a furia di lavare la camicia ai grulli era diventata più grulla di loro: "come si può vivere tranquilli avendo dei ragazzacci sguinzagliati per il mondo la notte? Che gente felice! Ci voleva il suo carattere". Quale nozione, poi, avessero del mondo e della notte è una questione che porterebbe il discorso troppo per le lunghe.

Rientrando, Remo, era dovuto passare davanti ad esse: dure, ancora chine sul lavoro a quell'ora quasi mattutina, ostentando la loro pena in un silenzio glaciale; fingendo di non accorgersi di lui, della sua presenza dalla quale erano prese fino all'ultima goccia di sangue. O alzando la testa severe volgendosi dalla sua parte per mostrare gli occhi arrossati dal lavoro notturno e dal pianto, senza aprir bocca. Erano rimaste dietro le persiane che lasciavano filtrare la luce dalle gelosie, sola testimonianza di loro e del loro stato o, a seconda dei venti, erano scese insieme e in disordine, mezze nude, scarmigliate, avevano improvvisato una scena terribile avventandosi a lui urlanti e piangenti: lo avevano coperto d'improperi, d'ingiurie, di minacce per farlo soffrire un po' di quello che avevano dovuto soffrire. Avevano tentato tutti i toni, toccate tutte le corde per giungere al suo cuore, esperimentato tutte le vie.

Si sarebbe detto che il giovane non credesse minimamente a quelle sofferenze, prendeva la scena, in qualunque modo si svolgesse, quale un fatto naturale, inevitabile, un esercizio a cui si concedeva con rassegnazione. Accendeva una sigaretta e la fumava lasciando capire come ogni sua facoltà convergesse in quella, ogni pensiero; nelle sue spire opaline che salivano verso il soffitto con tanta grazia producendo nell'aria immagini suggestive. Si guardava intorno paziente, con naturalezza e quella decenza di chi aspetta altri compiere una funzione corporale che rimandare non è possibile. Lasciava sfogare quell'ira senza interesse, senza influire con una sillaba per diminuirne il furore, o fingendo di non vedere la luce che filtrava dalla camera attraverso le gelosie. E più la scenata era riuscita esauriente, più appariva essere rimasto egli in credito verso di esse.

Esaurite le furie venivano le domande: aveva mangiato? Sì. Remo aveva sempre mangiato. Tale risposta contrariava visibilmente le donne. Avrebbero preferito vedere la povera Niobe arrabattarsi, a quell'ora, per tirar fuori le stoviglie e apparecchiare la mensa, accendere il fuoco per scaldare un po' di brodo o cuocere delle uova. Dopo la scena tragica ci sarebbe stato bene questo trambusto ad ora illecita, questo incomodo per dargli da mangiare. Una cena incominciata con antipasto di tragedia e che sarebbe finita con mal celata tenerezza verso le frutta. Si sentivano contrariare dalla mancanza di questa seconda parte, ciò le manteneva in un orgasmo di curiosità: avrebbero voluto essere più vittime. Ma che faceva, dove andava, dove mangiava quando restava fuori per tante ore?

Al disordine dell'animo delle zie il nipote opponeva l'ordine perfetto nel proprio.

Aveva mangiato e aveva voglia di andare a letto perché era l'ora di dormire. Non era per nulla ubriaco perché non beveva che acqua, e durante i pasti un bicchiere di vino, ma non sempre: era bellissimo vedergli tracannare un bicchiere d'acqua con la freschezza e limpidezza del liquido che ingeriva. Da quando stavano a vedere le zie avevano potuto ammirare anche questa sana consuetudine. Era nel completo possesso di sé e della sua lucidità mentale. Cantarellava, accendeva una seconda sigaretta e, col solito falsetto salutava le zie: "Zi' Tè, Zi' Cà", quasi fosse stato mezzogiorno invece che le due o le tre.

Una volta chiuse in camera, le donne, a voce bassa sussurrando, seguitavano a parlare dell'accaduto, ammettevano Niobe al dibattito, ma non facevano che troncarle la parola in bocca e imporle silenzio perché parlava troppo forte. Essa si prodigava con ogni mezzo per ricomporre la pace.

E quando l'ora mattutina di rientrare fu diventata normale e le zie non aspettavano più il nipote né alla finestra né a lavorare, né osavano il minimo appunto su questo fenomeno, era accaduto molte volte che verso le due venissero svegliate di soprassalto dal rumore di una o di più macchine che si fermavano al loro cancello con grande strepito, e dalle quali scendevano fino a otto o dieci giovinotti che Remo faceva passare nel sacrario delle camicie e delle mutande; e svegliando Niobe che, agganciandosi la sottana e ravviandosi i capelli si presentava ansante, assumento l'atteggiamento eroico di chi giunge per affrontare un cimento grave: si trattava di metterli a tavola e dar loro da mangiare. E leggendo sulla sua faccia e in quell'ansia la migliore promessa per la riuscita dell'impresa, incominciavano con l'abbracciarla, passandosela dall'uno all'altro, prendendola in collo e alzandola in trionfo. La poveretta si divincolava e gridava: "lasciatemi! Lasciatemi andare! Lasciatemi se volete mangiare. Figli di cani, se non mi lasciate rimarrete a denti asciutti". Questo argomento era tanto persuasivo da lasciarla libera sull'istante con un frenetico applauso. Stendeva una tovaglia febbrilmente, assegnava un piatto ad ognuno di quegli energumeni, una posata, il bicchiere. Taluno, più affettuoso, dava prova di gentilezza soccorrendola a distribuire gli oggetti sopra la tavola, e lei rideva sentendosi diventare il cuore più grosso della casa. L'irruenza e l'affettuosità di quei ventenni la facevano scoppiare dalla felicità, avrebbe fatto ben altro per essi; il loro strepito la esaltava al tempo stesso che la costringeva a svincolarsi e a turarsi le orecchie.

Nessuno si domandava se in quella casa fosse lecito far tanto chiasso a quell'ora. Nessuno diceva di non gridare, di far più piano; pareva convenuto di dover fare più baccano possibile. E se per caso uno, novizio dell'ambiente, chiedeva a Remo se così facendo non avrebbero arrecato molestia, svegliando qualcheduno o impedendo di dormire, Remo rispondeva: "macché! Anzi, fate, fate pure, urlate quanto volete, le zie hanno il sonno forte, non si sveglierebbero nemmeno con le cannonate. Non vi riguardate, si può urlare quanto si vuole". Palle era corso a svegliare il contadino per farsi dare, a nome delle padrone, due ruote di pane e le uova, se in casa non ce n'erano tante da poter bastare, e quando ritornava coi pani sotto le braccia, portavano lui in trionfo per il salotto, lo depositavano in mezzo alla tavola improvvisandogli un'ovazione con discorso, e invitandolo a rispondere, e applaudendolo quasi avesse parlato già. E non appena gli era possibile, come un leprotto saltava giù per correre in cucina a levar l'olio ai fiaschi; e quando ricompariva coi fiaschi, uno per braccio, e si accingeva a distribuirli sulla mensa, lo accoglieva un grido che si sarebbe sentito da Firenze. Remo frugava in dispensa per scovare qualche cosetta che potesse servire a stuzzicare i denti nell'attesa, un po' di frittata, due o tre polpettine avanzate. Quindi arrivava Niobe con un immenso vassoio pieno di prosciutto e salame affettato. Era lo scatenarsi del temporale. E mentre la comitiva si buttava su quella provvidenza, nell'abbassamento del rumore prodotto dall'occupazione delle bocche, dalla cucina si apriva un varco il rumore della paletta: Niobe accendeva il fuoco e preparava una frittata con quante uova aveva potuto racimolare. E non appena spolverato il prosciutto e il salame, in un tempo rapidissimo, e il frastuono risaliva a grado a grado per la disponibilità delle bocche, incominciavano ad alzarsi per correre in cucina dove la frittata prendeva un bel colore dorato. La povera serva doveva divincolarsi ancora un poco per arrivare in fondo alla sua missione: "benedetta gioventù!" e ritornavano nel salotto ad annunziare il nuovo arrivo. I malnati avrebbero divorato i sassi a quell'ora quasi mattinale. Mangiavano come lupi, e non era possibile neppure servirli in regola tanto erano impazienti e turbolenti. Si rubavano la roba dal piatto e nella lotta ne buttavano in terra, il salotto diventava un porcile. Non rimaneva in casa né un uovo né una briciola di pane, né il più piccolo rimasuglio di quello che fosse mangiabile.

Remo diceva sempre ai suoi amici, e a quelli che gli chiedevano dove stesse di casa: "sto a Santa Maria, venite a vedere, ammaestro i pappagalli, addomestico le scimmie, venite a Santa Maria, venite a vedere i miei pappagalli ammaestrati, le mie scimmie addomesticate". E un po' alla volta aveva fatto conoscere i suoi amici alle zie, con automobili o motociclette tutti avevano avuto modo di recarsi da lui. Non è facile descrivere quanto le zie gradissero certe visite: gli amici di Remo erano tutti ragazzi belli e forti, disinvolti, audaci, sportivi, vestiti bene e bene armati per vivere; pareva se li fosse scelti allo scopo di trionfare su tutti con onore, giacché nessuno poteva competere con lui, avevano tutti una manchevolezza, una tara, un difetto, che li teneva molto al disotto irreparabilmente, e che le sorelle mettevano in rilievo, facevano risaltare nelle loro polemiche. Davanti alle zie del loro amico i giovani s'erano comportati con molta vivacità ma con altrettanto garbo, e un'educazione che rasentava la galanteria. La povera faccia terrea e polverosa di Teresa, contratta per la fatica, parlando con loro o ascoltandoli, conteneva una luce che le faceva tremolare il labbro appena; e Carolina, non potendo sostenere a lungo lo sguardo dei ribaldi, per darsi un contegno incominciava a divincolarsi sulla sedia. Divincolamenti che nulla avevano a che fare con quelli di Niobe che si divincolava soltanto quando si sentiva acchiappare, palpare, strimbellare da quei diavoli che se la disputavano dall'uno all'altro per allegrezza e affettuosità. A Carolina invece, più sensibile, bastavano gli occhi per farla divincolare.

Palle faceva da galoppino e da cameriere. Scendeva a prendere un altro fiasco in cantina, andava e veniva fra la cucina e il salotto, fra il salotto e la dispensa; e ogni tanto si sedeva per mangiare qualche cosa anche lui con gli ospiti che se ne facevano bersaglio per mille scherzi in cui era nel fondo l'amicizia e la parità con un giovane fisicamente e socialmente inferiore. Egli era capacissimo di correre nel campo, e così al buio trovarvi l'insalatina fresca, umida della notte, che i giovanotti gradivano come la suprema delle delizie.

E che cosa succedeva al piano superiore della casa in quelle ore sacre al riposo e al silenzio?

Appena sentivano il rombo delle macchine le due sorelle saltavano dal letto senza accendere il lume, cautamente aprivano la finestra e dietro le gelosie si mettevano a spiare; quindi, infilatasi una sottana, e infilati ai piedi nudi dentro le scarpe, e se era freddo rinvoltandosi bene in uno scialle, piano piano e al buio uscivano dalla camera l'una dietro l'altra stringendosi per la mano; e lungo il corridoio, rattenendo il respiro per non far rumore, arrivavano al caposcale e vi rimanevano palpitanti: come il cuore degli uccelli palpitava il loro cuore sporgendosi dalla ringhiera al fine di non perdere un attimo di quella scena che ricostruivano dalle voci e dai rumori e con la propria vivida immaginazione.

« Senti, Massimo! »

« Vasco! »

« C'è anche Sergio! »

« Franco! »

« Bruno! »

« Alfredo, c'è anche lui. »

« Renzo! »

« Gastone! »

« Jim! »

Uno a uno li riconoscevano tutti dalla voce.

« O questo chi è? »

« Già... non si conosce... »

La voce di Remo le faceva ammutolire.

« Sono andati in cucina. »

« Hanno abbracciato Niobe. »

« Senti, senti! »

« L'hanno presa in collo! »

« Senti come strilla perché la lascino stare. »

« Ha portato l'affettato. »

« Che po' po' di buggerìo! »

« Incominciano a mangiare. »

« Ha portato la frittata. »

« Sènti Palle, c'è anche Palle. »

« Perché, credevi che non ci fosse? »

Rimanevano al caposcale fino alla fine. Nessuno dei giovani si sarebbe arrischiato di salire, tutto il fracasso era circoscritto alla cucina e al salotto da pranzo, e magari fino allo stambugio di Niobe, dove si vedeva intatto il guscio dal quale la donna era scappata per mettersi ai loro ordini.

Bisogna sapere che proprio sopra la stanza da mangiare, dove i giovani sfogavano il loro appetito e la loro giocondità, era la camera di Giselda la quale, svegliatasi di soprassalto al loro arrivo, si torceva dalla rabbia che venisse tollerata una cosa simile: "che indecenza! che orrore!". Accendeva il lume, guardava l'orologio: "le due, le due di notte. Alle due questa gazzarra! È anche proibito dalla legge. E si deve sopportare un porcaio di questo genere?". Ma si sarebbe guardata bene dall'uscire per muovere rimostranze o dar segno di vita comunque fosse. E pur non sapendo che accadesse di preciso, immaginava la faccia delle sorelle e della serva in quell'ora; il suo fiuto, oramai esperto, le suggeriva di non alzarsi, di non uscire, di non muoversi, di non intervenire per nulla, e le suggeriva bene: "e quelle dissennate che permettono una cagnara di questa specie!".

Passando dalla grande stanza i giovani abbassavano la voce, quegli strumenti di lavoro lasciati in mezzo dalle donne, imponevano rispetto, soggezione: osservavano senza gridare e senza ridere. Talvolta erano rimasti incantati su un bel ricamo in seta e oro a cui bastava sollevare un panno bianco per poterlo ammirare; lo avevano sollevato con due dita timorosamente, e avevano osservato con maraviglia infantile, bisbigliando appena, formando un grappolo con le teste che si sporgevano dalle spalle e dalle teste; e lo avevano ricoperto con la massima delicatezza, quasi fosse un bambino che dorme. Ma talaltra avendo Remo tirato fuori da un cassetto una camicia o un paio di mutandine rosa e azzurre leggerissime, tenendole spiegate aveva detto appartenere a una fanciulla diciottenne e bellissima che fra pochi giorni si doveva sposare, tutto il rispetto per il luogo e per il lavoro se n'era andato a gambe, e di nuovo scoppiata la gazzarra come nel salotto da mangiare. Davanti alle mutandine che Remo teneva tese, Sergio si era inginocchiato e le aveva volute baciare devotamente. E uno alla volta tutti avevano imitato il suo gesto inginocchiandosi davanti alle mutande e volendole baciare, mentre Remo in attitudine ispirata seguitava a tenerle tese.

« Ma cosa fanno, che cosa fanno, si può sapere? » Le grida parevano lacerare le muraglie: apostrofi, epiteti, invocazioni accompagnavano il rito.

« Hanno tirato fuori un paio di mutande! » diceva Carolina rendendosi conto della scena. « Sono della contessina Del Piatta. »

« È Remo che le ha volute far vedere. »

« Che accidenti! »

Riposte quelle minuscole della contessina, tiravano fuori quelle di una marchesa di ben diversa mole. Si scatenava una salve di urla e fischi, di proteste.

« Son le mutande della marchesa Stroppa Guioni » diceva Carolina al como della felicità, pensando alle loro misure.

Anche Teresa, pensando a quell'indumento, si teneva la pancia dal ridere.

Niobe, fra i ragazzi, sputava il suo ultimo dente.

Non potendo fare altro Giselda mordeva le lenzuola: "guarda un poco se si deve permettere, a quest'ora, una cosa simile. Ma non c'è nessuno che va a avvisare la questura? Bisognerebbe scrivere alla sezione". Riaccendeva il lume, guardava l'orologio: "le quattro. È una pazzia che non ha più limite. È roba da revolver".

Finché Remo, congedati gli amici che partivano a suon di trombe finendo di svegliare il resto del vicinato, si ritirava nella sua camera a dormire. E Niobe, lasciando intatto quel campo di battaglia che aspettava le sue braccia fra un paio d'ore, prima di rientrare per un poco nel proprio guscio saliva a dare il resoconto alle padrone che l'ascoltavano in estasi, allucinate, battendo le palpebre a ognuno di quei nomi: "Corrado, Franco, Bruno, Massimo, Renzo, Gastone, Alfredo, Sergio, Jim..." che sbocciavano con l'incanto dei fiori su quelle vecchie labbra e: "Remo, Remo, Remo..." ripetuto tante volte. Le due sorelle si riaddormentavano in uno stato di ebbrezza che dava loro un sonno voluttuoso, un dolce dormiveglia, quasi sentissero delle ignote mani sui loro corpi, carezzarle, frugarle, palparle, e in un languido e remoto brusio cullarle soavemente.

Giselda, oramai arrabbiata ed eccitata di nervi fino allo schianto, non era capace di riprender sonno, ruzzolava per il letto, mordeva le lenzuola, digrignava i denti: "non si può più nemmen dormire in questa casa infame".

Bisogna riconoscere con legittimo orgoglio che in questa terra tutti sono sensibili alla bellezza: di fronte a un giovane dal portamento bello e forte, dal viso di un'armonia eccezionale, che sa portare l'abito con eleganza e disinvoltura, financo il camiciaio e il sarto sono trascinati naturalmente a fidare le loro mercanzie e a pazientare fino all'inverosimile sul pagamento di esse. Il sarto di Remo, poi, faceva per lui condizioni specialissime, dilazioni e arrangiamenti sui conti, rilevanti falcidie. Remo rappresentava un richiamo non trascurabile, era divenuto il centro di una costellazione per quanto fulgida non facilmente definibile, costituita da giovani che non erano certo degli esemplari lavoratori, né facevano serrate proteste per diventarlo al più presto possibile. Diremo anzi che erano tutti senza una reale professione, e appartenevano a famiglie per bene, ma troppo mediocri o modeste per le loro aspirazioni, per il loro desiderio di vivere sproporzionato alle risorse. Cosicché se tutti sarebbero stati incapaci di commettere azioni cattive, erano sempre pronti a cogliere le occasioni favorevoli che si potessero presentare, e magari un tantino, con molta grazia a provocarle; o appena presentate a non lasciarsele scappare anche se di natura criticabile. Esercitavano vari generi di sport in cui taluni erano veri e propri campioni, e si appassionavano a tutti indistintamente, per cui li possiamo chiamare giovanotti sportivi. Adoravano le automobili e avevano tutti, bella o brutta, una macchina, e si dichiaravano piazzisti d'automobili, rappresentanti, mediatori, noleggiatori di macchine. Questi davvero li possiamo chiamare autisti, esercitando la professione dell'auto per sé esclusivamente.

Il sarto sapeva che spostandosi lui era tutta una massa che si sarebbe spostata con grande facilità, e che tenendolo caro esercitava un'attrazione permanente; giacché non ci sono soltanto le femmine a lasciarsi trascinare dalle eleganze, dai fascini del lusso e delle mode, bisogna pensare alla femminilità che è nei maschi, in dose non trascurabile, pure restando strettamente nel loro genere. Infatti il giovane provocava, ovunque fosse, l'ammirazione e le simpatie anche perché, come vedremo in seguito, il suo contegno coi maschi era ben diverso da quello che usava con le donne in generale, e anche per esse aveva tutta una graduatoria che non poteva sfuggire all'occhio esperto.

Nel circondario di Santa Maria una sola persona aveva saputo resistervi: Giselda. Fino dal suo ingresso aveva guardato l'ospite con diffidenza, fino dal primo giorno si era sentita in pieno dissenso con le sorelle. Finché avvilita, sopraffatta dal non trovare un riscontro alla propria voce, aveva taciuto covando un acuto risentimento, aspettando l'istante per ripagarsi del silenzio e dell'umiliazione. E la causa profonda va ricercata nel fatto che dai fascini della bellezza e della gioventù era stata attratta una volta per tutte, e glie ne era rimasta nel cuore un'amarezza inestinguibile. Per aver sofferto troppo di quel male era immune dal suo contagio.

E Remo, fin dal primo giorno aveva guardata quella terza zia in maniera ben diversa da come guardava le altre. Essa lo aveva respinto subito, egli invece aveva seguitato ad osservarla per vedere se non ci fosse una via per giungere fino a lei, smontare la sua ostilità della quale non conosceva le cause. Appena si accorse che non era il caso di temerla, non solo, ma che la sua avversità gli recava ottimi frutti spingendo all'eccesso opposto le sorelle, allora cercò ogni mezzo per farsela nemica senza riserve, trattandola con ironia, chiamandola: "madama", o fingendo tema e premura per il suo stato di salute: "Hai dormito male stanotte? Hai una cattiva cera, sei verdastra, una purga leggera, forse, ti rimetterebbe in forma, ti farebbe bene", sfidandola apertamente, sprezzandola e offendendola ovunque e sempre. Ma essa pure, conoscendo il giuoco, si ritraeva quanto poteva dal provocarlo, vincendo con fatica il proprio impulso, prendendo tutto e tutto tenendo per sé. Talora aveva trovato eco nel vicinato, fra i meno ligi alla potenza delle zie e ai fascini del nipote: l'altezzosità con la quale era stato imposto, quel "lei" che tutti gli dovevano dare era rimasto indigesto a parecchi: i pugni da lui dispensati con tanta destrezza e in quantità strabocchevole, e il conseguente disinteresse dimostrato per tutti fuor che per Palle, avevano lasciato qua e là della ruggine: faville d'odio covavano sotto la cenere. Ma alla presenza delle padrone la voce ribelle si era cambiata in servile, come di fronte a lui tutti andavano in visibilio per le scarpe magnifiche che a lei toccava di lucidare; per il vestito, la camicia o la cravatta annodata bene. Il risentimento e l'ostilità si cambiavano in adulazione, il sussurro in bocche aperte che stavano ad ammirare.

Poi a Giselda, essendo il fondo del suo animo altèro e nobile, ripugnava di sfogar fuori il disagio che soffriva nella propria famiglia, e vi era ricorsa solo allorquando si era sentita serrar la gola dall'amarezza e dalla solitudine. In casa non apriva più la bocca per parlare, piaceva troppo alle sorelle di rimbeccarla, di mostrarle la loro gioia nel fare tutto il contrario di quanto ella credesse fatto bene, di far qualcosa che le dispiacesse a sangue, provocare la sua ostilità aperta, metterla in una posizione definitiva, estrema, impossibile. Da un pezzo faceva sforzi sovrumani per non dimostrare niente, tenendo celato il proprio pensiero, tutto chiudendo in sé per non esporsi alle sconfitte ed essere per ciò fonte di troppe allegrie.

Quello che le sorelle amavano di più era l'atteggiamento di superiorità e disprezzo che Remo aveva preso con lei, nulla dava maggior piacere dell'offesa che le veniva da lui direttamente, risparmiando a loro la fatica di offenderla. Anche Niobe, per quanto di animo generoso e dolce, il modo col quale Remo trattava l'anfibio, la serva che le toccava un po' servire, le piaceva a fondo, e che pretendeva di far la superbiosa disprezzando un giovanotto come il contado non ne aveva mai vantato né poteva vantarne uno simile, e che era l'ammirazione di tutti. Contro la faccia dura di Giselda, Niobe ammiccava a Remo dietro le spalle, opponeva la sua sempre serena, gli strizzava un occhio indicandone la lunghezza del grugno. Remo rispondeva con un sospiro alla vecchia fedele, che sapeva di aver vicina in ogni cimento, un sospiro ironico all'indirizzo della fortezza inespugnabile ed espugnata tanto bene, alla sua strenua resistenza tanto dannosa o inutile per lei quanto per lui provvidenziale.

Ora Giselda, a cui la voce era divenuta una facoltà inutile per il vivere comune, dal primo piano della casa mentre accudiva alle faccende domestiche, o chiusa nella sua camera incominciò a cantare: cantava spesso e cantava forte, spiegando la voce, e tanto più cantava, e tanto meglio, quanto più fiutava il temporale al piano sottostante. Cantava tutto, canzoni e canzonette, arie popolaresche, e soprattutto vecchie melodie di opere popolarissime. Quanto sapeva e le veniva in mente lì per lì; di modo che alla burrasca del pianterreno si aggiungeva questo lirismo del piano superiore.

Bisogna riconoscere che non cantava male, e per quanto inesperta non aveva una brutta voce, sapeva modularla con garbo ed era intonatissima; e sempre meglio si affermava nell'esercizio tanto che dalla strada i passanti alzavano la testa per attrazione.

Non è possibile descrivere fino a qual punto questo maledetto cantare desse sulle corna alle sorelle, si sentivano scendere il respiro in fondo allo stomaco, più giù ancora, alle basi del torace; giacché lei sapeva fiutar nell'aria il momento propizio che era, s'intende, il meno propizio per esse; e come esse spiassero in quel canto per sorprendervi un'offesa diretta alle loro persone, una puntata, un doppio senso, un'allusione che in qualche modo le riguardasse, una celata canzonatura per insorgere, imporle il silenzio, una lesione alla loro potenza e autorità. Nulla: mai nulla. Giselda sapeva schivare tutto con abilità sopraffina, non era possibile coglierla in fallo, farla cadere. Né si sa come potesse fare a schivar tanti pericoli insieme: sapeva camminare sulle fiamme senza lasciarsi attaccare un lembo della veste.

Si trattava di una discussione, piccola o grande, per un conto da pagare, o di una scena vivace per l'entità e la sorpresa di quel conto. Si trattava di rimostranze per il peso che nella casa esercitava Palle il quale, non staccandosi mai dall'amico era sempre lì a mangiare e con un appetito di classe; e quando era fuori, le zie lo capivano bene, Remo spendeva per due. Mentre a casa, la madre di Palle ripeteva fidente: "Signore, sia fatta la tua volontà sempre e in ogni dove". Certo, sicuro, aveva ragione, non c'era da darle torto, poteva ringraziarlo il Signore, poteva lasciarlo fare che come faceva faceva bene... Dal primo piano si levava la voce:

Noi siamo zingarelle
venute da lontano;
d'ognuno sulla mano
leggiamo l'avvenir.

Sul principio le zie, quando Remo ebbe stretto amicizia
con Palle, rimasero assai contrariate da questa preferenza.
Fra tanti giovani andarsi a scegliere il più sciagurato, dise-
redato dalla sorte; il più rozzo, goffo, vestito male, che non
poteva avere in famiglia le cure indispensabili a un adolescente, che sarebbe divenuto un manovale della più umile
specie... loro, che già puntavano le mire alte sull'avvenire
del nipote. Ma la cordialità profonda, schietta, con la quale
Remo trattava il compagno: "vieni, Palle; senti, Palle; via,
Palle...", aveva per lui un calore nella voce come non aveva
per nessuno; e la devozione con la quale il compagno lo
seguiva ovunque, le lasciarono perplesse nel rimproverarlo;
e giudicando poi con la vanità dalla quale già erano perva-
se, tacquero ammirate, vedendo in Palle niente altro che
l'ombra del nipote. Remo si era scelto un giannizzero, un
seguace, un servitore: ciò ne confermava sempre meglio
l'abilità e la forza. Finché il fatto di far sedere alla tavola
anche il seguace, l'ombra che all'ora del pranzo prendeva
corpo nella maniera più consistente, fatto divenuto un po'
alla volta una consuetudine, non le pose di nuovo in posizione di contrarietà. Remo aveva preso a dire: "vieni, Palle,
si va a mangiare; oggi mangia con me". E quello, dopo le
incertezze dei primi giorni, accettava senza farselo ripetere;
e loro stesse vedendo come i giovani fossero contenti di
trovarsi insieme, finirono per prendere gusto a quell'aumento di famiglia non trascurabile, a quell'intervento che
aveva trasformato la loro mensa, frettolosa e frugale, in
un'ora di ricreazione. Ma quando facendo i conti con Niobe dovevano constatare che le spese della casa, non si sa

come mai erano triplicate, e sul fenomeno rimanevano perplesse, estatiche, pensierose senza parole, si sentiva dal primo piano:

> se quel guerriero
> io fossi se il mio sogno
> si avverasse!... Un esercito di prodi
> da me guidato...

Mentre la madre di Palle ripeteva in estasi: "Signore, sia fatta la tua volontà ovunque e sempre".

Come già vi ho accennato, verrebbe fatto di supporre che affinità naturali sviluppatissime avessero avvicinato i due giovani e li tenessero insieme, ma una tale supposizione comune e facile, nel caso nostro non vale. Le affinità, sovente, provocano amicizie superficiali e fragili nutrite da una solidarietà d'interesse, talvolta apparenti o infide, che nascondono profonde rivalità, gelosie, e portano facilmente alle delusioni e alle sorprese. Qui è il caso di dire che una rivalità esauritasi in un atto di violenza li aveva fatti conoscere, e le naturali diversità li avevano uniti e li tenevano legati saldamente in un unico slancio: osare, vivere per osare: ben delineata nell'uno, cosciente; istintiva nell'altro, informe.

Remo era fisicamente bellissimo e di portamento signorile, Palle aveva un fisico insignificante e irriducibilmente popolano; ciò che lo faceva apparire timido vicino al compagno il cui ardimento era palese; ed era più di lui ardimentoso, fiero e sicuro di sé. A Remo quella rozzezza non dispiaceva, anzi l'amava, né faceva nulla per ridurla o attenuarla, voleva che l'altro fosse lui quanto era possibile. E Palle non aveva uno sguardo invidioso per l'abito dell'amico, che gli piaceva addosso a lui, che doveva essere così, ma non avrebbe fatto nulla per averne uno simile. In Remo era il temperamento del comandante, in Palle quello del subalterno: tutto l'ardire di Remo doveva passare al vaglio del calcolo, doveva produrre al proprio fine, la mente di Palle si rifutava al calcolo, il suo ardimento era disinteressato, in ogni impresa dava se stesso senza domandarsi che desse e che ci fosse da prendere: doveva dare, ma per dare aveva bisogno di una regola, di un capo da seguire, di un altro per esprimere sé. Erano come il soldato e l'ufficiale, stabilito il principio l'uno comanda e l'altro obbedisce; la diversità del compito non ha più che un valore pratico, sono due cuori che battono insieme per la stessa fede alla medesima altezza dello spirito. Ma siccome la battaglia era la vita, e i combattenti in questo campo sono egoisti, e spesso ciecamente, ferocemente egoisti, Remo era armato fino ai denti per combattere mentre il compagno era inerme; solo sarebbe stato schiacciato senza scampo, divenuto un servo, uno schiavo, un animale da tiro come il padre e la madre. Il puro aveva bisogno dell'esperto per vincere, e all'esperto faceva tanto bene sentirsi al fianco quella purezza che raddoppiava il suo ardire. Remo in fondo, non amava che Palle, quello che passava per il suo garzone rappresentava la parte migliore di sé.

I due adolescenti erano davanti al mondo con le sue strade lunghe, piane, sulle quali passano quelli che posseggono delle belle macchine, i fortunati che hanno tanto denaro da spendere e possono cambiarle a piacimento o capriccio; assistere a tutte le gare e che, per quanto di classe elevata, la medesima passione affraterna coi più umili e, come la divinità, fa sentire uniti. Erano davanti al mondo coi suoi voli prodigiosi per la cui grandezza anche il pensiero della morte sparisce; le sue corse vertiginose, la sua ebbrezza di velocità. Respiravano nell'atmosfera di febbre generata da esse, dalle dispute, dal bisogno di osare, di correre, di correre sempre più forte: la volontà, la forza, la destrezza, tutto, tutto per correre.

Palle era incapace di iniziative. Remo sentiva il bisogno

di uno che lo seguisse nelle proprie e per la cui realizzazione aguzzava la mente; di uno che lo approvasse senza discutere. La gioia reciproca più grande era di dormire insieme. Palle si mostrava felice quando Remo gli diceva: "stai qui a dormire, stai con me". Composto, e un po' rannicchiato nell'immenso letto sotto il gran baldacchino di damasco celeste, gli occhietti chiari di Palle guardavano furbescamente non sapendo trattenersi dal ridere, domandandosi dove fosse e che potessero rappresentare delle cose tanto strambe. E così ridendo si addormentava nel pensiero che la prima parola dell'amico al mattino, sarebbe stata l'annuncio di un progetto: che cosa si doveva fare, dove si doveva andare; per il piacere di sentirselo dir subito non appena aperti gli occhi, senza attesa... senza doverlo venire a prendere. Quanto all'altro piaceva di sentirsi vicino, fino dall'aprire gli occhi, il compagno di spedizione.

Erano silenziosi entrambi, parlavano poco con tutti né amavano le chiacchiere, anzi, li infastidivano. L'uno se ne liberava col suo contegno che generava freddezza, l'altro sottraendo la propria persona puerilmente, rispondendo con colpi di gomito e di spalla a coloro che dicevano "Palle! Palle!" per ficcare il naso nei loro affari, in quelli di Remo in maniera particolare.

Si comprendevano a gesti, a monosillabi, a occhiate, con parole del loro gergo; e tutti e due stavano bene fra i maschi per parlare dei comuni argomenti; informarsi, portare notizie, raccontare, discutere. Per Remo il tempo che dedicava alle donne era pesato con le bilancine dell'oro, le guardava freddo e indifferente, come un campo da conquistare nel minor tempo possibile. Palle si sentiva impelagato fra le donne quasi che le loro sottane fossero di pece, non vedeva il momento di svincolarsi e di uscirne. Le donne lo facevano ridere e gl'incutevano timore, era tanto maschio che quasi non sapeva parlare con le femmine.

Non erano sentimentali né era sviluppata in essi la sensualità.

L'amore che Palle nutriva per la madre era ascetico, non più di questa terra, fatto di devozione, non ammetteva parole, e amava l'amico quale parte integrante di sé, come amava la vita. L'atto sessuale era per Palle una cosa fisicamente semplicissima, ma spiritualmente così alta da non potersi convincere come gli altri la considerassero con tanta disinvoltura; e costretto a parlarne volgeva il viso per ridere, come a tavola si nascondeva un po' col braccio per mangiare; e vi era attratto soltanto dall'esempio o meglio, trasportato dalla corrente, non si ritraeva per virilità, ma conservava in ogni luogo una scontrosità istintiva, e il suo pudore virile. Gli pareva una cosa che non si dovesse fare con tanta leggerezza, né riusciva a superare la sua impressione sfavorevole, ma soltanto fra due creature unite da un vincolo indissolubile e fra cui sia svelato il segreto naturale. Il giorno che avesse parlato con interesse ad una giovane, quella sarebbe stata sua moglie: sarebbe stato un marito fedele e un buon padre.

Fra gli amici di Remo, spregiudicati, vissuti, tutti di tono borghese, Palle, con le mani in tasca, il berretto calcato sulla fronte e l'andatura sfuggevole, teneva il posto del cane: c'era sempre ed era come se non ci fosse, era sempre a tiro quando ci doveva essere e sapeva non far sentire la propria presenza pure essendoci ugualmente. Non teneva più posto di un cane, ed era contento di essere al proprio posto con precisione. Ogni tanto, come il cane, diveniva centro del gruppo, tutti avevano per lui affettuosità e tenerezza, fino allo scappellotto, fino all'abbraccio e al bisogno di accarezzarlo. Proprio come il cane. Offriva a tutti le spalle rotonde e massicce e il suo sorriso buono e furbo insieme.

La diversità del compagno in questo campo era enorme. Nemmeno Remo era dominato dalla sensualità, anzi, la

dominava perfettamente, ma aveva compreso senza indugio
che valore avessero nella vita le donne, e quale ascendente
potesse esercitare sopra di esse, quello che rappresentassero
nella nostra società. Conservava la propria freddezza in
ogni caso, un contegno enigmatico e il sorriso accennato
appena del padrone.

Anche da Remo, Palle, si prendeva qualche scappellotto
per troncare un argomento sul quale, per la troppa lontananza, non era possibile discutere.

Per vederli all'unisono nella loro differente personalità
bisognava osservarli davanti ad una macchina, affaccendati
intorno a essa, nelle sue viscere per ripararne il motore,
scoprire il guasto, il difetto, ridarle il movimento; e siccome
avevano sempre alle mani delle macchine esauste, scon-
quassate, la loro perizia assurgeva a prove inverosimili. Erano capaci di render vita precaria a qualsiasi cadavere. Il
corpo di Palle non era più un corpo umano: ma una sfera,
una ruota, un arco, una forca, un'asse, una trave, un trivel-
lo, una leva, un tampone... del suo corpo tutto sapeva fare
per la bisogna. Il corpo di Remo rimaneva in ogni caso
immutabile: era sempre un corpo umano magnifico che si
rivela, si piega, si svolge, si snoda, che attraverso i movimenti mette un'anima alla luce. Anche la macchina era
dominata dall'uomo. Palle ne era il servo amoroso, devoto,
e tale rimaneva montandovi e facendola andare, la sua persona rappresentava una necessità sopra di essa. Per Remo
invece la macchina non era completa finché non vi era
salito il suo conducente: pareva aspettarlo, chiamarlo,
come una donna malinconica e sola aspetta l'amante, e
appena sopra gli si abbandonava facendo una cosa con lui,
tutto facendo convergere alla sua testa, rimanendone il
signore.

E anche per esaminare la loro diversità e la loro unione
bisognava osservarli ad una corsa di macchine, su pista o su

via, in aria o in acqua. Per assistere a queste gare, ovunque fossero, avevano affrontato disagi e pericoli, tutte le incognite; v'erano andati con tutti i mezzi, i più assurdi, con macchine in condizioni disperate. Lì era la fede che unisce i cuori. Davanti ad una macchina in corsa gli occhi di Remo abbassavano le ciglia fino ad unirle, fino a produrre un'ombra fra le palpebre, come mettendo in fuoco un cannocchiale, pur non mostrando nel resto del corpo la tensione vivissima. Gli occhi di Palle divenivano sempre più piccoli, piccolissimi, curvandosi egli gradualmente, rientrando in sé; due punti, due frecce.

Questo senso agonistico della vita era il loro senso, della vita alla giornata, e dava ai due giovani una possibilità di eroismo che era per essi quotidiana, fisica, normale; e che disgraziatamente non si presentava quanto era l'aspirazione. Domani, richiesti, ognuno sarebbe stato capace di audacie grandi che li avrebbero fatti operare solo rivolti alla bellezza dell'atto, senza che neppure si affacciasse nella mente l'ombra del sacrificio o dell'interesse.

E se alla bellezza sono sensibili gli amici e i conoscenti, quelli della famiglia e del vicinato, e financo coloro che fidano le proprie mercanzie, alla bellezza saranno sensibili altre categorie di persone.

Non si sa come mai Remo, evasivo e disinteressato sempre e con tutti nel circondario, da qualche tempo, e con una certa insistenza, teneva d'occhio la clientela delle zie. Fingendo di trovarsi lì per caso, mostrandosi indifferente o distratto, osservava i tipi di donne che venivano per le commissioni. Con tutto il rispetto e la deferenza che le sorelle avevano per le loro clienti, non stavano nei panni di far sapere chi fosse quel giovane che si trovava sulla porta o sul cancello, manovrando una macchina davanti a quello, o che con molta disinvoltura attraversava la stanza per entrare e uscire. Era sufficiente un'occhiata per ritenersi in diritto di parlare; occhiata che, le più volte, avrebbe preferito non essere sorpresa dalle cucitrici il cui interesse era rivolto, oramai, più a quella che agli argomenti sulle mutande e le camicie.

« È un nostro nipote. »

« Figlio di una sorella morta in Ancona ancora giovane. »

« È orfano di padre e di madre. »

« Ha ventidue anni. »

« Sta con noi da otto anni. »

Se Remo si trovava lì, senza prendere ciò per una vera presentazione, abbozzava alla dama e alla signorina un inchino che era insieme rispettoso e strafottente, un dovere che si compie in fretta non potendosene esimere. E intanto, con grande rapidità, osservava i tipi, e se era il caso si tratteneva sul cancello, non per vederle uscire e salire in automobile, anzi, non si voltava neanche, ma per dare agio a loro di poterlo vedere. E si guardava bene dal ripetere un saluto, sia pure freddo e distratto, ora che non vedevano le zie; lasciando capire che l'omaggio precedente era rivolto a loro, non alle dame; o dall'interrompere, per salutarle, un discorso con Palle. Ed essendo insuperabile in quest'arte, senza bisogno di guardarle nemmeno alla sfuggita, si rendeva conto esatto dell'interesse suscitato in quelle che credendolo col pensiero chi sa dove s'indugiavano ad osservarlo come non avevano potuto fare prima davanti alle donne; né era facile stabilire chi lo scrutasse con maggiore intensità se la figlia ovvero la madre. La prima, alla vigilia delle nozze faceva forse qualche malinconico confronto, contentandosi di ammirare, poiché non vi è sposa fedele (a questo aggettivo non vorrei aggiungere cifre, non conosco le statistiche) che almeno con gli occhi non abbia tradito il coniuge parecchie volte.

Quando capitavano i sacerdoti le zie facevano la presentazione ufficialmente, e Remo accoglieva con premura la mano che porgeva bonario il sacerdote, amico più che cliente. Parlavano insieme di cose qualunque, Remo sorrideva aperto, diveniva loquace, tanto che le zie si guardavano per domandarsi di dove venisse fuori tanta eloquenza e bonomìa. Usava coi preti una tattica speciale che non aveva nulla a che fare con quella usata per tutte le altre categorie, e cattivandosene con certezza la simpatia: fingeva di darsi, da ragazzone spensierato, bonariamente, per modo che se le donne dovevano corrergli dietro per non averlo mai, questi se ne andavano sicuri di averlo preso al volo e di portarselo via, e non avevano preso niente. Se ne andavano esprimendo il proprio compiacimento con le zie: "bel giovane, simpatico, vivace, saranno contente di averlo qui". Non erano capaci di rispondere. La faccia di Teresa, perduta la sua durezza di lavoratrice, diveniva una cera che si scioglie al calore, e Carolina seguitava ad avvitarsi sulla seggiola nella tema di cadere. Soltanto quando apparivano le beghine Remo tirava di lungo senza neppur voltarsi. E quelle alla loro volta filavan dritto lasciando pensare a un segno di croce fatto dall'aria per l'incontro di due forze eterogenee. Poi c'erano le zie che sapevano prendere le sue vendette anche con quelle; le facevano tornare cinquanta volte per sentire se non fosse ultimata la famosa tovaglia o il famoso càmice, e alle quali rispondevano dispettose: "no, non s'è potuto fare".

Da qualche tempo era divenuta assidua delle ricamatrici una bizzarra cliente che abitava a Settignano in una villa, una contessa russa scampata per miracolo alla rivoluzione di Lenin, e sulla quale correvano molte voci e fantasie. Il marito, uomo politico dell'antico regime, era rimasto ucciso nella rivoluzione e la contessa, avendo perduta la propria nazionalità, le aveva prese tutte: era figlia della Società delle Nazioni. Aveva potuto sfuggire alla bufera partendo casualmente per Parigi al suo scoppiare. Ella aveva a quel tempo una casa a Parigi dove dimorava buona parte dell'anno, e pare avesse potuto salvare insieme, o in gran parte, le proprie ricchezze; o quelle, con ottime gambe, l'avevano preceduta nella corsa, giacché possedeva delle macchine magnifiche, una villa, dei domestici, e conduceva una vita lussuosa e originale. Anziché circondarsi di dame e gentiluomini come lascerebbe immaginare il suo rango, si circondava esclusivamente di gioventù, gioventù mascolina sportiva. Non la si vedeva mai con un'altra donna. E per quanto fosse scampata materialmente a un ciclone infernale, uno se n'era scatenato nel suo spirito quanto quello inesorabile: da donna intellettuale era divenuta sportiva. I calci, i pugni, i salti, le corse d'ogni genere, avevano preso il posto dei pensieri profondi, delle indagini umane, degli impeti lirici e delle liriche armonie; delle discussioni dotte, brillanti o ponderose. Denunziava trentanove anni con fresco cuore, ma era facile capire come alla soglia di quella quarta arcata la contessa si fosse voluta fermare, non al modo del mendico lamentoso e supplichevole, o magari sospettoso, guardingo; né al modo del fanciullo che fa le bizze, urla e strepita senza saper perché, e una volta impuntato non vi è più mezzo di farlo procedere. Il suo posto legittimo era oltre la quinta largamente.

Le Materassi le confezionavano, di una tela finissima, un suo speciale indumento detto "combinazione giglio", adottato da quando la contessa si era stabilita a Firenze in omaggio all'insegna floreale della città ospite: una camicia con mutandine attaccate che serravano il corpo all'altezza dei seni e alla sommità delle gambe in quel calice profumato di cui assumevano il nome.

Dal saluto fra Remo e la contessa scaturì, a proposito delle automobili, una vera e propria conversazione. S'in-

contravano tutti i giorni sulla via Settignanese, Remo conosceva di fama la signora che lo guardava con insistenza
senza riuscire a farsi rendere uno sguardo; giacché Remo,
invece di guardar lei osservava col più vivo interesse le sue
macchine molto diverse da quelle con le quali egli era
costretto a transitare sulla medesima via. Lo aveva sorpreso
più volte accidentato nella macchina e in faccende per
rimetterla in moto. Rideva, rideva la contessa, rideva senza
riguardo. E Remo, anziché impermalirsi per la facile canzonatura, rideva con lei sulle miserie delle proprie risorse, per
quanto si spacciasse per mediatore d'automobili e per rap-
presentante; prendendo la cosa con molto spirito mentre
gli si maturava dentro una decisione: ad un giovane come
lui era indispensabile una bella macchina, era finito il tempo dei catorci da due o tremila lire, che soltanto l'eroismo
suo e di Palle eran capaci di mantenere alla luce del sole; il
possesso di una macchina rispettabile diveniva necessario
quanto il pane. Questo pensava Remo mentre rideva con la
contessa. Ma quando essa di punto in bianco gli propose di
accompagnarla a Settignano per visitare la propria villa
oppose un rifiuto con altrettanta spontaneità, adducendo
che doveva recarsi a Firenze. L'allegria della signora ebbe
un attimo di sospensione, quindi riprese a ridere come se
nulla fosse: non era donna da lasciarsi sopraffare dalle contrarietà, seguitò a ridere salendo nella sua vettura e salutan-
do Remo in maniera da non lasciar comprendere se volesse
portar via qualche cosa di lui o lasciargli qualche cosa di sé.
Nell'un caso o nell'altro, Remo, non parve sollecito, sia
nell'accogliere quello che gli si offriva tanto generosamente, quanto nel cedere quello che gli si chiedeva ridendo.

Due giorni dopo la contessa era lì per nuove e piccole
varianti alle combinazioni giglio di cui le Materassi, stavolta, le dovevano confezionare una dozzina intera.

Remo era ad aspettarla.

Fu ripresa la conversazione e trasportata sui più tifosi argomenti; e quando la contessa partì, Remo accettò l'invito e salì nella sua vettura per recarsi a Firenze.

Due giorni ancora: e nuova visita. La contessa era lì, tutti i giorni, e ci tornava, si capisce, perché non le riusciva di spostare la base dell'incontro, crearne una nuova. Se voleva vedere Remo doveva andare a cercarlo lì, unico luogo dove lui si lasciasse pescare. E quando uscendo lo invitava per recarsi a Firenze approfittava dell'invito con molta disinvoltura e saliva nell'automobile; quando invece insinuava di condurlo a Settignano per visitare la sua villa, rifiutava pronto e deciso, con disappunto sempre crescente della contessa: aveva da fare, doveva recarsi in città dove era atteso, era già in ritardo e doveva correre, chiamare Palle che mettesse in moto il girarrosto, la vaporiera, il macinino del caffè, come diceva ridendo alla contessa, o se quello era pronto vi saliva in fretta dopo avere accompagnato la dama alla sua automobile.

Nel tempo che quella si tratteneva, tempo che tendeva sempre ad aumentare, girellavano in su e in giù davanti alla casa, lungo il muretto basso come due sentinelle, parlando di sport, esclusivamente di sport, solo argomento di cui fosse possibile tenere un discorso con Remo, e solo oramai anche per la signora che era sportiva all'eccesso dopo aver disertato, e senza rimpianto, i campi dello spirito. Si potevano incontrare nella sua villa i più celebri e diversi campioni del momento, di cui era amica: lotta, scherma, pugno, calcio, nuoto, canottaggio, tuffo, salto, palla nuoto e palla canestro, ciclisti e podisti, aviatori e automobilisti. Essa pure esercitava talune di quelle attività, era vogatrice forte e nuotatrice di resistenza; tirava di scherma, aveva in casa una piscina e ogni mattina, prima del bagno, faceva le campanelle e la sbarra. Ma questa non era la sola ragione per cui gli acuti settignanesi chiamavano la sua villa il "dopolavoro di ginnastica". Non lasciava una corsa, una partita, una gara, né vi era luogo o intemperia capaci di trattenerla o intimorirla. E durante lo svolgimento si entusiasmava fino a battersi con un'altra donna. E da romana adottiva le era familiare il gesto di lanciare il berretto basco al vincitore alla fine di una disputa. Dicevano le persone maliziose che per quanto vi fosse dentro il nome con lo stemma e l'indirizzo della contessa, non tutti i berretti tornavano alla loro provenienza. E come un tempo a Parigi la sua casa era stata frequentata dai più famosi pittori e scultori, musicisti, letterati e filosofi, dopo aver presieduto per molti anni i loro dibattiti, diviso i loro cerebrali tormenti, goduto la loro intimità ed amicizia, in seguito al rivolgimento di cui sopra, per il quale era passata alla riva opposta, all'azione che risolve tutti i problemi, li rigettava in massa chiamando gli artisti e il loro genere: *emmerdants*; e i professori e filosofi, con le loro morali sballate e i loro dubbi pessimisti: *vieux cocus*. Non vi è miglior filosofia di quella che si esercita con le gambe e con le braccia all'aria libera, conservando il cervello intatto, mentre tutte le altre provengono dalla tumefazione di esso: "*je suis grecque*", ripeteva scattando la contessa e gettando a mare l'intero bagaglio della sua nazionalità ginevrina; "*je suis grecque*", e aggiungendo che gl'italiani sono gli eredi naturali della Grecia, e che la gioventù italiana è la migliore di tutte, equilibrata "*dans sa chaleur*" e che ella aveva trovato in Toscana una materia "*formidable*". Vi aveva trovato l'uomo, addirittura. È certo che il povero Diogene, dall'al di là, doveva guardarla con invidia, e un tantino di rabbia dopo averlo cercato tanto inutilmente con la sua lanterna; e doveva dire mordendosi le labbra: "guarda un pochino chi lo doveva trovare".

Tutti questi discorsi venivano fatti andando in su e in giù davanti alla casa per un numero infinito di volte, e che tendeva a crescere ad ogni nuova visita.

Sul principio le Materassi, ogni qualvolta i due passavano davanti alla porta, alzavano macchinalmente la testa senza guardarsi; presero quindi a non voltarsi neppure e a rimanere con la testa china sul lavoro qualunque fosse il tono della conversazione: parlassero alto o sommesso, e qualunque fossero le escandescenze e le risate squillanti della dama. E non è a credere che si fossero abituate ad un simile esercizio o lo subissero con pacifica rassegnazione, si sentivano rodere il fegato e macerare il cuore, divenivano sempre più furibonde contro quella donna per il suo modo di fare e di procedere, contro la sua voce insolente e la ridicola figura; per quella visita che rivelava ormai e senza pudore, la vera causa attraverso la scusa delle camicie. Per un po' si sentivano come rattrappite dentro una ghiacciaia durante le fasi di quei discorsi, e per un po' in un forno a cuocere, in una padella a friggere. Se almeno dal primo piano Giselda si fosse fatta sentire! Macché. Cantava solamente quando avrebbe dovuto stare zitta, non faceva mai una cosa che tornasse gradita alle sorelle. Ora che la sua voce sarebbe stata un intervento celeste con una strofettina calettata per l'occasione, l'infernale creatura era muta come un pesce. E pur non levando il capo intervenivano esplodendo quando non ne potevano più, altrimenti sarebbero scoppiate. Allorché la contessa affermava a cuor leggero di avere trentanove anni: "e la culla!" esclamava Teresa, e Carolina ribadiva: "Sfacciata! Con altri venti sopra". E prendevano a coronare le sue affermazioni quasi avessero risposto alle litanie.

« Carina, la rematrice. »

E se diceva che le piaceva di nuotare: "affoga!". O che tirava di spada: "facessi la fine del tordo!".

« Mi piacerebbe di vederla saltare. »

« Sarà il salto dell'orso. »

« No, quello della scimmia. »

« Almeno si troncasse il collo. »

« Poterla impalare. »

« Darle fuoco! »

« Sì, ma prima ungerla bene. »

E se la rifacevano con Lenin, che dopo aver ammazzato chi sa quanta brava e buona gente, si fosse lasciato scappare un arnese di quel genere.

La contessa oramai non si occupava di esse in modo alcuno, e si comportava come se fosse stata in un caffè, neppure rivolgendo loro uno sguardo, e andava via senza degnarsi di salutarle.

Parlarono a Remo della cosa. Bisognava finirla con quella visita: per il buon nome della famiglia quella donna doveva essere allontanata e senza indugio. Remo rispose con grande semplicità che lui non c'entrava per nulla in certe visite, e se la contessa si tratteneva a lungo non toccava a lui di mandarla via, non era il padrone e non poteva usare villania a chi gli dimostrava gentilezza.

Allora le zie vennero in una risoluzione eroica: mettere da parte ogni lavoro, lavorare anche la notte per ultimare le combinazioni giglio nel minor tempo possibile, e levarsi dai piedi la cliente importuna.

Nello spazio di una settimana furono eseguite le dodici combinazioni e per Giselda rimesse sull'istante, col relativo conto, alla contessa. E siccome la volta precedente glie le avevano fatte pagare sessanta lire ciascuna, prezzo stabilito di comune accordo, per attaccar briga, provocando una discussione nella quale si sarebbero comportate in modo da liquidarla, glie le segnarono settantacinque.

La mattina dopo si fermò l'automobile della contessa, ne discese il conducente con un pacco e una busta: il conto da saldare col relativo importo. La contessa pagava senza neppur fiatare sull'aumento del prezzo. Nel pacco era la tela per altre dodici camicie da eseguire con tutta comodità stavolta, ella stessa sarebbe venuta per discutere sul disegno e i ricami.

Le Materassi rimasero interdette, allibite, con nelle mani il denaro e la tela, senza sapere più quale movimento dovessero fare. Teresa firmò il conto preoccupata, quasi firmasse un atto grave, e una volta sole si guardarono insieme: "Che si fa? Che cosa si deve fare?".

Quel giorno, dopo il desinare, non appena se ne fu andata Giselda, Remo dové intrattenere le zie sopra un argomento importante. Egli aveva compiuto oramai i ventidue anni, era l'ora di pensare a una sistemazione concreta, aveva in vista delle possibilità che non intendeva di lasciarsi sfuggire: la rappresentanza, per la zona di Firenze, di una nuova macchina destinata a grande successo. Ma per entrare in rapporti con la casa produttrice, e per potersi imporre, doveva egli stesso possedere una macchina del valore di trentacinquemila lire. Da questo passo dipendeva il suo avvenire.

« Trentacinquemila lire? »

« Da pagarsi a rate. »

Le sorelle non avevano mai sentito pronunziare con tanta semplicità una cifra simile. Le cifre erano state nella loro vita delle tappe faticose e lunghe, come ascensioni di montagne inaccessibili, le cui vette avevano raggiunte col sacrificio completo di sé. Fino a quel giorno si era trattato di due o tremila lire per un conto da pagare, per far fronte a questa o quella necessità, alle spese quotidiane; la cifra le spaventò, non ebbero la forza d'insorgere né di negare, di ribellarsi a una richiesta tanto sproporzionata alla loro forma di mente più che alle loro stesse possibilità. Chinarono la testa per dire un "no", doloroso, senza voce, quasi avessero ricevuto un colpo mortale.

« Non fa nulla » rispose Remo calmo, rassegnato « capisco, capisco, avete ragione, lo so. »

Quindi, rivolto a Palle, disse di preparare la macchina perché sarebbe stato fuori due giorni e, cosa davvero insolita, sarebbe partito solo. Intanto saliva in camera per preparare una valigia. Arrivata la macchina, chiusa la valigia, quale fu la maraviglia delle zie nel vederlo partire non alla volta di Firenze, come sempre, ma in direzione opposta sulla via Settignanese.

Non ebbero nemmeno la forza di pronunziare il loro dubbio e quel nome. Passarono due giorni di cupo silenzio, in cui erano sommerse tutte le domande, e Remo riapparve a Santa Maria sopra una magnifica automobile.

Fu un ritorno triste. Anziché provocare giocondità, lo splendore della macchina rifletteva nella casa angoscia e dolore. Silenzio e indifferenza da una parte, dall'altra silenzio gonfio di rampogne e di minacce.

Dopo due giorni di questo tormento, di questi silenzi che andavano facendosi l'uno sempre più peso, plumbeo, e l'altro sempre più aereo, fu il nipote a rompere il ghiaccio con la consueta naturalezza e un sorriso sopra il labbro quasi dolce, di una dolcezza, però, alla quale non era bene si lasciasse troppo allettare il palato delle zie.

« Insomma, si può sapere che cosa volete da me? »

Non aspettandosi un tale esordio, le donne si guardarono insieme esterrefatte, sentendosi disorientate già nei confronti del loro interlocutore che, in assenza di risposta, ripeté tranquillo, scandendo bene le sillabe:

« Che cosa volete da me? »

Si guardarono ancora l'una l'altra due volte, quindi guardarono lui quando credettero di aver trovato il bandolo delle parole.

« Vederci chiaro » disse Teresa sollevata dallo smarrimento e affrontando la prova da forte.

« Su che? »

« Come hai avuto quella macchina? »

Remo mostrava volersi armare di tutta la pazienza e di una buona dose di sottomissione, parlava per convincere:

« La macchina mi è necessaria, ve l'ho già detto, mi è indispensabile, debbo aprirmi una carriera, debbo crearmi uno stato, non posso continuare più a lungo così. Spero ottenere la rappresentanza, per la zona di Firenze, di questa o di altra macchina. Eppoi... eppoi... anche se non la ottenessi, la macchina avrebbe reso i suoi servigi ugualmente; la bella macchina è come il bell'abito, ha un valore che voi dovreste conoscere meglio degli altri e invece dimostrate di non capire; il mondo è fatto a questo modo, spero di arrivare al mio scopo. »

« E come hai fatto per pagarla? »

Teresa era già sulla via di queste domande con la risposta attaccata, e Carolina fissava Remo avida e luccicante convinta già dalle sue affermazioni.

« Dacché mi avete negato il vostro aiuto non è cosa che vi riguardi. »

Ora Teresa alzava la voce per nascondere al nipote di essere passata dalla sua parte.

« Ci riguarda, sissignore, ci riguarda, e come ci riguarda, ci riguarda moltissimo; facendo parte della nostra famiglia abbiamo il diritto e il dovere di conoscere certe cose di te. » Alzava ancora di più la voce:

« Questa è una casa senza misteri, è sempre stata così, noi siamo un libro aperto e non si ha voglia di cambiare » andava più su: « la nostra vita è sempre stata alla luce del sole. È il nostro sistema e sarà sempre ».

Remo, che aveva colto il punto esatto nel quale la zia aveva varcato il ponte, le concedeva ogni sfoggio oratorio piegandosi malinconico sotto un peso che dava tanta pena sopra la sua testa così bella e lucida, ondulata, pettinata oene, e che sapeva conservare all'infinito le impronte dell'adolescente.

« Del resto... debbo pagarla a rate. Debbo consegnare entro domani la prima rata. » Fece atto di andarsene e di non accorgersi del sospiro di sollievo dato dalla zia.

« Allora la macchina non è stata pagata. »

« No, fino a questo momento. »

« E tu avrai la somma domani? »

« Senza fallo. »

« E dove la prendi? »

« Vi ho detto che ciò non vi riguarda. »

« Ti ripeto che ci riguarda moltissimo, noi non possiamo ammettere provenienze illecite. Dove prendi il denaro, dalla russa di Settignano? È lei che paga le macchine? »

Remo non rispondeva e aveva tutta l'aria di dire a se stesso: "Eh... non è tanto micca quella lì". Mentre lasciava credere tutto il contrario alle zie.

« A titolo di prestito amichevole si può accettarlo da chiunque. »

« Ma non da quella, da quella no, no... » Il pensiero di quella donna le faceva perdere le staffe come quando andava in su e in giù davanti alla porta scherzando e ridendo col giovane. « Da quella no, intendi, non si pigliano i denari da certe donne, sappiamo bene che cosa vuol dire la loro amicizia. E come farai a restituirli? »

« Non appena mi sarà possibile. »

« E la prima rata di quanto è? »

« Dodicimila lire » scandì con chiarezza.

Come prima alla notizia che la macchina non era stata pagata, Teresa fu sollevata ancora da questa cifra.

« Arrivederci, è tardi, ho fatto tardi, debbo andare. » Remo salì rapido le scale e ridiscese dopo alcuni istanti. « Stasera non sono a cena in casa, arrivederci » ripeté attraversando la stanza come una freccia.

« Senti! »

Al richiamo di Teresa si fermò sulla porta nell'attitudine di chi non ha più il tempo di ascoltare.

« Senti!... Se è vero che la macchina ti è necessaria per crearti uno stato, per aprirti una via... » Teresa diceva ciò ma non vedeva quale via potesse aprirsi il nipote per mezzo di quella macchina che glie le apriva tutte per passeggiare senza inconvenienti e a grande velocità « abbiamo deciso di pagartela. D'altronde, se tu avessi voluto studiare avremmo speso del denaro per te, vuol dire che ti compreremo la macchina ma ad un patto: che tu ci assicuri di non avere nulla a che fare con quella donna, un giovane della tua età non può avere relazioni con donne di quel genere, non vogliamo più saperne di lei, della sua tela, delle sue camicie, delle sue mutande, vada a farsele cucire dove vuole, da chi vuole, all'inferno, noi le rimandiamo ogni cosa, non intendiamo di servirla, non la vogliamo più vedere... »

Avresti detto che Teresa, più che dal costo della macchina, fosse ossessionata dal pensiero di quell'orrenda donna. E Remo, che certe cose capiva prima ancora che fossero nate, avendo di esse una legittima paternità, parve annaspare nel groviglio, mentre la sua condotta era decisa e lineare; parve smarrirsi in una fatalità imbrogliatissima, per concludere alla maniera di chi acciuffa un'ispirazione a volo:

« Del resto... posso riportarle io stesso la sua tela, sarà per tutti la prova più convincente. »

Gli occhi di Teresa sfavillarono di felicità a quest'idea sublime, e Carolina tirò su tanto la vita in un sol colpo, da lasciar credere si fosse rotta in due.

In quel preciso momento Palle era giunto al cancello con l'automobile nuova e lucente.

« Date qua », prese sotto il braccio il pacco della tela ancora intatto, e fece per partire. Poi si fermò, tornò nel mezzo della stanza.

« Ad un patto. » Le donne palpitarono insieme per il timore di questo patto tanto lontano dalla loro immaginazione. « Fra mezz'ora sarò qui di ritorno, fatevi trovare pronte, andremo a fare una passeggiata e stasera rimarrete a Firenze con me: ceniamo insieme. »

E siccome lo guardavano senza muoversi: esterrefatte, come soldati a cui si proponga di disertare egli, posando il pacco della tela le prese per la vita costringendole ad alzarsi, a star su, togliendo il lavoro dalle loro mani e allontanandolo da esse.

« Via, via... su, presto, fra mezz'ora sarò qui, fatevi trovar pronte, non vi fate aspettare. »

Niobe, dalla porta, colle mani sui fianchi, rideva, rideva tutta, facendo ballonzolare nel riso i due rulli di carne che combaciavano alla vita dando l'impressione, come due immense labbra enfiate, che ridesse anche con quelle.

« Bravo, ora sì, così va bene. » Ripeteva a quel gesto risoluto, simile alla scintilla che fa scoppiare una rivolta rovesciando un assetto vetusto e venerato, ritenuto eterno, infallibile. « Ora sì, così va bene, bravo! »

Le poverette si decisero a salire le scale quasi fossero state rincorse, e Remo, ripreso il pacco della tela sotto il braccio corse al volante.

La contessa si fece aspettare un po', dando ordine al domestico di far passare il signore in un salotto. Remo si rifiutò, adducendo molta fretta. Rimase in piedi nell'ingresso, col pacco della tela sotto il braccio, nell'attitudine di un fornitore.

Quando apparve la contessa fu stupita di trovarlo lì a quel modo e con quel pacco.

« Volevo fermarmi proprio oggi dalle vostre zie. »

« Mi perdoni contessa, e voglia perdonare insieme le mie zie che sono delle donne... come debbo dire?... originali, un po' bislacche... Ma sono fatte così, poverine, e alla loro età non ci si può rifare. Sono al di fuori della vita, non hanno conosciuto che il lavoro e questo le ha rese lunatiche, capricciose, strambe, soffrono di ombre... di fantasie... e con grande facilità prendono delle cantonate. Ma la colpa non è di loro, bisogna perdonarle, sono delle brave creature ugualmente. Ecco qui la sua tela, dicono che non si sentono più di eseguire questo genere di biancheria troppo complicata e che richiede tanta attenzione... »

Remo parlava allegro e ironico, ironia che faceva ricadere tutta sopra le zie mascherando l'insolenza che era nel suo atteggiamento e nelle sue parole. E la contessa, comprendendo il vero significato di entrambe, aveva smesso gradatamente di ridere nascondendo da parte sua, con molta abilità, il proprio disappunto.

« Non vuol dire, non vuol dire, lasciate lì, posate pure la stoffa, farò eseguire da altri, non ha importanza... » Ma non rinunziando a veder chiaro nella faccenda, invece di fargli una spostatura cercava di intrattenere il giovane, e siccome lui mostrava di aver tanta fretta lo accompagnò lungo il viale, fino al cancello della villa.

« Oh! Che bella macchina! È nuova? »

« Nuovissima. »

« Finalmente, bravo, così è bene... L'avete comprata ora? »

« Due giorni fa » rispose Remo inchinandosi un poco, quasi volesse ringraziare la contessa: di che?

« Ah! Ah! Tenete le mire alte, bravo, bravo, fate benissimo, avete ragione... » Ora gli parlava da camerata, con accento virile. « Bravo! Benissimo, avete proprio ragione... »

« Quando si può... perché si dovrebbe tenerle basse? »

« Già, certo, certo. »

« Vi sono a questo mondo delle donne che vorrebbero molto per poco.... o nulla... » La contessa lo guardava con piglio interrogativo. « E ve ne sono invece che danno tutto per poco... o nulla. »

« E voi le avete trovate? »

« Eh... chi lo sa... forse. »

« Bravo davvero, me ne compiaccio proprio di cuore. »

La contessa aveva capito ogni cosa o ammetteva di aver capito ridendo clamorosamente. Ridevano insieme da buoni camerati. D'altronde, se egli poteva aver tutto per nulla, la contessa lasciava capire, col suo buon umore, di trovare anch'essa delle ottime mercanzie ad un prezzo più conveniente. Ridevano insieme. Erano ormai due uomini che parlano dei loro affari e dei loro interessi che vanno a vele gonfie.

« Ma finiscono per dare qualche cosa anch'esse » concluse Remo in tono di ringraziamento cortese: « indirettamente ».

« Ah! Ah! Ah! »

« Ah! Ah! Ah! »

La contessa rise più forte e Remo, interrompendo le risate s'inchinò congedandosi.

Dopo le risate con la contessa, la faccia che sapeva conservare tanto bene le impronte dell'adolescenza, si era fatta oscura e muta, simile a quella del fanciullo che impara le dure realtà della vita. Per la strada, dopo un lungo silenzio e un profondo respiro, disse a se stesso questa frase, rivolgendosi a Palle: "sì, caro Palle, il denaro è tutto nelle mani dei vecchi". Non disse altro, né aggiunse se lui sapeva come si dovesse fare per farlo passare in quelle dei giovani. Palle lo guardò e rise, quasi avesse detto che dopo le due vengono le tre, una cosa che aveva sempre saputo, e non sapeva niente.

Quando poco dopo Giselda vide salire sulla bella macchina le sorelle luccicanti e sfarfallanti, e sedervisi impettite e impennacchiate, con un codazzo di gente estatica in adorazione, non ebbe la forza di cantare, avrebbe voluto cantare ma non vi riuscì, il fiato le aveva fatto nodo dentro la strozza e glie la chiudeva; e dové ringraziare il cielo se l'era rimasto tanto passaggio da poter respirare. E Niobe, rimasta in mezzo al popolo esultante, essendo la sola capace di richiudere la bocca, seguiva le padrone con lo sguardo e a braccia tese:

« Ora sì, così va bene, meno male, si vive una volta soltanto, godete qualche cosa anche voi, povere disgraziate! »

La bella macchina aveva cambiato molte cose a Santa Maria. Remo, nella sua ascesa, aveva fatto con quella un salto notevolissimo. Era finalmente sul suo piano, in una degna cornice. E nella degna cornice era anche Palle che curandola e manovrandola, o girandole attorno sfaccendato, senza preoccupazioni di sorta, ora sembrava l'impiegato in pensione, con quella non c'erano timori o sorprese, né da sudare sangue per farla correre; ora l'amante in estasi davanti all'oggetto del proprio amore, e ora il custode del tempio pronto ad allontanare a colpi di fune ogni contatto profanatore. Le zie avevano conosciuto il mondo, i teatri, i caffè, le trattorie. Almeno una volta la settimana Remo le conduceva a divertirsi, le costringeva ad uscire: n'erano gonfie da scoppiare.

Teresa aveva la forza di sedersi a una tavola di trattoria, leggere la lista delle vivande e ordinare. A Carolina invece tremavano le gambe e diceva piano piano alla sorella: "fai te, fai te, ordina te. Sì sì, va bene, va bene anche per me". E non erano capaci di spiccicare una sillaba oltre quell'argomento base. Ma non potevano rattenere l'esclamazione che si ripeteva sempre uguale:

« Quella è una poco di buono? Sono due poco di buono quelle? »

E Remo rispondeva invariabilmente:

« Macché! Che dite mai? Ma vi pare. Sono due signorine. Sono due signore. È una signora perbene. »

« Ma... » Restavano interdette. Non avevano l'aria di esserne convinte. E dopo poco riscappavano fuori:

« Quella sì, eh? Quella non ci dirai di no. Quella si vede troppo bene. »

« Macché! Nemmeno per sogno » ripeteva Remo.

« Quella poi non lo potrai negare. »

« Neanche. È l'amica di quel giovane che è con lei. »

« L'amica? Come sarebbe a dire? »

« Vivono insieme. »

« Ah! È una cialtrona. »

« E quella? »

« È una ballerina. Balla all'Imperiale. »

Si guardavano allibite, quindi si facevano forza per ritrovarsi, e sopportare l'idea di passare anche loro per due cialtrone, per due ballerine smesse.

Invece di nasconderle, di condurle nei luoghi appartati o modesti, Remo le conduceva in quelli più frequentati e luminosi, che lui stesso frequentava abitualmente e dove molti lo conoscevano; e non sapendo chi fossero le donne che aveva insieme lo salutavano ridendo o sgranavano tanto d'occhi: "Ma con chi è, si può sapere? Chi sono quelle befane? Di dove sono venute fuori? Dove le ha pescate?" seguitando a guardarle come bestie rare. "È con le zie, sono le sue zie, ha portato a pranzo le zie, sta in casa con loro, vivono insieme..." Ma pochi uomini sono sensibili al grottesco delle donne o vi concedono attenzione brevissima, riserbandola tutta per quelle belle. E lui stesso informava, quando glie lo domandavano: "sono le mie scimmie ammaestrate, ogni tanto do un po' d'aria alle mie scimmie. Porto i pappagalli a far vedere, ho bisogno di far soldi, voglio mettere un baraccone". E lui, che sapeva tanto bene come le donne fossero vestite, e gli piacevano le più eleganti, giovani e belle, non dava loro il più piccolo consiglio, non muoveva un appunto alle loro acconciature, per vederle un pochino meno buffe, pareva invece che più lo erano e più gli procurassero piacere. Lasciava che fossero loro senza riserve, purché fossero contente, spingendole fino a Viareggio e a Montecatini durante l'estate.

Le recluse videro il mondo, la vita, videro dove e come si muovessero le donne che portavano sotto la veste il frutto delle loro fatiche, del loro amore, e che da quarant'anni servivano con fedeltà cieca. Ne rimasero abbagliate e sgomente, attratte e scoraggiate. Tornando a Santa Maria e riprendendo il lavoro, si guardavano attorno incerte, sospiravano, sbadigliavano prima di poter ricominciare. La verità dov'era? Parevano domandarsi. Quelle fughe affascinanti e misteriose che aprivano loro gli occhi facendo vedere tante cose, le invecchiavano, toglievano la freschezza, la forza, la fede, e lavorando si sentivano indifferenti, distratte, il pensiero vagava lontano e le clienti dovevano ripetere le cose per farsi capire, quelle cose che avevano sempre capite prima che fossero espresse. Rifiutavano lavori troppo di fatica e miravano solo all'utile, al maggior utile possibile, giacché il bisogno di denaro era forte e urgente. Anche la clientela cambiava a poco a poco, non era più quella di un tempo, accettavano lavori di second'ordine, da gente mediocre, scegliendo dove ci fosse da guadagnare con maggiore rapidità, fidandosi dell'incompetenza e del dubbio gusto di un ceto meno raffinato e sapiente. I loro occhi d'altronde, attraverso lenti sempre più spesse, chiedevano di essere dispensati dalle grandi avventure dell'ago. Avevano preso delle scolare per farsi aiutare, per poter disimpegnare una mole di lavoro più grande. E trattavano il lavoro con freddezza, avvertendone il peso, simile al giogo, come la fonte indispensabile dei guadagni. Prima si sarebbero ribellate per un'esecuzione che non avessero ritenuta perfetta in ogni particolare, degna del loro nome, avrebbero visto su di esso una macchia incancellabile; ora alzavano le spalle e finivano per concludere che era anche troppo quello che facevano, e pareva godessero nell'accorgersi come gli altri non scoprissero i trucchi, i ripieghi, le deficienze, quanto fosse facile ingannare e far passare per autentica una bellezza soltanto apparente. Si facevano aiutare da mani mediocri o inesperte, trattavano il lavoro come la persona che si è amata troppo, con tutto l'essere, e per cui ad un certo momento sia cessato l'amore; quella persona alla quale non era possibile scoprire un punto, un atto che non fosse bello, perfetto, sul conto della quale non era ammissibile il dubbio, l'incertezza, un sospetto, il giudizio, né di poterlo tollerare per parte di altri, ora mostrava i fianchi alla critica, si era scettici sul conto suo, mostrava le rughe, le grinze e vi era, nel riconoscerlo, un piacere acre, se ne parlava con distacco. Come erano lontani i giorni di quando Carolina aveva trasfuso il proprio sangue nelle ferite di Cristo sulla croce, e librato la propria anima nell'incorporeo candore di quell'ostia, nella stola del Santo Padre.

Anche il vicinato non era più quello: quando le sorelle stavano alla finestra per godere il passeggio domenicale, o per vedere i soldati in fretta e furia correvano al cancello; avevano un bel passare le milizie, squillando trombe e rullando tamburi, cantando canzoni patriottiche o nostalgiche, scuotendo la casa col peso degli affusti. Da tanti anni non andavano nemmeno più a Fiesole per la fiera del 4 di Ottobre. Ora nessuno si arrischiava dentro il cancello senza una ragione plausibile, importante, solo per far due chiacchiere, ché l'accoglienza di esse, come l'atteggiamento del visitatore, erano troppo cambiati. Né si occupavano di sapere quello che succedesse fuori della loro casa che le assorbiva tutte. Il vicinato scappava fuori soltanto per vederle partire in automobile, la distanza era divenuta troppo grande. Dall'arrivo di Remo questa distanza era aumentata progressivamente.

Remo, nel circondario, non era amato da nessuno ma, come sempre i forti, temuto e rispettato da tutti. "Povere Materassi! Povere Materassi!" Dicevano parlando di lui, chiedendosi dove prendeva il denaro per fare la gran vita, giacché di lavorare non se ne parlava neppure. Da ogni parola, attraverso l'astio e l'invidia scappava fuori l'ammirazione. Le ragazze lo rassomigliavano ai divi del cinematografo più scottanti, e chi sa quante volte, come un principe azzurro, prendeva posto nei loro sogni. Il suo corpo aveva una plastica incantevole. "Povere Materassi!" non si stancavano di ripetere. E vedendole partire in automobile: "Si sono date alla pazza gioia! Come il nonno!" dicevano rimproverando loro le debolezze verso il nipote. "Come il padre!" rimproverando le loro. Un'ora di smarrimento e di spensieratezza cancellava senza pietà sessant'anni di dolore e di rinunzie. E se talvolta Remo scambiava poche parole con alcuno, quello lo riteneva un onore personale, e raccontava a tutti la conversazione avuta con lui, aggiungendovi molto del proprio, si capisce, vantandosi di conoscerlo, di potergli parlare, d'essergli amico, goderne l'intimità, riceverne le confidenze.

Qualche cosa di oscuro alitava sopra la casa da alcuni giorni, si addensava misteriosamente, invisibilmente, di cui Niobe ebbe il privilegio della rivelazione e passata, con infinite reticenze e circospezioni, dalla sua custodia in quella delle padrone. Niobe era divenuta per la prima volta, meditabonda e seria davanti alle vicende della vita.

Finché un giorno, fidando di un'assenza di Remo e mandata Giselda a Firenze con una lista di commissioni che non finiva più, dalla porticina del campo venne introdotta una giovine e attraverso la cucina fatta entrare nel salotto da pranzo.

Un agguato? Un ratto? Un complotto? Una fuga?

L'atmosfera venutasi a formare intorno a questa apparizione era così fantastica da giustificare tutte le possibilità del romanzo o del dramma. E quello che più eccitava la fantasia era la prodigiosa bellezza della giovane: di un corpo superbo, alta e bionda, con grandissimi occhi azzurro carico, le labbra vermiglie e le guance rosate appena. Colori per cui non è esagerato ricorrere, come si fa in certi casi, agli splendori di tutti i giardini terrestri e celesti. Per la fierezza del portamento e l'espressione dolorosa del viso, ella appariva una principessa che una sciagurata convergenza avesse fatto fuggire vestita da povera.

Fu fatta sedere intorno alla tavola e in fronte, l'una vicina all'altra, sedettero le sorelle facendo nido rattrappite, quasi volessero ricuperare con la vicinanza dei corpi il calore sottratto da uno stato d'animo agghiacciante, e proteggersi con la persona a vicenda. Né sapevano come incominciare un discorso che non poteva, si capiva subito, essere iniziato dalla ragazza. Non era possibile immaginare quale parola potesse uscire da quella bellissima bocca percorsa da un brivido quasi febbrile.

Ma fu proprio lei ad incominciarlo, senza articolare una sillaba. Abbassando ancor più la testa fino a toccare il petto col mento per l'istinto di nasconderla, e senza avere la forza di nasconderla con le mani, si dette a piangere compostamente, sforzandosi di smorzare il rumore, dimostrando che non le riusciva più di rattenere le lacrime rattenute fino a quel momento.

« Dunque è proprio vero? »

Abbandonandosi ad un pianto più forte, e chinando di più la fronte, la fanciulla rispose senza parlare, e fu il suo silenzio una confessione.

Teresa si grattò la testa all'attaccatura dei capelli, giro

giro, atto e tatto che la riconducevano alla realtà che doveva affrontare. E Carolina le si serrò al fianco, stringendole il braccio al modo dei fanciulli che quando hanno paura si serrano al corpo della mamma.

« Male... male... ecco... male, sì, molto male. » In fondo Teresa non sapeva che dire, si urtavano nel suo animo i sentimenti più disparati, e siccome un nodo le serrava la gola, vi producevano una mischia dalla quale potevano uscire solo delle parole balorde, tronche, senza logica, e di nessuna efficacia rispetto alla palese gravità della situazione.

« Malissimo... malissimo... »

E Carolina, vedendo piangere, faceva ogni sforzo per non piangere insieme.

« Siamo anche noi due ragazze... » Il non provocare un tale esordio la più vaga ombra d'ilarità dimostra con chiarezza l'entità del caso. « Siamo anche noi due ragazze, e siamo state giovani anche noi, e nessuno può dir nulla della nostra condotta, domandalo a chi ti pare, nulla sai, proprio nulla, nessuno può dir nulla, domandalo domandalo, domandalo pure... »

Effettivamente le sue dichiarazioni erano latitanti, neutre, tanto per non tacere, rappresentavano il rumore indispensabile per evitare un silenzio tanto pericoloso e insostenibile.

« Non ci hanno mai trovato gravide, no... »

Questa parola, che pareva non volesse venire, una volta uscita, fuori tempo e luogo come sempre accade in simili casi, rese il contatto con la logica.

« Ora la frittata è fatta... E che frittata! E bisogna rimediare. Rimediare... è come dirlo... è una parola: rimediare... come? Io lo domando a te, avanti, come? Dillo se ti basta il cuore, che si fa? Dillo te, perché io non lo so davvero quello che si deve fare. »

L'acredine crescente tendeva a dare un contenuto alle voci sconnesse.

« Chi fa, fa per sé. Che si fa celia, che po' po' di conseguenze! O quanto tempo è che facevate all'amore? »

Non le fosse possibile, o lo giudicasse ben fatto nel proprio interesse, alle ingiunzioni di Teresa sempre crescenti, la ragazza non rispondeva in nessun modo.

« Mettersi con un giovane che non ha una posizione.... Eppure lo dovresti sapere come stanno le cose, hai finito diciott'anni, non sei più una bambina... lo dovresti sapere... salute! Che razza di conseguenze... Chi fa, fa per sé. »

Trovato il punto fermo, pareva volersi barricare dietro questa massima poco evangelica.

« Proprio così, hai capito? Ecco. Ti si manderà a chiamare se si avrà bisogno di te. Io non so nulla » alzava la voce imperiosa: « non ho saputo nulla, non voglio saper nulla. Non ne voglio sapere di certe cose. »

Per il momento la ragazza mostrava soltanto la volontà di non reagire e di piegarsi quanto la si sarebbe fatta piegare.

Era stata alcuni mesi da loro per imparare il ricamo, anzi, era stata la loro prima lavorante dal giorno che avevano deciso di farsi aiutare, era la giovane più rigogliosa e bella di quei dintorni e già famosa in tutta la contrada per la sua bellezza; ora eseguiva in casa qualche lavoretto per conto proprio. Era figliola di un ortolano, un poveruomo che aveva in affitto un pezzetto di terra sulla via Settignanese, faceva l'ortolano e anche il giardiniere, aveva impiantato delle piccole serre primitive, gente poverissima che si arrabbattava in cento modi per vivere. Remo durante l'estate si fermava sovente, la mattina, davanti al portone dove abitava la fanciulla, e al suono della tromba, ripetuto tre volte, ne usciva il padre, un fratello, ma più spesso la ragazza in persona. Palle diceva ridendo: "fiore", giacché lui, nato e vissuto in aperta campagna dove i fiori rappresentano un oggetto tanto familiare, non conosceva il nome dei fiori e li chiamava "fiori" in genere, o tutti "rose", come chiamava "perle" quanto potevano portare di ornamento le donne, fossero perle veramente o pietre preziose, vetri, porcellane, di qualsiasi genere o colore. "Fiore", diceva Palle, e il giardiniere, o la ragazza, portavano a Remo una gardenia che fissava all'occhiello rimettendo presto la mano sul volante. Questo era il solo contatto palese che Remo avesse con quella famiglia; nulla avrebbe lasciato supporre un caso simile. Nessuno del contado aveva potuto accorgersi che i due se la intendessero, che facessero all'amore: nessuno li aveva sorpresi insieme. E quel contado certi intingoli non se li lasciava scappare, n'era ghiotto per la pelle. Non solo, ma durante il periodo che la ragazza era venuta a lavorare dalle zie, Remo aveva dimostrato per lei un totale disinteresse che non era sfuggito alle donne e garbato, invece, fino all'inverosimile. Attribuendolo alla virtù eccezionale del nipote, data la provocante bellezza della scolara, e al rispetto ch'egli aveva di sé e della propria casa e, soprattutto, delle zie. Virtù civiche da portarsi per esempio all'universale. Ma voi dovete conoscere un'altra usanza che certo vi farà cadere dalle nuvole in questo traffico così spontaneo e semplice, ed è che mentre quelli della città anelano alla campagna con tutta l'anima, e cercano di andarci il più possibile per riempirsi di poesia; a file, a sciami, a schiere, a frotte, ma a coppie più specialmente, vanno a disperdersi negli ameni boschetti, lungo il torrente, in cima ad un cocuzzolo ispiratore, o nelle allettanti cavità concentratrici; quelli della campagna che di poesia son saturi, avendo tanta amenità davanti all'uscio e potendola godere fino alla nausea, la vanno a sfogare dentro le mura della città, vanno tutti a nascondersi nel bel centro di essa per fare all'amore.

Quando Remo rientrò venne chiamato nel salotto da pranzo e fatto sedere al posto medesimo dove aveva seduto la ragazza, intorno alla tavola divenuta il banco di un tribunale.

Al posto medesimo, ma in attitudine più autonoma stavolta, sedettero le zie; pronte ad attaccare senza incertezze.

Per quanto inaspettato, Remo comprese a volo l'argomento di cui gli si voleva parlare, pur conservando una levatura di testa ammirevole.

« Sai, è stata qui la Laurina » disse Teresa franca e dura, con la faccia contratta, prendendo un'espressione crudele, quell'espressione che sapeva prendere quando c'era di mezzo una donna e che, in fondo, aveva mancato in faccia a lei.

« Ebbene? » rispose Remo per tagliar corto sull'apparato del processo.

« Tu lo sai quello che dice? »

« Sì, lo so, anzi no, lo suppongo. »

« È vero?... »

« Sì. » Pronunziò quella sillaba con sicurezza, appoggiandovi tutta la sua virile responsabilità.

A questo "sì", a questa sicura risposta, Teresa parve agghiacciarsi. E il più bello si è che pochi giorni prima era rimasta di ghiaccio la povera Laurina, la quale, per avergli detto fra i singhiozzi: "sono incinta", si era sentita rispondere: "e io no", senz'altro aggiungere. Le lacrime le si erano fermate sul ciglio e la faccia era divenuta proprio come quella della zia.

« E che cosa intendi di fare? » incalzò Teresa con la minaccia nella voce.

« Quello che ogni giovane d'onore farebbe al mio posto » disse Remo con la solenne semplicità delle risoluzioni supreme.

Corse poco non gli domandassero quale fosse quel dovere. Non lo sapevano? Lo avevano dimenticato? O non ci volevano credere? Ma si ripresero in tempo seguitando a replicare, alquanto in ritardo, distratte e interdette:

« Già. »

« Già. »

« Certo. »

« Naturalmente. »

"È un giovane d'onore", pensava Carolina, quasi volesse dire: "non c'è nulla da fare". Mentre Teresa pareva puntar la testa contro lo scoglio di quella rettitudine.

Rimasero a baloccarsi in bocca quella frase che non voleva penetrare nella mente e che pure bisognava ricordare: simili al bambino che impara il compito con fatica: "quello che ogni giovane d'onore... farebbe al mio posto". "È un giovane d'onore", pensava Carolina: "non c'è niente da fare". E Teresa era sempre con la testa puntata davanti allo scoglio di quella rettitudine.

Bisogna rilevare che Remo aveva messo in tale espressione una buona dose di sincerità: in fondo egli era giuocatore d'azzardo di fronte alla vita, abilissimo, in qualunque modo gli avessero disposto le pedine si sentiva la forza per vincere.

« Già, già... »

« Certo. »

« Naturalmente. »

Il giorno dopo Giselda ebbe una nuova lista di commissioni, lunghissima, da eseguire a Firenze.

Dalle Materassi doveva venire il parroco di Santa Maria, giovanissimo, non aveva più di venticinque anni, biondo con gli occhi chiari, di quella dolcezza e docilità evangelica che sa irrigidirsi nel dovere divenendo inflessibile. Fra due signore, in una villa prossima, erano corse a proposito di lui queste parole: "Missionario, missionario, quello!" una aveva esclamato vedendolo per la prima volta; e l'altra, che pure lo vedeva per la prima volta, aveva risposto in tono supplichevole: "è tanto carino, perché?".

Remo lo conosceva bene, e quando la mattina l'incontrava per la via in attesa del tranvai, lo pregava di salire per accompagnarlo dove volesse. I due giovani, l'asceta e il mondano, sedevano accanto nella macchina, parlavano con simpatia, era fra essi uno scambio di gentilezze e un desiderio di cordialità, avresti detto di comprensione; in tanta lontananza di spirito riuscivano ad incontrarsi, e a rimanere insieme senza turbamento, senza reciproco disagio, quasi fossero due pellegrini che sanno giungere alla stessa mèta percorrendo vie tanto diverse. Palle, quando lo scorgeva di lontano, diceva: "il prete". Come i fiori erano tutti rose e le gemme tutte perle, dal più modesto parroco fino al Papa, i sacerdoti erano tutti preti ugualmente. Remo invece diceva: "venga, venga signor Priore, venga, monti su" ricevendolo affettuosamente nell'automobile: "Dove va? Dove la debbo accompagnare?".

La cosa più importante, e insieme più difficile, era di non far conoscere il fatto ad anima viva, una volta scoppiato lo scandalo ogni dibattito diventava inutile.

Ascoltato il racconto di Teresa, il giovane sacerdote non seppe frenare un sorriso ingenuo che attestava la profonda purezza del suo cuore e la semplicità della soluzione. Stette un poco a pensare facendo pendere dal proprio labbro le due donne, ma lasciando capire che un tale indugio era dovuto alla mondana cortesia, per la particolare delicatezza dell'argomento, e che non poteva influire in nessun modo sul responso, e appellandosi con serena compiacenza al nobile responso del nipote, concluse essere quella la vera e unica strada, e mostrandosi subito disposto di parlare ai due giovani, separatamente.

Le Materassi, che avevano accompagnato il discorso con

dei "già", dei "sì, è vero, si capisce, è un giovane d'onore..."
nascondendo una delusione che prima di tutti volevano
nascondere a se stesse, quando il parroco si offerse di parlare ai giovani si inalberarono insieme: "piano, pianino col
parlare, per il momento esigevano il massimo riserbo sulla
spinosa faccenda, la massima segretezza, c'era tempo a parlare, non c'era fretta".

« Se sapesse... se sapesse signor Priore, questa proprio
non ci voleva, non ci mancava che questa... »

Ma il signor Priore sapeva tutto e capiva tutto e rimaneva sorridente e irremovibile nel suo responso, mentre le
donne seguitavano a domandare e a domandarsi un perché
al quale nessuno sapeva rispondere, e al quale neppure esse
osavano rispondere.

E Niobe, che non riusciva a ridere di un fatto tanto
semplice e naturale, ch'ella conosceva per provata esperienza, e così facilmente riparabile: perché?

Il dì seguente fu chiamato il dottore.

Giselda non viveva più a Santa Maria ma a Firenze. Non
glie ne andava una a pallino, povera Giselda, ora che ci
sarebbe stato da esaurire il repertorio, subodorando qualche cosa di molto grosso dietro a tante visite, la mandavano
a Firenze per cercare cose assurde.

Il medico era un uomo grasso e allegro di poco oltre i
cinquant'anni, pacifico, a cui solo la cocciutaggine dei contadini poteva far perdere la flemma e fargli prendere delle
collere la cui violenza aveva l'unico scopo di esaurirle rapidamente; e non appena esaurite tornava limpido sull'istante, giocondo, felice. Era quello il momento nel quale si
sarebbe lasciato prendere il cuore. Con tanta serenità e
bonomìa adempiva il proprio dovere fino alla dimenticanza
di sé e del proprio interesse.

Appena informato incominciò a ridere, a ridere col bel
faccione roseo e rotondo che s'illuminava al pensiero della

ragazza che conosceva bene. Le belle ragazze, era facile capirlo, esercitavano ancora un grande fascino sulla sua rigogliosa maturità. Conosceva Remo e sapeva che le zie erano benestanti e gli volevano bene, e non vedeva nulla di più naturale che i due riparassero col matrimonio a quel peccato di anticipo preso su di esso, e che lo faceva sorridere riempiendogli l'animo di tenerezza paterna.

« Sono della povera gente, lei lo sa, poverissima, ringraziare Iddio se rimediano tanto per mangiare, è una ragazza che non ha nemmeno la camicia, si può dire... »

« Ma loro possono fargliela, ne fanno tante... »

« È stata due o tre mesi qui da noi per imparare il ricamo, ora fa qualche cosina da sé, ma sì... ci vuole altro, non ha capacità vera... piccolezze, tanto per comprarsi un vestitino o le scarpe... Remo non ha una posizione... per ora non fa niente... si occupa di macchine... »

« Ma loro sono ricche. »

« Non quanto si crede » incalzò Teresa contrariata.

« Insomma, stanno bene. »

« Non quanto si dice » ribatté sempre più contrariata da questa fama di ricchezza che ora le tornava svantaggiosa. « In questi ultimi tempi abbiamo avuto tante spese, tante spese, se sapesse signor dottore... tante batoste, se sapesse... abbiamo dovuto far fronte a tante necessità... Questo giovane ci è costato molto, molto... capisce? »

Carolina, che teneva la testa bassa e gli occhi chiusi per lasciar comprendere che approvava ogni cosa, che quanto diceva la sorella era vangelo, parole sante, prese a segnare dei grandi "sì" col capo, senza aprire lo sguardo, per dimostrare che le parole erano sante due volte, ma che per tale ragione avevano il loro peso.

« I guadagni non sono più quelli, la gente va perdendo il gusto delle cose fini, delle cose belle; da un pezzo in qua, non si sa come mai, ma pure di spender poco si contentano

facilmente; e noi non siamo più bambine, le forze diminui-
scono tutti i giorni, non possiamo lavorare come un tempo,
abbiamo bisogno di riposo, siamo stanche... »

Non si capiva perché Teresa si abbandonasse a tante
confidenze che non riguardavano il centro della questione,
quasi volesse spostarlo, girarlo, evadere per un suo recon-
dito fine, e ritornarci poi con spirito cambiato per parte del
dottore: il suo accento era convincente da impietosire.

Ma il dottore seguitava con cenni della testa ad ammettere quanto gli veniva dichiarato e che non alterava di un
millesimo il suo parere. La ragazza, per quanto povera, era
una brava e buona figliola, per di più molto bella, e Remo,
con lodevole slancio, si impegnava di sposarla. Su questo
punto le zie chiudevano la bocca ermetiche, non osavano
sostenere il contrario, ma si riservavano il giudizio: ella era
stata, per lo meno, troppo cedevole agli assalti del maschio.

« Vede, caro dottore, anche noi siamo ragazze, e siamo
state giovani anche noi come tutte le altre, e gli uomini
c'erano anche al nostro tempo, e facevano, come oggi, il
loro interesse se glie lo lasciavano fare, eppure... di noi
nessuno può dir niente, certe cose, a noi, non potevano
succedere. »

« L'uomo è cacciatore » intervenne rialzando il capo e
spalancando gli occhi eroicamente Carolina che ancora
non aveva fatto sentire la propria voce.

Il dottore considerandola riprese a ridere:

« E spesso spesso caccia le lepri a due gambe. »

Si capiva che l'elemento faceto era di suo intimo
gusto.

« Onore... onore... » ripeteva Teresa « lo so, Remo è un
giovanotto d'onore, sono la prima a lodarlo e mi fa un gran
piacere che sia così, mi dispiacerebbe fosse altrimenti, ma
anche con questo benedetto onore non bisogna esagerare. »

Qui giunti le sorelle non vollero provocare la dichiarazione esplicita del medico che ringraziarono riconoscenti dopo avergli offerto da bere; in modo da lasciarla sospesa, sottintesa, e sepolta nell'ultima parte del discorso, da molti: "già... sì... vedremo, certo, naturalmente..." intercalati da sospiri. E seguitarono per conto loro a indugiare, a cercare, a prender tempo per cercare.

Che cosa cercavano, giacché parevano cercar qualcosa mentre ascoltavano i vari pareri al modo stesso che ascolta i testimoni durante un processo il presidente del tribunale? E che cosa cercava Niobe? Sì, anche Niobe cercava ancora, cercava sempre, non esternava un parere come il parroco e il medico, ma cercava come cercavano le padrone, anzi, più di esse. E quando le dicevano che Remo doveva sposare la Laurina, e glie lo dicevano per provocare la sua incertezza, per assicurarsene sempre meglio, Niobe ascoltava distratta e rispondeva con dei: "già...", dei: "sì...", col pensiero chi sa dove.

Teresa prese una risoluzione estrema, che le dové costare uno sforzo non indifferente: interrogare Giselda. Come poteva partire da lei una simile idea? Mettere la sorella a parte del segreto familiare, chiederle un consiglio. Ella sapeva per prova che fossero i matrimoni nati sotto cattiva stella, ella poteva dare un giudizio attendibile più assai del parroco e del dottore.

Dopo le lunghe e ripetute gite a Firenze, anche Giselda sedette a quella tavola nel salotto da pranzo davanti alle sorelle che le parlavano nel segreto della confessione.

Via via che ascoltava l'accaduto le si illuminavano le pupille di un piacere cattivo, acre: era profondamente contenta che succedesse in casa qualche cosa di irreparabile, che Remo avesse messo in mezzo una giovane. E siccome il suo convincimento assoluto era che un matrimonio nato sotto quegli auspici non potesse essere un matrimonio felice, e che la ragazza sarebbe stata, forse, più di lei una disgraziata: tutto fuori che un matrimonio forzato con quella specie di giovane, incominciò col domandare:

« E Remo che ne pensa? »

« Remo, come tu sai, è un giovanotto di onore, forse anche troppo in questo caso, ma noi non possiamo rimproverargli un tale eccesso, è bene che sia così, egli ha detto, senza indugio, che il suo dovere è uno solo: sposare, sposare, e nel minor tempo possibile. »

« Ah!... Sposare?... »

« Nel minor tempo possibile », ripeté netto Teresa.

« Ecco, ecco... » Giselda restò disorientata da una tale notizia, e indugiava come il viandante a un incrocio di strada prima d'infilarne una, per non sbagliare il cammino.

« Ah! sposare... ecco, ecco... » ripeteva per orientarsi « e nel minor tempo possibile. »

« Capirai, un giovane di onore non può parlare altrimenti, tocca a noi di addossarci il giudizio. In fondo è un ragazzo, un incauto, inesperto della vita, si è lasciato adescare dalla bellezza, si capisce, si è lasciato trascinare dalla passione, siamo noi che dobbiamo mettere a posto le responsabilità. »

« Già, già... » Giselda sentiva una vittima pendere dal suo labbro, ma leggendo chiaro negli occhi delle sorelle l'attesa del suo verdetto, sentiva insieme che quello era il momento per vendicarsi di Remo e di esse, prese un atteggiamento di grande dignità:

« Sposare, sposare, che diamine, si capisce, chi ha fatto il male deve riparare, sposare... e nel minor tempo possibile, non c'è un minuto da perdere: di quanti mesi è? »

« Di due, pare. »

« Non c'è tempo da perdere. »

Non risposero né fiatarono, le sorelle, sentivano che mentiva nel profondo dell'anima per far loro dispetto, e quando fu andata via, ermetica e dura, Carolina disse irata:

« Era meglio se non le avevamo detto niente. »

« Non parlerà, stai certa, non avrà il coraggio di parlare. »

Non mancava che il loro verdetto e se lo tenevano dentro dopo che tutti avevano espresso un identico giudizio. Non mancava che preparare in quattro e quattr'otto le nozze di Remo con la figliola dell'ortolano, alla quale avrebbero dovuto cucire esse le camicie per potersi sposare, giacché la famiglia non sarebbe stata in grado di fargliele. Teresa girava nell'inquietudine e nel dolore di chi non potendone più della lotta sta per arrendersi.

« Come se lo è saputo accaparrare... » disse Carolina desolata, masticando verde: « che spudorate... ». Pareva sognasse. E la sorella alzò la testa nell'atto di chi abbia attinto l'ultima energia nel fondo del proprio essere:

« Si vedrà chi la vince » affermò accigliata e minacciosa.

In quanto a Remo, dopo la nobile risposta data alle zie, abbiamo soltanto potuto cogliere una frase lasciata andare a Palle, ma rivolto a sé, mentre correvano verso Firenze:

« Eh!... caro Palle, non ci sono solamente delle vecchie a questo mondo, che diamine! »

Palle lo guardò e rise al suo modo rapido e sfuggevole: sapeva lui, che a questo mondo non ci sono solamente le vecchie? A guardarlo pareva lo sapesse alla perfezione, che lo avesse saputo prima di nascere, e invece non sapeva nemmeno questa verità elementare.

« Però... però... » aggiunse Remo sempre a se stesso, aumentando la corsa dell'automobile: « bisogna riconoscere che anche le vecchie fanno benino la loro parte, basta saperle manovrare ».

Non disse altro, e Palle rise di nuovo con crescente furberia, ma il furbo non era lui, s'intende.

Le Materassi stavano silenziose, meditabonde e cupe; e talora si accasciavano spossate nella tensione del pensiero dominante. In certi momenti di sollievo pareva aspettassero un intervento soprannaturale.

Non c'era tempo da perdere, ogni giorno rendeva il caso più grave. Poteva essere imminente un intervento della famiglia della giovane, nell'attesa angosciosa ella poteva confessare ogni cosa alla madre o al padre; vi erano dei fratelli maggiori che potevano affrontare il colpevole. Dietro a tanti pensieri l'inquietudine delle povere donne diveniva orgasmo, spasimo. Anche Niobe stava cupa e chiusa senza un sorriso, la si vedeva apparire e sparire misteriosamente, pareva sempre sul punto di dire una parola e ritornava via senza aver detto niente. La padrone si guardavano bene dall'interrogarla ovunque andasse, da qualunque parte venisse; non riuscivano a leggerne i movimenti che erano stati sempre di uno splendore solare, e si rifiutavano a interpretarli, a indovinarli. Guardava in terra al modo di chi cerca qualche cosa che troppo gli duole di aver smarrito; la donna tanto coraggiosa aveva perduto anche lei il coraggio: era un'altra donna.

Quando sollevò la testa ritrovando il suo aspetto vivace, i vicini la videro nella strada vestita di seta, un vestito non suo, si capisce, ben lavata e pettinata, e che aspettava il tranvai con in mano una valigetta.

Dove andava Niobe?

« A presto! A presto! » rispondeva a quelli accorsi per salutarla.

« A presto! Ritornerò fra due o tre giorni, vado a casa mia, vado a vendemmiare. »

E anche le padrone sul cancello, stavano a vederla partire e la salutavano: "va a vendemmiare", ripetevano facendo ogni sforzo per ridere e essere allegre: "va a casa sua, va a vendemmiare". E la guardavano partire quasi avessero saputo dall'*a* alla *z* le ragioni precise del suo viaggio, ma ne sapevano quanto quelli e facevano come se davvero andasse a vendemmiare.

« A presto! A presto! »

Non appena la donna aveva detto: "vado", e chiesto un vestito, le sorelle si erano precipitate all'armadio senza domandarle neppure dove andasse e perché, tanta era la fiducia e la speranza che riponevano in lei; capirono tutto senza fiatare. Cosicché dicendo con gli altri "va a vendemmiare" e facendo ogni sforzo per ridere, ne sapevano quanto loro e non sapevano davvero di che ridessero; sapevano invece intimamente che di ridere non ne avevano nessuna voglia, pur seguitando a ridere. E il vicinato, oramai assuefatto a tante cose strambe che da un pezzo in qua avvenivano in quella famiglia, ripeteva che Niobe era andata a casa sua, era andata a vendemmiare, quasi fosse una consuetudine, una cosa avvenuta tutti gli anni di quella stagione, e in trent'anni non aveva mai detto di avere una casa e non si era allontanata un giorno solamente.

Furono sette giorni di ansie, di silenzi plumbei, di sconforti e di speranze inespresse, e in fondo a cui era un filo di luce.

Quando riapparve a Santa Maria, scendendo dal tranvai una sera all'imbrunire, era gonfia di qualche cosa che voleva scapparle fuori dagli occhi, dalla bocca, da tutta la persona, e che doveva tenere per sé. E a quanti le correvano incontro assediandola, non potendo dare di quello che aveva dentro, un tesoro di altri frutti certamente, dava di quelli che aveva fuori: era carica d'uva come una baccante: tralci, penzoli, grappoli, in mezzo ai quali rideva con la bocca sdentata, lasciandosi sfrondare, cogliere, piluccare, e annaspando di suo per dare ad ognuno qualche cosa, un grappolo o più grappoli uniti insieme: uva di prima qualità, succosa e dolce, uva delle colline, non come quella di Santa Maria, asprigna e tutta buccia. La gioia era tale che la collina finiva per trionfare attraverso le fessure.

Pochi giorni dopo si sparse rapidissima una notizia: la Laurina era sposa. Prendeva un giovanotto d'"insù". Quelli dei dintorni immediati, delle prime colline intorno alla città, posti di privilegio nel grande anfiteatro, usano dire "insù" per indicare gli altri che stanno dietro, in cima, molto più in alto, e formano le gallerie e il loggione. E dicono "insù" con un vago senso di spregio, proprio come le dame dei primi posti per indicare le folle appollaiate verso il soffitto, e tanto più arricciano il nasino, proprio come loro, quanto più "insù" bisogna andare, dove la gente ha le scarpe grosse ma il cervello fine. Un giovane non brutto, forte, dall'apparenza buona e non troppo grossolano per la sua origine. Era figliolo di un giardiniere che abitava in una villa lassù lassù... villa che già prendeva l'aspetto dei castelli delle fate. Le nozze si dovevano celebrare in grande fretta perché il giovanotto in parola aveva rilevato una bottega di fioraio proprio nel centro di Firenze, e per iniziare il lavoro gli era indispensabile l'aiuto della moglie.

Fu un matrimonio ricco e allegrissimo, tutta Santa Maria vi assistette meno, s'intende, le Materassi, Remo e Niobe. Ma le Materassi e Remo erano considerati oramai di un'altra classe per partecipare a nozze plebee: l'aristocrazia del paese. E in quanto a Niobe, tutti lo sapevano bene, non abbandonava la casa per nessuna ragione. Nessuno si ricordava che due mesi prima l'aveva abbandonata sette giorni per andare a vendemmiare.

Una stretta corse fra la serva e le padrone che proprio in quei giorni dovettero firmare un certo foglio: una prima ipoteca di cinquantamila lire sulle case. Però felici e trionfanti di una battaglia vinta.

E pare che la Laurina, una sera, pochi giorni prima di sposarsi, fermasse Remo sulla via, per un'ultima spiegazione; ma del dialogo, brevissimo, corso fra i due, conosciamo soltanto le ultime battute che un colpo di vento volle portare fino a noi:

« Verrai qualche volta a prendere la gardenia da me? »

Senza accorgersene egli rispose esattamente come aveva risposto alla contessa sportiva quando gli aveva chiesto se avesse trovato di quelle che danno tutto per nulla:

« Eh... chi lo sa... forse. »

"Giselda! Niobe!"

"Come il nonno, tale e quale." Dicevano i vecchi rievocando le debolezze del padre verso il figliolo: "povero vecchio, non ci vedeva per quello, si sarebbe fatto ammazzare. Che casa disgraziata! C'è la sperfottìa. Povere Materassi!". E i malevoli aggiungevano, vedendole salire in automobile per recarsi a Firenze: "che arie!" o a far gite nei luoghi di villeggiatura alla moda: "piace anche a loro la bella vita, a quanto pare. Il buono piace a tutti, si sa. Proprio come il padre. Gli ha dato di volta il cervello! Si son date alla pazza gioia! Hanno perduto la testa".

Tutti conoscevano le condizioni critiche in cui si dibattevano da qualche tempo, ed erano al corrente delle nuove ipoteche messe sulle case: "è roba maledetta, non s'attacca alle mani, non ci sta". Per modo che sapendole non più padrone assolute venivano a scadere il rispetto e l'autorità esercitato fin lì. Gl'inquilini prendevano a trattarle sottogamba mentre esse raddoppiavano in albagìa. Ma quando arrivava o partiva Remo col fedele Palle restavano a bocca aperta in ammirazione: i divi del cinematografo correvano sulle labbra delle ragazze: Rodolfo Valentino, Charles Farrel, Ramon Novarro o Gary Cooper... E soltanto quando avevano trionfanti voltato la via riprendevano il commento: "in quella casa è sempre carnevale... C'era un canino che si chiamava Duralla. Verrà presto anche la quaresima, non dubitate". E soprattutto non riuscivano a tollerare la fortuna capitata a Palle, che dovesse godere anche lui di tanta pacchia, lui che non ci entrava per niente: "ha trovato un gran capezzolo. In do' e' si mandùca il ciel ci conduca", esaurivano sentenziando. E mentre le visite delle clienti diradavano sempre più, aumentavano tutti i giorni quelle dei creditori che non riuscendo a beccare Remo in città venivano a cercarlo fino a casa, a Santa Maria, ricevuti dalle zie e tacitati con acconti o promesse.

Un giorno, appena finito il desinare, avvenne la scena che sono per descrivervi.

Come sempre in tutte le famiglie, questa è l'ora in cui si accendono e sviluppano le polemiche, le dispute, si sfogano i malumori, i rancori, la rivalità, le gelosie: quale ultima portata vengono in tavola le miserie domestiche. Nessuno penserebbe d'iniziare un tale esercizio prima della minestra o se iniziato per puro caso, e senza vero impegno, basterà quella fumante apparizione a interromperne il corso producendo un silenzio da sacro rito. Ma quando il corpo è sistemato, riempito del meglio che si può, pare allora che lo spirito si voglia scaricare della parte peggiore, delle zavorre. Che felicità potersi dire delle insolenze dopo aver mangiato e bevuto bene, a corpo pieno, quando non c'è altro da fare di indispensabile; rinfacciarsi qualche cosuccia, mettere a nudo le magagne, metterle e sentirsele mettere, vanità, debolezze; misurarsi senza pietà, soverchiare, dominare in qualche maniera, far sentire agli altri il proprio peso. Trovandosi uniti e in forze quello è il momento migliore.

Giselda era partita. Oramai Giselda fiutava nell'aria i temporali con un senso acutissimo, come i porci fiutano i tartufi sotto la terra. Era felice di scomparire lasciando il campo libero all'azione, e di non pregiudicarne o disturbarne con la propria presenza il naturale sviluppo. Lasciar le sorelle alle prese col nipote e magari con la serva e limitandosi, se mai, a far sentire dal primo piano un motivetto sentimentale, patetico, nostalgico, e magari eroico o comico, a seconda dei casi, proprio nel momento in cui quelli del piano di sotto si trovavano nelle disposizioni di spirito meno adatte per gustare il bel canto. In modo che le vicende gravi della famiglia si svolgevano in musica come quelle dei melodrammi.

Se n'era andato anche Palle. Anche lui sapeva fiutare il momento preciso per squagliarsi e correre nella rimessa a pulire o preparare l'automobile.

Tutte le volte che vi erano state lotte, diverbi o scene vivaci, Remo aveva mantenuto un aspetto sereno, sorridente, che rispecchiava nel suo animo un senso profondo di freddezza e disinteresse, qualunque ne fossero il risultato e le cause, senza mai difendersi del proprio operato e senza mai insistere per ottenere lo scopo prefisso anzi, sfuggendo per ottenerlo. Quel giorno la sua faccia era tristemente accigliata, dura, volitiva apertamente. Per la prima volta un solco verticale si delineava fra le sopracciglia a guida di un linciaggio alla purezza adolescente che si attardava sulla faccia dell'uomo. Lo sentivi deciso, prima ancora che aprisse la bocca, a sostenere il proprio volere con durezza, con violenza, con crudeltà.

Il discorso cadde sopra un certo debito da pagare, molto rilevante, e per cui venivano esercitate insistenti richieste; venne portato, quindi, sui molti, sempre in aumento, cui si doveva far fronte. Remo si mostrò contrariato, quasi sentisse ad un tratto sopra le spalle, il peso di uno stato divenuto intollerabile.

« Bisogna finirla con questa gente che viene a chiedere. »

Decisa ad affrontarlo con energia, Teresa lo fissò:

« Vengono a chiedere il loro avere », esordì calma, mascherando le proprie batterie, quindi erigendosi un poco:

211

« bisogna finirla con lo spendere sporporzionato alle possibilità, bisogna finirla col fare dei debiti che non possiamo pagare ».

Il nipote la osservava misurandone la resistenza in rapporto all'intenzione.

« E quelli che ci sono? » lasciò scivolare con disinvoltura tra fanciullesca e maliziosa.

« Quelli che ci sono prima o poi bisogna pagarli, altrimenti penseranno gli altri a farseli pagare. »

« No. »

« No, che? »

« Bisogna pagarli tutti insieme, non vi è altro rimedio » sillabò risoluto: « tutti insieme ».

Teresa rise amaro.

« Tutti insieme?... » Fingeva di capire in ritardo. « Ah! Tutti insieme, già, e con che? »

« Bisogna finirla con la storia dei debiti, ha durato anche troppo, non ne voglio più sentir parlare. »

Teresa lo guardava con ironia che nascondeva l'ira.

« Ah! Già... sì... ha durato anche troppo, è proprio quello che volevo dire, sì, ha durato anche troppo; sì, lo so, lo so anch'io che ha durato troppo, già... »

Lo guardava amara e minacciosa, cattiva.

« Tutti insieme... e con che? Non lo sai che non abbiamo più un soldo, non abbiamo che dei debiti e le case gravate da ipoteche? »

« Giusto per questo bisogna pagarli tutti insieme. »

« Con che? » gridò furiosa.

« Con una cambiale » rispose calmo il nipote.

« Una cambiale? »

Si sentiva offesa e sconvolta per quella parola terribile che da quarant'anni non era stata pronunziata sotto il suo tetto, che aveva occupato tanto miseramente la sua prima gioventù e che credeva bandita per sempre: la cambiale. La cambiale da pagare: lo squallore della casa sotto la sua minaccia, gli occhi della madre rossi di pianto. Quante volte, da bambina, aveva pesato sopra la casa la triste parola. Il padre infermo, la cambiale da pagare. La madre si vestiva rasciugandosi gli occhi, andava a Firenze dopo essere stata di porta in porta nel paese, da amici e conoscenti per evitare il protesto, la visita degli uscieri, il pignoramento. E talora, non essendo riuscita a racimolare il denaro in tempo, la cambiale era stata protestata nell'angoscia e nell'impotenza di tutti i componenti la famiglia, la madre e le povere figlie; mentre dalla sua poltrona d'infermo il padre lanciava imprecazioni e bestemmie. Era in quel dolore che le fanciulle avevano attinto tanta forza per vivere. I fantasmi della fanciullezza si riaffacciavano: le ipoteche, le cambiali, il protesto, il pignoramento, i creditori, gli uscieri... riapparivano dalle porte, dalle finestre, rientravano nella casa, prendevano corpo per una fatalità inesorabile.

« In quarant'anni che esercito la mia professione non ho mai firmato una cambiale » concluse disperatamente risoluta, trincerandosi in quest'affermazione come sull'orlo dell'abisso: « non firmo cambiali ».

« Eppure è il solo mezzo, il migliore che ci resti in questo momento difficile, dopo ci sentiremo sollevati e potremo respirare. Sarà finita la faccenda dei debiti... non ne faremo più. Io avrò il mio posto, finalmente... »

Parlava calmo per far sentire una volontà irremovibile.

Più che dal prossimo, ipotetico posto del nipote che tutti i giorni doveva apparire e non si vedeva mai, e per il quale la fiducia era troppo scossa, l'attenzione di Teresa venne colpita da queste parole: "non ne faremo più...". Dunque egli considerava quei debiti come fatti in comune, ne addossava alle zie una parte della colpa, della responsabilità, erano responsabili con lui della propria rovina, lo affermava impunemente; c'era nella sua reticenza un'accusa inespres-

sa cne voleva insinuare, suggerire, e che poi avrebbe pro-
clamato a piena voce, senza reticenze.

Pure nel turbamento di quella frase rivelatrice, Teresa
ebbe ancora la forza di sostenersi.

« Mai e poi mai, è una questione di principio, mi farei
segare il collo piuttosto che firmare una cambiale. »

Durante questa scena Carolina fissava Remo sentendo
transitoria la resistenza della sorella, e misurandone la resa
lontana o prossima. Ora lo fissava supplichevole, ora facendo delle smorfie con la bocca che parevano annunziare un
gettito d'ingiurie sanguinose; o con un'avidità che lasciava
supporre l'imminente assalto per graffiare e mordere: si
riabbandonava quindi nell'attitudine supplichevole.

A questo preciso momento Remo estrasse dalla tasca un
rettangolino di carta: la cambiale da firmare. E all'apparire
di esso nelle mani del giovane, alla porta del salotto apparve Niobe, fermandosi con le mani sui fianchi in posizione di
meditare il fatto nel punto culminante. Né era facile capire
se il suo intervento tendesse in favore del nipote o andasse
a rafforzare la strenua resistenza delle zie.

Tutto incominciava ad assumere la solennità, e la mec-
canicità insieme, di una scena di teatro, anziché rimanere
una scena della vita rude e semplice, dalla quale dipendeva
la felicità e la reale esistenza di una famiglia.

« Non metto firme! » urlò Teresa scattando in piedi e
con accento sempre più forte, sbarrando la strada a quel
pezzetto di carta che dalle mani di Remo avrebbe dovuto
passare nelle sue: « non metto firme » ripeté puntando il
pugno sulla tavola ed erigendosi sempre meglio per far sentire la forza delle parole, la irriducibilità del partito preso.
« Pagheremo quello che crederemo di pagare, quando e
come potremo, s'intende, non siamo in dovere di farlo, e
per l'avvenire metteremo una diffida sul giornale. Abbiamo
speso quanto avevamo, abbiamo ipotecato le case e il pode-

re, non siamo disposte a ridurci all'elemosina per te, sarebbe un peccato mortale, nessuno ce lo perdonerebbe. »

Si mosse per abbandonare la stanza.

Carolina, che non aveva mai distolto gli occhi dal nipote, si alzò sempre fissandolo e, come per rovesciargli addosso tutto quello che il suo animo conteneva per lui e contro di lui, gli si scagliò avvinghiandogli il corpo, stringendolo con tutte le forze e scoppiando in lacrime.

Remo non ebbe un movimento di repulsa: si lasciò avvinghiare. Non gli faceva paura la maniera forte nelle donne, e neppure quella debole, sentendosi in possesso delle misure esatte per le due opposte vie, gli svenimenti e le lacrime alle quali era impermeabile. Si lasciò avvinghiare, si lasciò stringere. E Carolina lo stringeva con la forza della disperazione. Lo graffiò, e lui si lasciò graffiare. E quando tirandone la testa verso la sua ne cercò la bocca, egli glie l'abbandonò nel modo istesso come dieci anni prima, in treno, o nei primi giorni del suo arrivo a Santa Maria. La bocca dell'uomo si abbandonava ancora con la stessa freddezza dell'adolescente, turbandola, sconvolgendola. E invece di lasciarlo, in quel profondo smarrimento di tutto l'essere, gli si stringeva più forte.

« Via! Via! Via! » strillava Teresa assalita da un furore femmineo incomposto: « Via! Via! » strappando la sorella dal corpo del giovane. « Via! » strillava, strideva, gracchiava. La sua voce aveva perduta l'umanità, né si capiva quanto vi fosse in lei di pratica energia in quelle grida, e quanto di quell'istintivo, oscuro risentimento, ignorato si può dire, che le faceva pestare i piedi in treno, sotto la galleria, quando Carolina baciava Remo giovinetto davanti ai porcari di Romagna. « Via! Via! Via! »

Le riuscì, infine, di strapparla al corpo di lui, spingendola con violenza verso la porta per uscire insieme in preda, una allo smarrimento, l'altra al furore. Ma Remo le raggiunse. Dopo essere rimasto passivo allo slancio sentimentale, riprese il suo piglio crudele e gridò:

« Bisogna firmare. »

Queste parole furono un colpo di frusta.

Teresa gli si volse sgranando gli occhi per avventarsi e colpirlo, girandoli attorno in cerca di un oggetto da potergli lanciare. Sentiva un impeto furioso di colpirlo, anziché stringerlo disperatamente come la sorella; la sua disperazione era attiva, tanto che il giovane doveva scindersi per fronteggiare l'opposto sentimento delle donne. Ma ora Carolina teneva la sorella, annaspava reggendole le mani per impedirle di arrivare fino a lui. Quegli allora si eresse per piombarle addosso riducendola all'impotenza, dimostrando che alla violenza rispondeva con la violenza, come agli slanci del cuore con l'abbandono sentimentale. Le acchiappò insieme tenendole e mantenendole fra le braccia nell'impossibilità di agire, una stretta che lasciava misurare senza errori la potenza dei suoi bicipiti, spingendole fuori dal salotto fino in cucina, intanto che una voleva sciogliersi per colpirlo e l'altra invece tenerla perché non lo colpisse; facendole girare mentre Niobe, aggiuntasi al gruppo, seguiva nell'atto di riparar or di qua or di là con grande premura, come per un mobile che minaccia di cadere durante il trasporto difficile. Né si arrivava a comprendere se intendesse favorire il movimento delle zie per liberarsi dalla forza che le avvinceva e le faceva andare contro la loro legittima volontà, o quello del nipote per spingerle dove voleva lui. Le spinse a questo modo fino al sottoscala che serviva da dispensa, ne aprì l'uscio, e a forza ve le pigiò, le fece entrare.

Quando capirono di che si trattava, non reagirono più. Venivano rinchiuse in quel tugurio ripugnante: si era giunti a questo. Cadde nell'una l'impeto di colpire e nell'altra il bisogno di abbandonarsi. Venivano imprigionate e fatte

216

morire, forse, come le eroine delle canzoni, delle storie, dei melodrammi, delle tragedie. Davanti al fatto enorme rimasero prive di conoscenza: annichilite. Si lasciarono rinchiudere osservando il nipote che, accesa la lampadina elettrica e sbrogliato un po' di posto sopra il tavolino ingombro di vasetti e di bottiglie, vi pose la cambiale e accanto la penna stilografica. Le donne guardavano attonite questo maneggio finché il nipote, senza aprire la bocca e senza render loro uno sguardo, uscì, richiuse la porta a chiave, e mise la chiave in tasca.

Niobe, che si era associata al trambusto senza una direttiva precisa, non abbandonava la porta dove erano rinchiuse le padrone e dalla quale non giungeva segno di vita dopo che quelle avevano sentito girar la chiave dentro la serratura.

Che cosa facevano nel sottoscala?

La serva una volta guardava l'uscio con perplessità infantile, e una volta guardava Remo provandosi a sorridere per ricevere, quale risposta, un sorriso rassicurante, per indovinare il giuoco, giacché non poteva essere che un giuoco quello di averle rinchiuse lì. Ella aveva lasciato fare, non aveva opposto il suo potere nella certezza che tutto si sarebbe risolto per il meglio; ella non poteva ammettere che fosse torto un capello alle sue padrone, e ora che erano chiuse nella dispensa si sentiva invadere da un malessere puerile. Non aveva preso parte attiva all'azione perché pensava che se i debiti erano stati fatti le proteste contavano poco e non rimediavano a niente, il solo rimedio era di pagarli: firmare la cambiale. Per questo era rimasta spettatrice. Il suo istinto le suggeriva di non ostacolare quella scena domestica che, date le circostanze, doveva svolgersi in quella precisa maniera, e che non era tragica quanto poteva sembrare. In tale convinzione la rassicurava il fatto che Remo, una volta spinte e rinchiuse le donne dentro il sottoscala, con la faccia dura e un'energia nelle braccia a cui non era facile sottrarsi o resistere, di colpo era tornato sereno e calmo, sorridente, aveva acceso una sigaretta, si era messo a passeggiare per la cucina fermandosi con le mani in tasca e le gambe divaricate, dondolandosi sull'u-sciolino che guardava i campi, fissando l'orizzonte e facendo salire graziose spire azzurrognole.

"Lo dicevo io", ripeteva Niobe a se stessa per combattere l'inquietudine dalla quale si sentiva invadere sempre più nel guardare la porta dove erano rinchiuse le padrone: "sono come due bambine, bisogna trattarle così, non c'è altro da fare". Guardava Remo tentando di sorridere senza riuscirvi, mendicando da lui un sorriso che le rendesse la tranquillità, rassicurandola che quello era uno scherzo: "non sono donne serie, perdio; i debiti son debiti, e quando si son fatti, o lasciati fare, giuraddio, bisogna pagarli, che diamine! Bisogna pensarci prima. Sono proprio come due bambine".

E Remo, girellando rassegnato per la stanza, aveva tutta l'aria di rispondere: "Lo so, lo so, è una cosa ridicola, pue-rile, disgustosa, ripugnante, tutto quello che volete, ma come si fa, con certa gente non si può fare altrimenti. A questo mondo bisogna fare un po' di tutto per tirare avanti, per vivere". Quasi che tanto scangèo appartenesse esclusi-vamente alla sua professione che cercava di disimpegnare nel miglior modo possibile, che fosse cosa ch'egli faceva più per servire gli altri che per sé, e che lui ricevesse solo l'equo compenso di un lavoro sgradevole.

Niobe lo guardava e indicando la porticina incomincia-va, con gran fatica, a strizzare un occhio al giovane per rincuorarsi nel dubbio molesto: "firmano, firmano, si capi-sce, altro se firmano: sono proprio come due bambine, fan-no i capricci, bisogna compatirle". Ammiccava, strizzava l'occhio, ma non aveva la forza di sorridere, non le riusciva;

si provava a sorridere e non poteva aprire le labbra, le dolevano troppo, i muscoli glie lo impedivano. E non è a dire quale aspetto equivoco prendesse la sua faccia seria strizzando un occhio: "firmano, firmano; e d'ora in poi Remo si sarebbe regolato nello spendere, avrebbe messo il capo a partito, avrebbe lavorato davvero dopo quello sfogo tanto naturale della prima gioventù". Ella sentiva nel cuore tanta indulgenza per lui, per il desiderio sfrenato di vivere che hanno i giovani, per le loro esuberanze incontenibili, errori, follie; sentiva che il bello della vita è tutto lì e bisogna saperlo cogliere in tempo: "si è giovani una volta sola, perdindirindina, dopo non rimane che ricordare". E compiangeva, dentro se stessa e senza limite, le sue povere padrone che non potevano ricordare nulla, altro che pene e fatiche.

Ma che cosa facevano le due sorelle dentro quella dispensa dove dieci anni prima, una mattina, erano rimaste mezz'ora per sorprendere il nipote che invece di servirsi delle scale scendeva dalle finestre? Stavano anche quel giorno appiattate dietro il finestrino per vederlo scendere?

Anche quel giorno passò mezz'ora e di dentro non partiva un rumore.

Finalmente si udì un bisbiglio, un fruscìo nel sottoscala, qualche parola mozza, quindi un pianto, un pianto quasi di bimbo. Carolina piangeva. Un pianto che si esauriva gradatamente e si spengeva in fiotti impercettibili. E allorquando si fu esaurito e ristabilito il silenzio, giunse una voce flebile, supplichevole, che pareva uscita di sottoterra: "Gilseda! Giselda!" con un'"e" lunga lunga, che non finiva mai. Dalla finestra del primo piano, alla quale si trovava affacciata, Giselda incominciò a cantare:

> Una voce poco fa
> qui nel cor mi risuonò;

il mio cor ferito è già,
e Lindor fu che il piagò.
Sí, Lindoro mio sarà,
lo giurai, la vincerò.

"Giselda!" ripeté la voce sempre più flebile. Ma Giselda non poteva sentire intenta com'era a modulare il canto alla maniera degli usignoli; e pareva davvero un usignolo in quel silenzio campestre: non poteva sentire il debole appello della sorella minore.

Il tutor ricuserà,
io l'ingegno aguzzerò;
alla fin s'accheterà
e contenta io resterò.

"Giselda!" L'appello fu ripetuto ma così spento da doversi domandare se chi gridava intendesse d'essere udito realmente, e udito, in special modo, da chi cantava a viva voce.

Io sono docile – son rispettosa,
sono obbediente – dolce, amorosa,
mi lascio reggere – mi fo guidar.

Nella voce di Carolina moriva la speranza d'essere udita o ne trapelava il timore?

Ma se mi toccano – dov'è il mio debole
sarò una vipera – e cento trappole
prima di cedere – farò giocar.

Una voce di dentro, ugualmente lamentosa ma più forte, si fece ancora sentire: "Niobe!".

Niobe incominciò ad agitarsi, non poteva stare più nei panni; la padrona la chiamava e doveva rispondere. Guardava Remo impaurita, impaziente, ma questi fece il gesto di trattenerla se si fosse mossa, di sbarrarle il cammino qualunque iniziativa volesse prendere.

"Niobe!" ripeté un'esilissima voce, con un "i" così lungo e così fine da sembrare un filo di vetro.

E quella più forte, giungendo ad un tono ch'era ancora di supplica ma che voleva essere di comando: "Niobe!" ripeté.

Che cosa doveva fare? Doveva rispondere?

"Non mi posso muovere", rispose come chi dopo un terremoto si trovi ancora vivo sotto le macerie, o immobilizzato in una casa dove i malandrini, prima di rubare, abbiano legato e imbavagliato la gente: "Non posso aprire, non ho la chiave".

Seguì un lungo silenzio durante il quale traspariva in Remo una certa tensione.

Né pianto, né rumori, né flebili appelli.

D'altronde dentro la dispensa non mancava nulla di quanto è necessario per vivere: c'era l'aria e un filo di luce, sia naturale che artificiale, e c'era anche il modo di mettersi a sedere. C'era il vino e il pane, c'erano le uova, il prosciutto e il salame, c'erano delle frutta. Anche in quelle circostanze il nipote concedeva alle zie un trattamento onorevole.

Passò a questo modo la seconda mezz'ora. Remo seguitava ad andarsene in giù e in su per la cucina e finiva, l'una dopo l'altra, molte sigarette. Il suo era l'atteggiamento teso e tranquillo dell'uomo nell'adempimento del proprio dovere.

A un tratto si sentì del rumore nel sottoscala, un assestamento di corpi, quindi due colpi secchi e forti, risoluti, quasi prepotenti dati alla porta. Il giovane fiutò l'aria per un attimo, trasse la chiave dalla tasca dei pantaloni, deciso e rapido, aprì, e dopo aver valutato il quadro con occhio maestro, si fece da una parte rispettosamente, per lasciar posto al passaggio delle zie.

Le donne, che aspettavano ferme e in piedi dietro l'uscio, uscirono in fila. Teresa a testa alta, rispondendo col massimo dello sdegno al massimo della nequizia. Era una regina caduta in mano alla plebaglia che si prepara a farne giustizia: irrigidita, non più di questa terra, satura di nobile orgoglio, di dignità, atteggiando la bocca a una smorfia di supremo disgusto, e che non vuole concedere il minimo di sé alla turba che la possiede in materia. Veniva avanti a questo modo con nella mano la cambiale firmata, unico e fragile legame che la univa ancora alla terra, e che le stava attaccata alle dita appena appena, come al ramo la foglia secca che cadrà al più tenue moto dell'aria. Carolina, a testa bassa, i capelli disciolti, le braccia abbandonate e piangenti coi capelli lungo la persona, gli occhi rossi, che non piangevano più per avere esaurite tutte le lacrime, era invece la Maddalena che sulle pietre del Calvario seguirà il suo Signore fino in cima.

Si capisce che Remo, in tanto strazio, era già al sicuro sul conto della cambiale che portava la sua cifra intatta ed in calce questa piccola scrittura: "Teresa e Carolina, sorelle Materassi". Fece per prenderla dalla mano della zia, ma il pezzetto di carta cadde, proprio come la foglia morta che si stacca dal ramo, prima ancora di essere lambita da quella mano indegna. Non vi fu nemmeno questo contatto fra il nipote e la zia: egli si dovette piegare per raccoglierla.

« Ecco!... bene!... Oh! ora sì, così va bene... benissimo, perfettamente. » E assalito dalla fretta di chi debba sbrigare faccende urgentissime e non abbia un minuto da perdere, ripose la cambiale dentro il portafoglio, guardò l'orologio al polso: « Benissimo! » senza curarsi minimamente dell'attitudine delle donne tragicissima, tanto fuori dall'ordinario, quasi fosse stata ordinarissima, e tanto lontana dalla sua tutta fretta e praticità.

« Benissimo, ecco, sono le quattro precise, non c'è un

222

minuto da perdere, corro a Firenze, ho ancora una mezz'ora di tempo, alle cinque sarò qui a prendervi, alle cinque precise, badate bene », ripeté chiaro per non creare equivoci, malintesi: « alle cinque precise », egli sapeva che le donne si fanno aspettare: « si va a prendere l'aperitivo da Narciso alle Cascine, poi a cena a Fiesole, poi alle Follie Estive, ho già il palco ».

Pareva che le donne nemmeno udissero l'invito e quelle parole frivole che suonavano offesa in un'ora tanto grave; e l'una dietro l'altra, unite nel sentimento descritto già, ripresero il funebre cammino avviandosi alle scale: andavano a rinchiudersi nella loro camera come nei momenti supremi della vita, dopo essere state liberate dalla prigione.

« Alle cinque in punto » ripeté fuggendo il nipote, « mi raccomando, non vi fate aspettare. »

Al cancello c'era Palle pronto con l'automobile.

Questa volta però neppure Niobe vedeva l'opportunità di un tale invito e la inaspriva l'insistenza di quell'appuntamento per le cinque: "altro che cinque, altro che cinque!" rimuginava Niobe nel cervello in disordine: "altro che Narciso, e che Cascine, e che Follie Estive!". E non sapeva che le poverette avevano firmato una cambiale di centomila lire.

Nemmeno Giselda, con tutta la sua acredine, era capace di aggiungere per parte sua, un sorso di veleno nel cuore delle sorelle: taceva dignitosamente, giudicando l'impudenza del nipote oltre ogni limite. Quell'invito era più offensivo che inutile, cinico senz'altro. Questa volta il giovane aveva oltrepassato tutte le misure. Povere donne, dovevano pensare troppo ai casi loro ora che l'abisso le aveva inghiottite con l'ultimo colpo della cambiale: "altro che Fiesole! Altro che Cascine! Altro che aperitivi e cene! Altro che Follie Estive!".

Di più, la povera Niobe era rimasta contrariata dal non

aver fatto il possibile per evitare ad ogni costo la scena ripugnante della prigionìa; con la sua passività si era resa complice del nipote e se ne pentiva con tutta l'anima. Le trafiggeva il cuore la voce delle padrone rinchiuse nel sottoscala: "Giselda! Niobe!". Era stata crudele quanto la sorella, crudele più assai, giacché nella sua qualità di serva le aveva tradite, le aveva vendute. Ora che il giovane non c'era più sentiva che sarebbe stato suo dovere opporsi con ogni mezzo al piano criminoso: lottare, sostenere un corpo a corpo, gridare, far accorrere gente. La sua dedizione per lui, per il fascino che esercitava la sua persona, le appariva una colpa, una colpa vera e propria verso le padrone cadute in potere del dissoluto e prepotente. Vi era stata travolta senza accorgersene, senza avere il tempo per valutare, e se ne accorgeva troppo tardi: avrebbe dovuto farsi aprire il gozzo, e se ne sentiva tutta la forza di fronte a un'ingiustizia, a una cosa che reputasse indegna, ma doveva evitare la firma della cambiale in quella forma illecita, disgustosa, violenta. Tutto le diceva: "vai, sali dalle tue padrone, vai a giustificarti, a dire come mai non hai fatto il tuo dovere, come mai sei rimasta passiva nel momento che avevano tanto bisogno di te, come mai non hai reagito davanti a una sopraffazione, a un eccesso colpevole per parte di uno scapestrato e delle sue mire illecite. Vai a mescolare il tuo cuore al loro cuore, come nei momenti del maggior bene e del maggior male". Non ne aveva il coraggio. Si sentiva colpevole e vile. Era la prima volta che le mancava il coraggio di andare con la testa alta davanti ad esse. Si sentiva vile e aspettava che la chiamassero, simile al cane che non osa varcare la soglia della casa per paura delle busse; finché non si leverà verso di lui una voce amica, un richiamo carezzevole: ma quelle non ci pensavano neppure.

Incominciò a rimettere in ordine la cucina ancora sottosopra per il pranzo, a rigovernare; aveva i cocci da lavare.

Fra le discussioni prima, e la faccenda della dispensa poi, erano venute le quattro, nel fornello il carbone s'era esaurito inutilmente, l'acqua nel paiolo aveva smesso di bollire da un pezzo. Ogni tanto tendeva l'orecchio alla porta, ballonzolava sulla punta dei piedi fino in fondo alle scale, ma le padrone non la chiamavano. Chissà in quale stato erano, poverine, non davano segno di vita. Nel suo cuore penetrava sempre più in fondo una lama acutissima, la flebile voce dal sottoscala che la faceva rabbrividire: "Giselda! Niobe!". Nessuno si era mosso per soccorrerle. Ella era stata perfida come quella sorella che detestava nelle sue perfidie: più di lei. Nel catino della rigovernatura le caddero le lacrime: "Giselda! Niobe!". Aveva agito come quella donna infernale che se la cantava alla finestra mentre esse attraversavano una delle maggiori angoscie della loro esistenza: un'ora di agonia, rinchiuse dentro lo sgabuzzino, vittime di un'estorsione abominevole. Giselda non aveva risposto per l'odio che nutriva verso tutti, ed ella aveva fatto finta di non poterle soccorrere, lei che si sarebbe fatta uccidere per le sue padrone; attratta da un'eccessiva simpatia verso il furfante che non arretrava davanti a nulla per il suo materiale tornaconto: "Giselda! Niobe!". Chi le avrebbe data la forza di andare fino ad esse? Come avrebbe potuto sostenere i loro sguardi? Grosse gocce continuavano a cadere. Si fermava, incominciava ad asciugarsi le mani col grembiule e gli occhi all'avambraccio, tendeva l'orecchio fino alla porta, fino alle scale, ma non aveva il coraggio di salire, tornava a metterle nell'acqua seguitando le sue faccende. Perché non la chiamavano? E più volte, asciugando una scodella o un bicchiere, si fermava di scatto rattenendo il respiro... Le pareva di aver sentito: "Niobe!". Macché. Un'illusione. Era uscita dal suo tormento quella voce, dal suo tormento che aumentava sempre. Ascoltava meglio: no, nulla, era la voce del cuore che le dava tante trafitte.

Al primo piano silenzio sepolcrale.

Giselda era chiusa nella sua stanza per non partecipare alle vicende della famiglia, e le sorelle nella loro senza che ne giungesse il più lieve segno.

Erano suonate le cinque. Remo non si vedeva apparire. Si capisce, con tutta probabilità non sarebbe venuto altrimenti, anzi, certo. Aveva pensato meglio che era inutile di venire, sarebbe stato il colmo della sfrontatezza venire a prenderle, il suo era stato uno sfoggio di abilità, una bravura inutile forse per nascondere il vero sentimento assai diverso; certo, aveva fatto per diminuire l'importanza del male, incominciando lui stesso a non valutarlo troppo, perché non lo valutassero gli altri, era il suo giuoco d'abitudine: comprendendone la gravità trattava la cosa alla leggera. Meglio, meglio così, meglio lasciarle tranquille, poverine, nel suo dolore, nella loro preoccupazione per la firma messa sulla cambiale. A questo modo egli dimostrava un maggior rispetto per loro, una più giusta comprensione dopo il male operato, e dava affidamento per l'avvenire. Altro che Follie Estive, ci voleva del giudizio, e molto, e non soltanto per l'estate, ma per l'inverno e la primavera, per l'autunno, per tutte le stagioni dell'anno. Quella sarebbe stata l'ultima marachella del ragazzaccio che avrebbe incominciato a guardare la vita sotto un aspetto assai diverso: meglio, meglio così. E in quanto al passato tutto avrebbe finito per accomodarsi, al passato si rimedia sempre, quello che conta è mettere la testa a partito per l'avvenire.

Quando ebbe finito di rigovernare e di asciugare, rimessi al posto gli oggetti e spazzata la cucina, e accostata la finestra con molta cura per via delle mosche, parve decisa a salire dalle padrone per sentire se volessero niente, se avessero bisogno di qualche cosa, se si sentissero male e che poteva fare per loro; disposta a prendersi rimproveri e rabbuffi che sapeva di aver meritato, e a giustificarsi come le comandava il cuore, per non avere impedito che la cosa si compiesse secondo gli illeciti disegni del colpevole. Ma al primo scalino si fermò, tornò indietro: dormivano certamente, dopo tanto scompiglio: "dopo tante emozioni hanno bisogno di dormire, lasciamole stare, non andiamo a disturbarle". In fondo questa premura era per tranquillizzare se stessa, il suo disagio invincibile nel rivederle. Si fece alla porta per sentire il rumore della macchina: "Nulla. Meglio, meglio così, tutto ritorna a posto da sé, naturalmente". Pareva proprio che la saggezza, rientrata nella casa dopo quest'ultima prova, incominciasse ad agire. "Altro che divertirsi! Non ne parliamo neanche. Certamente erano sul loro letto con gli occhi chiusi anche se incapaci di dormire, erano due bambine malate su quel letto, e tenevano gli occhi chiusi per non vedere, per non sapere, fingendo di dormire per calmare il loro stordimento. Poi avrebbero finito per attaccare sonno e dormire davvero, piano piano, senza accorgersene, un sonnellino ristoratore ne avrebbe iniziata la guarigione e sarebbe stata la loro salvezza. Al risveglio, il ricordo del brutto fatto avrebbe incominciato ad allontanarsi nella mente, il resto veniva da sé. Per questo non la chiamavano: era meglio lasciarle stare. E Remo, Remo soprattutto che incominciava a dar prova di serietà, di cambiar rotta: questa era la cosa più consolante per non correre incontro a nuovi guai. Bastavano quelli che aveva provocato fin lì, incominciava a capirlo lui stesso che erano troppi ed era l'ora di smettere, aveva incominciato ad accorgersene e forse a pentirsene, non poteva essere altrimenti. Per quanto spensierati e discoli, i giovani hanno sempre tanta generosità nel loro cuore." Mentre si abbandonava a questo pensiero consolatore la tromba dell'automobile, che riconosceva fra mille, la fece sobbalzare; quindi la macchina a grande velocità: "È lui. È proprio lui. Ci vuole un bel coraggio a venire. E che ci viene a fare? Un'altra scena, forse? No, no, viene per riposarsi anche lui, va in camera a riposarsi, a buttarsi sul letto, ha bisogno di dormire, viene per andare a dormire, si capisce. Avrebbe una bella dose di sfacciataggine venendo a sentire se hanno voglia d'uscire, di andare a spasso in quelle condizioni: altro che spasso! Altro che uscire!". Andò verso il cancello pronta ad informarlo del come si trovassero le poverette, pronta a fargli comprendere la inopportunità del suo invito nel caso avesse avuto l'ardire d'insistere, e pronta a tutto, a qualsiasi genere di lotta per la giustizia, per proteggere le sue padrone, per non lasciarsi disarmare o sopraffare una seconda volta: "è ora di finirla". Si eresse distendendo tutte le carni, e nel passo insolito facendole tutte ballonzolare. Questa volta gli avvenimenti non l'avrebbero trovata incerta, passiva, inerme, bastava guardarla.

« Zi' Tè, Zi' Cà... » Remo chiamò dalla strada scendendo dall'automobile sotto la finestra delle zie, e senza volgersi a quella: « Zi' Tè, Zi' Cà... ». Aveva nella voce la consueta naturalezza, rosata appena da una canzonatura allettante.

« Zi' Tè, Zi' Cà », ripeté entrando nel cancello senza levare il capo e aggiungendo un tono di fretta.

Incontrando Niobe le chiese un bicchier d'acqua fresca perché bruciava dalla sete, mentre Palle, nella via, eseguiva rumorosamente la manovra del voltare la macchina verso Firenze. La donna, che gli era corsa incontro perché smettesse di chiamare, per dirgli che non era il caso di chiamare quelle due sciagurate che non davano segno di vita e chi sa in quale stato si trovavano, che non le svegliasse, che le lasciasse dormire in pace perché dormivano, molto probabilmente, o se non dormivano facevano finta di dormire, per non vedere, per non sapere, per dimenticare quanto era accaduto, perché non volevano essere disturbate da chicchessia, perché non avevano voglia di parlare, né di vedere anima viva, per questo si erano chiuse in camera... al comando del bicchier d'acqua subì il contromovimento istintivo del suo stato servile: il padrone bruciava dalla sete e bisognava dargli da bere. Interdetta fra i due moti, quello che la spingeva ad affrontarlo per aprirgli gli occhi sul conto delle zie, e quello che la spingeva a dargli subito da bere perché bruciava dalla sete, vinse il secondo.

Corse in cucina a prendere un bicchiere: "ma è il colmo dell'audacia, chiamarle a questo modo dopo quello che è successo, come se non fosse successo nulla, ci vuole una bella faccia tosta per agire così", pensava mentre riempiva la bottiglia: "ma gli uomini non sono tutti a questo modo?". Seguitava a pensare: "o almeno, non sono a questo modo proprio quelli che ci piacciono di più? Di quelli perbene, in fondo, non ce ne importa niente, ci lasciano apatiche, preferiamo romperci la testa con questi accidenti, è il nostro destino, sono questi che ce la fanno girare, e dopo ci conciano per il dì delle feste. Questa volta però l'hai fatta bassa, hai preso male le tue misure, carino mio, hai voglia di aspettare con l'automobile". Gli mescé il bicchier d'acqua sulla porta e rimase ferma, guardandolo, con la bottiglia pronta, aspettando che avesse bevuto per incominciare.

Remo lo tracannò con un piacere che dava piacere. La limpidezza dell'atto era pari alla limpidezza del liquido che lasciava scivolare dentro la gola.

« Vuoi bere anche te, Palle, non hai sete? »

Palle, che aveva eseguito la sua manovra e scoperto il cofano, stava ispezionando il motore; ne trasse il capo volgendolo, e accennò di "sì", e ricoperta la macchina s'avvicinò facendo, già da lontano, il gesto di prendere il bicchiere dalla mano della serva che lo riempiva. Lo tracannò con avidità pari a quella dell'amico, ma l'acqua parve nascondersi scivolando dimessa nella sua gola corta, per non mettere in evidenza un movimento rozzo che tutta la persona voleva nascondere, con la timidità che gli faceva abbozzare una parola che era piuttosto di scusa che un "grazie".

Niobe non sapeva da che parte rifarsi ma voleva attaccare ad ogni costo; prendendo partito di fronte a quell'attesa tanto intempestiva che inutile.

« Sa... si sono chiuse in camera e non hanno chiamato neppure me, si può figurare... non rispondono, capirà... in quello stato... non hanno torto... Si saranno addormentate, erano tanto stanche, poverine... eppure le ha viste, le ha viste anche da sé in che stato erano... cosa vuole... o non le ha viste? »

Remo ascoltava e la guardava quasi non capisse il significato delle parole, quasi parlasse una lingua sconosciuta o desse in ciampanelle, e d'altra parte senza mostrarsene contrariato minimamente. Tanto che Niobe, per farsi capire aumentava la dose:

« Capirà... non possono avere la voglia di divertirsi, di andare a girellare, di andare a cena fuori in quello stato, ci vuol poco a capirlo... Sarà per un'altra volta, quando staranno meglio, quando gli sarà passata la bile, per stasera sarà bene che ci vada da sé. » Era la prima volta che parlava su questo tono al giovane.

Remo la guardava e poi guardava in giro, la campagna, l'orizzonte, e l'aria arrossata dal calore in quegli ultimi giorni di un maggio splendido, inebriante di tepori e di profumi; guardava la donna senza renderle risposta neppure di un cenno. Pareva non concedere la più piccola importanza al suo discorso, però non ripeteva il richiamo né accennava a salire dalle zie: rimaneva lì, sull'ultimo scalino della porta, con le mani in tasca, equilibrando il corpo in attitudine di attesa sulle gambe un pochino divaricate.

Dalla stanza muta venne un primo rumore, poi un rumore più forte, l'aprirsi della porta, delle voci e gran fruscìo per le scale. Niobe ratteneva il respiro: "Signore, che succede? Ricominciano le tragedie". Tremava, tremava all'idea di rivedere le padrone, tremava di loro, del nipote, di sé: tremava per uno stato di cose impossibile, e si faceva forza per non farsi cogliere una seconda volta alla sprovvista ed essere pronta a intervenire e a difenderle. "Veniva il rendimento dei conti per tutti e due, per il nipote e per lei. Dopo matura riflessione le sorelle prendevano partito decise, si erano consultate, avevano avuto il tempo di formulare il loro piano, ora agivano, intervenivano con energia, senza pietà, prendevano i provvedimenti del caso, scendevano come due furie, scendevano inferocite, scacciavano di casa la serva e il giovanotto, avevano pieno diritto di farlo... e piena ragione." Il rumore per le scale era enorme. "Li denunziavano entrambi alla giustizia, anche lei come complice, si trattava di un'estorsione in perfetta regola, con vero e proprio sequestro delle persone: una cosa enorme, avevano incappato nei rigori della legge." Quei rumori e quelle voci per le scale le facevano girare il capo, tremare le gambe, proprio nel momento che voleva essere forte, che doveva essere forte. E non appena le sorelle apparvero insieme nella stanza, per poco non cadde. Non erano mai state tanto graziose e belle nella tenuta delle feste. Teresa in viola con guarnizioni verdi e piume gialle, e Carolina tutta di celeste con piume rosa. Non erano mai state tanto addobbate, con tante cianfrusaglie: sonanti, luccicanti e infarinate. Per quanto rivelassero ancora, sotto la farina, l'una le tracce dello sdegno e l'altra delle lacrime. Con bracciali e collane, il ventaglio, l'occhialetto, e l'ombrellino per assistere al tramonto del sole alle Cascine o a Fiesole. La serva le guardava stentando a reggersi.

« Oh, Niobe! »

« Dove t'eri cacciata, si può sapere? »

Le sorrisero insieme.

La donna non ebbe il fiato per rispondere, si provava a ridere, ma il riso le dava un breve sussulto della pancia e delle labbra al tempo stesso, subito interrotto. Non le riusciva di ridere, smetteva a colpo per riprovarsi subito. E poteva benissimo attaccare a piangere facendo col labbro e con la pancia lo stesso movimento, senza riuscire a piangere come non riusciva a ridere: c'era qualche cosa davanti a lei che paralizzava all'inizio ogni atto vitale. Non credeva ai suoi occhi. Erano proprio quelle le sue padrone?

« Ero in cucina... già... oh... a ripulire... a lavare i cocci », balbettava smarrita. « Brave... brave... fanno bene, fanno bene a divagarsi un po'... hanno avuto una buona idea... è una serata... tanto bella... »

« Remo. »

« Remo. » Cinguettavano le zie.

« Dove ci porti? »

« Dove si va? »

« Ve l'ho detto, mie care », ripeteva Remo con voce insinuante, carezzevole, precedendole verso la macchina. « Da Narciso alle Cascine a prendere l'aperitivo, poi a cena a Fiesole, e verso le dieci alle Follie Estive, ho già il palco, quello di proscenio che piace a voi. »

« Da Narciso alle Cascine... a cena a Fiesole... e alle Follie Estive », ripetevano le zie salendo in automobile, fingendo d'imparare quello che sapevano già.

« E che cosa c'è alle Follie Estive? »

« Che c'è? »

« C'è una rivista nuova: "Donne, sempre donne, in cielo, in terra e in mare". »

« Ah! Ah! Ah! »

« Ah! Ah! Ah! »

Molta gente s'era fatta intorno per vederle partire: donne e donnette, ragazzi a profusione, il solito gruppo che le partenti salutavano tutte le volte con crescente dignità. E quelli che dietro le spalle facevano i commenti: "come il nonno! come il padre! sono impazzite!" se ne stavano a bocca spalancata ad ammirarle. E in quel momento di sospensione che precede la messa in moto di una macchina, dopo che le sorelle ebbero detto: «addio sai, addio Niobe! Addio figlioli! Addio gente!» dalla finestra della loro camera partì una voce che sembrò il grido di un uccello rapace: "ruffiano!".

In tale congiuntura le dame seppero mantenere un contegno così nobile che da nulla lasciarono trapelare di avere udito la voce; e il personaggio a cui era rivolta, girato in tempo il volante, quale pronta risposta fece partire l'automobile. Soltanto Palle non seppe frenare un sorriso impercettibile e un gesto infantile che faceva ricordare allorquando fra ragazzi uno lancia con rabbia il sasso al compagno, che risponde con un atto di scherno dopo averlo saputo scansare abilmente.

Niobe, con le mani sui fianchi, rimase ferma e perplessa sul cancello. La creatura solare incominciava a vedere delle ombre davanti a sé, a non vederci più bene, con la prodigiosa chiarezza che ci aveva veduto sempre, e che le veniva dal cuore. E pur non sapendo con precisione che fossero queste due cose, si domandava: "era la vita, quella, o si recitava una commedia?". L'una cosa nell'altra: tutte e due le cose insieme.

Peggy

Remo non aveva mai scritto a lungo, aveva mandato solo delle cartoline con parole affettuose, dei saluti gentili alle zie: "Sto bene, come state? Vi ricordo affettuosamente". Era stato a Bologna, a Milano, ora era a Venezia dove avrebbe trascorso l'estate.

Le zie giravano e rigiravano quelle cartoline, le osservavano attentamente in ogni particolare, ne scrutavano un segno, un punto, una macchia, il francobollo... non se le sarebbero spiccicate mai dalle mani. E siccome in ognuna c'era scritto in un angolo: "saluti, Palle", quello era il solo punto che riuscivano a non vedere; non si sa in che modo facessero; come nella strada una persona a cui non si vuol fare il saluto, che si finge di non vedere dopo averla vista troppo bene. Tutto aveva un valore riconosciuto, meno quella firma il cui valore non intendevano di riconoscere. Le tenevano sulla tavola o sul telaio, e lavorando ne ammiravano l'illustrazione.

Aveva trovato da lavorare, da sistemarsi, finalmente? Aveva delle buone speranze, povero giovane? Anch'esse avevano risposto con delle cartoline, indirizzandole ai vari alberghi da lui indicati, pregandolo di scrivere più a lungo, di dar notizie, d'informarle sui suoi propositi, sulle sue speranze e sulla vita che conduceva. Ma era facile capire che se non scriveva a lungo era perché non aveva molto di consolante da raccontare alle zie. Soprattutto durante il soggiorno milanese erano state avide di notizie. Sapevano che Milano è una città di traffici, di grandi industrie, dove era possibile trovare un posto, una sistemazione; e quando sentirono che da Milano era passato a Venezia si domandarono che ci fosse andato a fare. Ne rimasero perplesse. Che lavoro avrebbe potuto trovare in una città dove si va soltanto per spendere? Per vivere, per godere. Era partito alla fine di maggio, due giorni dopo la scena della prigione, e soltanto alla metà di settembre ebbero una lettera. Impallidirono vedendola, e l'aprirono in tale orgasmo da strapparne la busta, e da strapparsela l'una con l'altra per il bisogno di sentirla, di toccarla, più che per l'impazienza di leggerla. Anche Niobe tremava nell'attesa.

Mie carissime zie,

perdonate se durante tutto questo tempo non vi ho mai scritto lungamente, ma non avevo notizie importanti da comunicarvi; e mi premeva solo dirvi che stavo bene e di sapere che voi pure stavate bene.

Oggi vi scrivo per annunziarvi il mio matrimonio. Mi sono fidanzato con una signorina americana che ho conosciuto qui, a Venezia, e che fra qualche giorno condurrò a Firenze per farvi conoscere. Rimarremo a Firenze pochi giorni, il tempo indispensabile per la celebrazione del nostro matrimonio, e partiremo subito per New York dove risiede la mia fidanzata, e per fare la conoscenza col padre di lei che è un industriale di quella città. Peggy, che conosce benissimo Firenze e il suo pittoresco circondario, vi manda con me un affettuoso saluto al quale io aggiungo un particolare abbraccio.

Il vostro nipote Remo.

Le delusioni delle prime speranze svanite, le angoscie delle prime attese, quando il giovinetto avventuroso e precoce, ribelle allo studio, deciso all'indipendenza, si faceva aspettare per ore e ore il giorno e la notte; gli errori sentimentali, gravissimi, da rimediare a caro prezzo e con tante pene, i debiti da pagare, sempre in aumento, fino al dramma della cambiale firmata dentro una dispensa, nulla le aveva ferite così profondamente quanto le parole di questa brevissima lettera; si direbbe che avessero compreso in quel momento come tutte le peripezie passate col nipote, le lotte e le tragedie non fossero dolori veri e propri, e che provassero per la prima volta il dolore nudo e reale. In tante vicende, qualunque cosa avessero fatto, e anche ora, lontano, qualunque cosa facesse, lo avevano sentito loro, con quelle poche parole fredde e misurate sentirono che era passato nelle mani di un altro. Fidanzato. Remo che ne faceva di cotte e di crude arrivavano sempre a comprenderlo, arrivavano sempre ad ammetterlo dopo scenate collere e furie, che avevano l'unico scopo di maturarne l'intervento per salvarlo, consolidando a loro insaputa l'attaccamento per lui. Remo fidanzato non lo potevano ammettere, comprendere; qualche cosa si ribellava in fondo al loro sangue, in fondo al loro essere, o vi entrava come un ferro tagliente. Fidanzato. Tutto avrebbero preferito a questa parola. Leggevano e rileggevano la lettera: "una signorina americana che ho conosciuto qui, a Venezia, e che fra qualche giorno condurrò a Firenze per farvi conoscere". S'interrompevano guardandosi perdute, trasognate, e improvvisamente s'impennavano a un pensiero molesto che ne attraversava il dolore: non glie ne importava proprio nulla di conoscerla, nulla affatto. Se ne infischiavano nel modo più completo di conoscere le signorine americane. Quando Remo aveva portato a Santa Maria, la prima volta, otto o dieci ragazzacci alle due di notte, svegliata la casa, vuotata la dispensa, messo a soqquadro il salotto e la cucina, non aveva provocato tanto scompiglio come questa visita che si sarebbe svolta, si capisce, nella maniera più tranquilla e cortese.

« Sono belle le americane? » alitò Carolina con desolazione.

« Sono come tutte le altre donne » rispose Teresa (dicendo "donne" pareva nominare una merce all'ingrosso, dei commestibili di pura necessità) « ci sono quelle belle e quelle brutte, e le brutte sono sempre più numerose delle belle, stai pur sicura, tutto il mondo è paese. » Se poi le avessero chiesto come erano, una per una, tutte le donne della terra, il numero delle belle sarebbe stato da vedersi solo attraverso un sistema di lenti potentissime. « Generalmente sono sgraziate. »

Carolina incominciò a svitorcolarsi per mettere in rilievo le proprie grazie, in contrapposto alla sgraziataggine delle americane.

Passarono in esame le clienti americane che avevano avuto, e le americane che avevano abitato nei dintorni o di cui avevano sentito parlare; ma la rassegna non valse a rincuorarle, anzi il contrario.

« Sono donne moderne » concluse Carolina.

« Come sarebbe a dire? »

« Non sono come noi che stiamo sempre in casa a lavorare o a fare le faccende, sono emancipate, fanno la ginnastica, lo sport, vanno in motocicletta e mandano l'automobile, fanno tutto come gli uomini; e quando un marito non gli piace più lo salutano e se ne prendono un altro. »

« Bella roba. »

« Noi siamo delle stupide. »

« Chi lo sa... a questo mondo non si può mai dire chi ha ragione. E se non sono ricche e vogliono mangiare faranno come noi, le signorine americane. E se non hanno la serva la casa se la ripuliranno da sé, se no vivranno nel sudiciume, le signorine americane. » Fece una smorfia sguaiata.

« "... rimarremo a Firenze pochi giorni, il tempo indispensabile per la celebrazione del nostro matrimonio." »

« Vengono qui a sposare. »

Carolina a quest'idea si sentiva struggere la gola, svanire il respiro.

« Già. »

« "... e partiremo subito per New York." »

« Nova York... » Per le due povere zitelle il nome di questa città inghiottiva le creature come quello della morte.

Non avevano il coraggio di domandarsi se la fidanzata sarebbe stata ricca, non volevano darsi reciprocamente questa conferma del pensiero che le assillava. Sentivano che questa volta nemmeno l'inarrivabile Niobe avrebbe saputo trovare il rimedio: la cosa doveva essere vera ed imminente.

Erano tonte quasi avessero ricevuto una mazzata in mezzo al cranio.

A tavola non potettero fare a meno di comunicare a Giselda la notizia che le labbra erano incapaci di trattenere.

« Lo sai », disse Teresa con calma che copriva l'interiore sconforto: « Remo si è fidanzato, si sposa ».

« Con chi, con una sgualdrina? »

« Sì, come te. »

Giselda non disse altro, e appena finito di mangiare si alzò, scomparve.

Alcuni giorni dopo ricevettero una cartolina illustrata:

Mie carissime zie,
ai primi della prossima settimana saremo a Firenze e verremo subito a salutarvi, ho tanto desiderio di rivedervi. Ricevete intanto i saluti di Peggy e un abbraccio da me.

Remo.

In un cantuccio c'era scritto: "Palle".

« Ma che cosa significa questo nome? Peggy... Peggy... Che cosa vuol dire? »

« Che nome ridicolo. »

« Se crede che le prepariamo un ricevimento in regola sta fresca, poverina, io non le do nemmeno un bicchier d'acqua, per me potrebbe crepare. »

« Io scendo in ciabatte. »

Tre giorni dopo, infatti, Remo riapparve solo a Santa Maria, mettendo sottosopra l'intero paese.

« È solo. »

« Non la fa vedere. »

« Si vergogna. »

« Chi sa come sarà brutta. »

« Sarà una vecchia. »

« Piglia qualche vecchia scarpa con dei soldi. »

« E in poco la liquida. »

« Ma sarà vero che è fidanzato? »

« Lo sa Iddio quel che almanacca. »

Non c'era nemmeno Palle da tirare per la giacchetta. Si capiva che Remo non aveva tempo da perdere.

« Americana. »

« Ora che le ha succhiate fino al midollo, parte, va in America a cercar fortuna. »

« Povere disgraziate. »

« L'hanno avuta con quel nipote. »

« Sono state fresche. »

« Sono state lustre. »

« Il mal che si vuole non è mai troppo. »

Vedendoselo capitare all'improvviso, le zie non seppero contenere la commozione: piansero, lo baciarono senza timori, senza turbamenti, lo strinsero, e alla freschezza del suo corpo si abbarbicarono insieme.

Per dare sfogo alla profonda emozione, egli si concesse completamente. E soltanto quando incominciò ad esaurirsi lo lasciarono per guardarlo: era sempre più bello, fresco ed elegante, con la pelle abbronzata dal sole.

Incominciò, con molta disinvoltura, a parlare del suo matrimonio.

Le carte dovevano arrivare dall'America e ci sarebbero voluti ancora parecchi giorni, per il resto tutto era all'ordine e il matrimonio, per volontà della sposa, si sarebbe celebrato a Santa Maria, sì, in campagna. Nata e vissuta nel tumulto delle grandi città, e amante della vita turbinosa, Peggy, per il suo matrimonio sognava un'ora di misticismo e di poesia; vedeva in Santa Maria un eremo, un rifugio ascetico, quasi celeste, che avrebbe dato un'attraente diversità alla sua vita di donna moderna, sportiva. Remo, da parte sua, pronunziava la parola "matrimonio" con la medesima solennità e naturalezza con cui si nomina una trattoria famosa dove si è deciso di andare per il pranzo o la cena.

Le zie lo osservavano stupite nel sentir pronunziare a quel modo una parola grandiosa e terribile, avvolta di mistero, che era rimasta sempre come una nube carica sopra le loro teste.

« A Santa Maria? » Allibivano le zie.

« Qui?... »

« Precisamente » ripeté Remo con un bel sorriso, « e voi accompagnerete Peggy all'altare. »

« No. »

« No. »

« Io no. »

« Neanch'io. »

« Ma ti pare! »

« Macché! »

Dissero le donne in un vortice.

« Non possiamo, non possiamo, ma ti pare... Una americana... e poi... si tratterà di una signorina... molto ricca... immagino. »

« Sì... forse, assai ricca, non lo so, è figlia unica di un industriale di New York, suo padre ha inventato una pentola... »

« Una pentola? »

Sussultarono entrambe. Anche Niobe sulla porta sussultò: « o che in America non ci avevano nemmeno le pentole? »

« Una pentola meccanica, speciale, tutta di metallo, che in sette minuti fa cuocere il manzo e dà un brodo eccellente. ».

« Figli di cani, e a me ci vogliono due ore. »

« Dice che con questa pentola ha fatto i soldi a cappellate. »

« Dunque è una signorina molto ricca... »

« Peggi riceve dal padre, regolarmente, degli *chèques*. Le mandava uno *chèque* di mille dollari ogni mese, ma quando ha saputo che si era fidanzata ed eravamo in due, ha incominciato a mandarli di duemila, razione doppia, senza che Peggy avesse detto niente; e per il matrimonio ha annunziato uno *chèque* fuori serie. »

Effettivamente Remo non sapeva altro della sua fidanzata, né aveva fatto nulla per sapere di più. In lui non era stata sordida ingordigia di accaparrarsi una dote, calcolo astuto, il futuro non era mai stato per lui un pensiero assillante, e il passato cadeva in una botola oscura il cui coperchio non si era mai sognato di alzare. Quello che contava era il presente: l'attimo che fugge, ed era nato apposta per saperlo cogliere, per viverlo con splendore, quello che appena caduto nella botola nera non esiste più. Peggy riceveva degli *chèques*, per il momento non voleva sapere altro, non gli importava di sapere altro, non aveva bisogno di fare calcoli egoistici, di inquisire con domande ripugnanti, esose, in previsione dell'avvenire, imporre ignobili patti: macché! Egli si sentiva padrone del presente: "la vita è facile", era il suo motto, e bastava questo a farla diventare facilissima, primitiva, elementare. Il suo non era un matrimonio per interesse, all'interesse non ci pensava neppure: gli *chèques* non si potevano mandare indietro, arrivavano da sé.

« Ed è orfana di madre? »

« No, il padre è divorziato da molti anni. »

« Ah! » Teresa parve ritrarsi a quella notizia, al modo di chi si scotta un dito o un piede e non vuole esternarne il dolore.

Carolina la guardò con intelligenza per ricordarle il suo discorso: "te lo dicevo io, lo sapevo, fanno tutte così le americane, quando sono stufe di un marito: buonasera, te lo mandano a spasso e se ne prendono un altro. Noi siamo delle stupide, amano di cambiare".

Gli occhi di Niobe sfavillavano dalla porta, simili a quelli dei gatti nell'oscurità: aveva tutta l'aria di approvare il contegno delle americane: anche lei era per cambiare quando le cose non procedevano bene. D'altronde, essendo la messe tanto abbondante perché contentarsi della minima parte?

« Ed è... giovane? »

« Ventiquattro anni, come me. »

« E così giovane viaggia sola? »

« Ha incominciato a viaggiare quando aveva diciotto anni, conosce tutto il mondo. È stata in Italia tre volte, ama molto l'Italia, suo padre si professa romano di spirito e di origine. »

« E tu.... naturalmente... » non le riusciva di formulare questa domanda, « ti sei... innamorato... e... l'ami... si capisce. »

« Innamorato!... Ah! Ah! Ah! » Remo si lasciò sfuggire questa risata e si riprese: « già... certo, certo che l'amo, s'intende ». Non aveva mai riso tanto forte, tanto bene.

Viveva in quel riso la sua anima intera. Quella parola: "amore", aveva un significato così diverso, per lui e per esse, da dover ridere nel parlarne insieme, e non potette resistere dal riderne con tutta sincerità: « sì, certo... Ah! Ah! ». Non aveva mai riso tanto forte e tanto bene, non era mai stato così bello a ridere. Gli occhi delle tre donne sfolgoravano. Si trattennero dal saltargli addosso per abbracciarlo una seconda volta. I loro corpi avevano ritrovato l'anima a quella scintilla rovente che tutti li percorse; incominciarono a parlare con franchezza, alleggerite e senza pena.

« Io e Peggy siamo due buoni amici che si piacciono e si comprendono, ecco tutto, viviamo bene insieme e possiamo realizzare una vita simpatica, piacevole, almeno per ora, amiamo le stesse cose, abbiamo le medesime attrazioni e le medesime antipatie. »

« Verremo, sì, verremo al matrimonio, sì. »

« Sì, sì » ribadiva Carolina.

Anche Niobe dalla porta diceva di sì: « ora va bene, brave, fanno bene a andare. Eh! via, che diamine! ».

« Sì, sì » ripetevano leste « sì, ci dirai quando, perché non c'è tempo da perdere, verremo, verremo senza dubbio. »

« Quando sarà? »

A tutte e due, ora, sorrideva di accompagnare quella sposa all'altare.

« Fra una quindicina di giorni, credo, non appena saranno pronte le carte. »

« Ecco, ecco... quindici giorni... già, sì... »

Teresa prendeva le sue misure e Carolina rispondeva:

« Quindici giorni... eh... »

Accompagnarono il nipote all'automobile, e rimasero a vederlo partire, allontanarsi... sparire. Quindi rientrando non poterono frenare un riso di felicità.

« Ah! Ah! Ah! »

« Ah! Ah! Ah! »

« È ricca e non l'ama. »

« Si sapeva. »

« Te lo dicevo io. »

« La piglia per interesse. »

« Ci voleva poco a capirlo. »

« Hai visto come rideva? »

« Ah! Ah! Ah! »

« Ah! Ah! Ah! »

« "Siamo due buoni amici..." Sì... »

« Ah! Ah! Ah! »

« "... amiamo le stesse cose..." »

« Che amore, eh? »

« "... viviamo bene insieme..." »

« "... almeno per ora". »

« Già. »

« E a me lo viene a dire? »

« A noi non la dà ad intendere. »

« "... abbiamo le medesime attrazioni..." »

« La pentola del padre. »

« Ah! Ah! Ah! »

« Che amore! »

« La piglia per interesse. »

« Si capiva. »

« Si capisce. »

« Ci vuol poco a capirlo. »

« È una cosa tanto naturale... »

« Come sarà? »

« Come sarà? »

Non erano soltanto le zie a domandarsi come sarebbe stata la signorina che Remo aveva scelto per moglie, o dalla quale s'era lasciato scegliere come marito, giacché anche gl'increduli avevano finito per credere. Si trattava di vedere come fosse questa donna su cui vigevano tanti dubbi, tante riserve, tante fantasie. E non appena si sparse la voce che il giorno seguente, nelle ore del pomeriggio Remo sarebbe arrivato con lei, da mezzogiorno in là per quella strada fu tutto un apparire e sparire, mettersi in sentinella, far segni, dare avvisi, sporgere il capo dalle porte o alle finestre. Curiosità e impazienza schizzavano da tutti i buchi.

Come poteva essere la fidanzata di quel giovane che da dieci anni riempiva il paese con le proprie avventure, e la cui persona aveva rappresentato lo spettacolo più affascinante?

Certo, ci voleva poco a capirlo, non poteva essere una creatura qualunque; Remo non sarebbe apparso in compagnia di una ragazzina timida e impacciata, che abbassava lo sguardo quando si parlava di lei o se le rivolgevano la parola, e alla quale sarebbero tremate le gambe recandosi a fare la conoscenza delle future zie. La curiosità era giustificata: in ogni caso c'era qualche cosa da vedere. E la sorpresa sarebbe stata anche più grande se l'uomo che aveva preteso tanto, mostrato tanta sicurezza e sicumera, tanta boria, si fosse accontentato di una cosuccia molto modesta e comune. Se fosse stata brutta? Avesse fatto come i mosconi che dopo tanto ronzare finiscono per posarsi sopra una certa cosa di cui non è consentito pronunziare il nome? Se fosse stata vecchia? Avesse accettato qualche vecchio tegame per i quattrini, una bagascia, ora che aveva finito quelli delle zie? È vero bensì che tutti sapevano a sazietà come la sposa avesse ventiquattro anni, ma poteva essere una di quelle vecchie rimpiccicottate che seguitano a dire di aver vent'anni anche quando ne hanno sessanta. Se fosse stata zoppa, guercia, gobba, obesa, sorda, negra, gialla?... Non si arriva a capire perché nessuno si figurava quella donna in condizione normale. Soltanto le ragazze aspettavano senza dir nulla: nel loro cuore era una fede che non doveva mentire.

"È Greta Garbo! È Greta Garbo!" esclamarono soffocatamente vedendo balzare dall'automobile una donna giovanissima, alta, snella, con un vestitino nero di lana, succinto, che rivelava l'agilità di un corpo esercitato alla danza, ai giuochi giovanili, agli sports; e un cocuzzetto di feltro rosso vivo che metteva in rilievo la magnificenza di una chioma d'oro bene ondulata inanellata e accuratissima. Agilità tanto lontana dagli sterili e patetici contorcimenti della povera Carolina.

La giovane si fermò nel mezzo della strada per contemplare il paesaggio sorridendo compresa e sodisfatta. Si girava attorno lentamente nell'osservare il luogo e le persone che a seconda della propria sfrontatezza, o della propria timidità, contemplavano lei a distanza rispettabile. Poggiava sopra un fianco il palmo della mano le cui dita, leggermente discoste dalla cintura, reggevano la sigaretta.

"È Greta Garbo! È Greta Garbo!"

Il cuore delle fanciule non poteva mentire: Rodolfo Valentino, Ramon Novarro, Charles Farrel, Gary Cooper, non potevano sposare che Greta Garbo.

Gli altri rimasero muti, non riuscendo a trovare, per il momento, un punto debole, l'incrinatura dove attaccare quella prima impressione imponente. E non riuscendo a colpirla sulle qualità esteriori affacciavano dubbi su quelle morali:

« Sarà una ragazza perbene? »

« Uhm... »

« Sarà ricca veramente? »

« Non sarà una di quelle?... »

« Che provenienza avranno le ricchezze? » (E dire che loro, da qualunque provenienza le avrebbero accettate.)

« Fuma, non è roba schietta, non mi piace. »

Le giovani invece, come che fosse, avrebbero voluto essere lei senza riserve. E già un segreto istinto portava il loro braccio a sperimentare quella grazia nell'atto del fumare.

Le zie non si fecero trovare sul cancello e nemmeno sulla porta. Non mostrarono troppa fretta di correre incontro alla futura nipotina, né vollero dare la minima solennità alla sua visita. Quando i giovani apparvero, alzarono la testa dal lavoro, si tolsero gli occhiali con calma, e la salutarono senza l'ombra di commozione o di trasporto, quasi fosse stata una cliente. Soltanto il lavoro, che non amavano più e che rappresentava ormai la dura necessità della vita, poteva dar loro ancora tanta forza, tanta sicurtà, tanta bellezza. Lo sentivano inconsciamente, erano come un re sopra il trono, e si aggrappavano a quello nell'ora della disgrazia, per cui non è rivalità né odio che lo possano toccare. Si alzarono insieme con movimento composto e un po' pigro, senza fare un passo e sorridendo appena, fiutando l'aria come per ascoltare un'ordinazione.

« Zi' Tè, Zi' Cà » disse Remo con deferente cortesia, sodisfatto, presentando la fidanzata alle zie. Qualsiasi genere di accoglienza lo avrebbe trovato nel medesimo umore, inalterabile: l'uscio sul muso, un secchio d'acqua in testa, la sassaiola come un ballo dato in suo onore. E siccome sulla porta di fondo, nell'ombra, si era affacciato qualcheduno, distraendo le donne da un saluto troppo freddo:

« Ninì », aggiunse con uno scoppio di giovialità correndo da quella parte e stringendosi al fianco Niobe, che recalcitrava ad avanzarsi di più: « la mia vecchia Ninì » ripeté tenendola stretta con grande affetto.

Per mezzo di un rapido sorriso e due colpettini del capo, Peggy salutò anche la serva.

« *Oh, yes, all right.* » E seguitò a guardare intorno nel laboratorio delle zie come prima nella strada balzando dall'automobile, e lasciando bene trasparire di essere attratta più dai luoghi e dalle cose che dalle persone. Assalita quindi da uno slancio di tenerezza esclamò:

« Oh! scimmie... incantate! »

« No, mia cara, no » corresse Remo gaio e dolce, « addo-mesticate, solamente addomesticate. »

Pareva un altro. Era divenuto attento, gentile, loquace; e siccome capiva quanto fosse difficile fondere insieme quelle forze eterogenee, interveniva sempre riempiendo le lacune, deviando le svolte pericolose. Spiegava il meccanismo della casa a Peggy, la professione delle zie che si scambiavano certi colpi d'occhi maligni, dei risolini velenosi: "ora tocca a te a farti addomesticare, e forse ci riesce". Non erano né commosse né sgomente dalla presenza della giovane, ma solo accorte, volevano mantenere celato tutto il loro senti-mento ostile, anzi, leggermente ironiche, e mondane come non erano state mai fra le mutande e le camicie. In dieci anni avevano imparato molte cose. Era nel loro cuore la risposta di Remo alla domanda essenziale: "non l'ama, non l'ama, non l'ama". Queste parole battevano nel cuore come il meccanismo di un orologio: "non l'ama, la sposa per interesse", e le custodivano gelose. Nulla doveva trapelare, né a lei né a lui di questa forza interiore che illuminava le loro anime, il loro dolore: "non l'ama". La presenza della vittima dava un piacere profondo, acre; e avevano la dupli-ce gioia di nasconderlo, di tenerlo per sé, dimostrando un'indifferenza totale, come per la gente che non appartie-ne. Aveva voglia di dire che erano dei pappagalli o delle scimmie, senza saper neppure quello che dicesse, povera pazzarella, il vero pappagallo era lei che non sapeva nem-men parlare, era lei la vera scimmia da addomesticare, o già addomesticata, probabilmente. Questo le faceva ridere, ridere, ridere, ridere a crepapelle, e non ridevano per non farsene accorgere, si guardavano bene dal ridere, per poter ridere il doppio in fóndo al cuore, per non metterla in sospetto, per farla entrare bene dentro il sacco, nella trappola aperta; ridevano per sé, solamente per sé: "speriamo che te ne faccia almeno il doppio di quelle che ha fatto a noi", questo dicevano i loro sorrisi composti e indifferenti. E pensare che loro sarebbero state pronte a farsene fare altrettante: "se facesse di te una salsiccia non sarebbe ancora il tuo avere".

Remo mostrò alla fidanzata la casa: il salotto da pranzo, il salotto da ricevere, la fece salire nella sua camera dove si trattennero a lungo ed in silenzio, e solo affacciandosi alla finestra, sul campo, Peggy non poté trattenersi dall'esclamare: "Oh! incantevole", alla vista dei monti a catene. Descrisse con voce calda le abilità delle zie, famose in tutta la città, le consuetudini semplici della sua famiglia di adozione, con sicurezza virile, senza sentire il bisogno di nascondere qualche cosa, né di abbellire ad arte, ma dicendo franco e schietto le cose quali erano, e a cui Peggy rispondeva sempre: "*Oh yes*, già", guardando stupita in quella sua felice disposizione all'idillio campestre: "*veramente, all right*".

Le zie li seguivano coi loro sorrisetti: "già, sì, davvero, cosa vuole... capirà... proprio, e come!..." che coprivano tanto bene la luce in fondo al cuore: "non l'ama, la sposa per interesse".

Anche il rinfresco non poteva essere più frugale. Niobe portò un piccolo vassoio con dei bicchierini, e un piattino con pochi biscotti. Trattamento tanto diverso da quello usato in un lontano pomeriggio alla direttrice Squilloni, quando Remo doveva prendere la licenza elementare.

« La signorina sarà abituata a quest'ora a prendere il tè, ma a noi quella stroscia non piace, non lo prendiamo mai... ci fa schifo. »

« Uh! Che lavativo! »

« Non ci siamo abituate. Abbiamo il vino delle nostre colline che è tanto buono », anche la rivalità etnica cadeva di fronte alla rivalità sentimentale « e lo preferiamo al tè. »

A cui Peggy rispose condividendo il loro gusto perfettamente.

« *Lavetivo, yes.* »

Nemmeno essa amava il tè, e preferiva del buon vino che bevve con vivissima sodisfazione.

Le sorelle si guardarono interdette: "dev'essere un'ubriacona, forse per questo gira dalle nostre parti, per trincare quanto vuole, laggiù non li lasciano bere, è un'ubriacona, si capisce, che peccato non averle preparato una tazzina di tè".

Peggy accettò con entusiasmo un secondo bicchiere che le venne offerto senza spontaneità e per pura decenza, e che tracannò dicendo: « *Molto bene, yes* ».

« Uh! » Carolina non poté trattenere un'esclamazione mentre con la sorella seguitavano il dialogo senza parole: "che ti dicevo? è un'ubriacona: beve e fuma, il resto te lo lascio considerare".

In verità Peggy non aveva cessato un istante di fumare; finita una sigaretta con quella ne accendeva un'altra tirando fuori da una taschina del grazioso abito, simile a quella di un grembiule, un portasigarette grande come un libro da messa.

A un certo punto ne offerse una alle zie.

« Eh! Che? » Teresa sobbalzò offesa, quasi non volendo credere al gesto: « Che? Io fumare? ».

E Carolina strascicava:

« Eh, via, ma che le pare, non ci siamo abituate, non sappiamo nemmeno che cosa vuol dire... »

Remo rideva e con lui rideva anche Niobe.

« E poi, cosa vuole, noi siamo povere, non possiamo permetterci certi lussi, siamo delle operaie... come la signorina vede. »

250

« *Oh, yes* », ripeteva Peggy preoccupata solo della propria sensazione idillica che le faceva trovar l'idillio anche in quelle due donne che molto volentieri le avrebbero messe le unghie dentro la pelle, senza nulla comprendere del loro stato reale.

« Siamo povere, siamo delle operaie », ripetevano calcando le sillabe, sventolando la frase, sicure di far dispetto alla signorina, ed era invece quello che ci voleva per recarle piacere, non cercava di meglio.

In quanto a Remo, se le avessero detto che la notte andavano girando col piè di porco e i grimaldelli avrebbe sorriso ugualmente.

Peggy dichiarò come anche suo padre, da giovane, non fosse che un operaio, un semplice operaio, bravo e intelligente, che aveva col proprio lavoro e col proprio ingegno fatto fortuna.

« Con la pentola » disse Teresa cattiva.

« *Pentola, yes, grandissima fabbrica de pentole.* »

Dalle camicie e le mutande era andato a finire tra le pentole. Bisogna riconoscere che Remo cadeva sempre bene. Ciò nonostante decise di tagliar corto con quella visita.

« Sai, Peggy, è l'ora, bisogna andare, dobbiamo fare molte cose. »

La signorina volle veder la chiesa dove pochi giorni dopo sarebbe stata impalmata; e quando vi fu davanti, seguita e circondata a rispettosa distanza da molti curiosi, se ne mostrò entusiasta, commossa, e disse che voleva fare un matrimonio proprio come si fanno in campagna, a Firenze.

Remo, che già aveva parlato col parroco, rispose: « Non appena avremo le carte mia cara, non dubitare ».

« *Certemente, yes.* »

Vicino all'automobile tutti stiracchiavano Palle per farlo

cantare: "Palle! Palle". Per sapere che facessero, dove andassero, dove abitassero a Firenze, e se era vero che era tanto ricca. Il giovane, a colpi di gomito si svincolava da quella smania indagatrice che gli era intollerabile.

Peggy fermandosi ogni poco volgeva lo sguardo torno torno, lentamente, con la mano sul fianco e la sigaretta accesa fra le dita, per respirare il profumo di idillio che la nutriva in quella fine di settembre.

"È Greta Garbo! È Greta Garbo!" ripetevano gli astanti sottovoce:

"È Greta Garbo!"

« Ti piace? » si chiesero le zie appena furono sole.

« A me no, e a te? »

« Ha la bocca brutta. »

« È brutta quando parla. »

« E quando ride? »

« Che bocca! »

« Quella dovrebbe star sempre zitta. »

Era la sola cosa che si potesse rimproverare a quella bellissima creatura, i movimenti troppo marcati e poco armoniosi della bocca nel ridere e nel parlare, che rivelavano chiaramente, più che un'origine plebea, un'originaria volgarità, e producevano una stonatura nel quadro ammirevole. E le Materassi, senza indugio, l'avevan saputa cogliere.

« E poi, che modo di discorrere? »

« C'è da farsi venire la palpitazione di cuore. »

« Moglie e buoi dei paesi tuoi » concluse Teresa decisa.

Niobe rimise al posto le cose.

« Eh, via... è una gran bella coppia, lui moro e lei bionda, ha un bel personale, non è una brutta ragazza, siamo giuste. E quei capelli? Lo sapevo io che gli piacevano le bionde. »

Tutti penseranno che una sola persona, a Santa Maria, non avesse voluto vedere la fidanzata di Remo: Giselda. Ebbene no, la poveretta, chiusa nella sua camera, venne sorpresa a colpo mentre da un cantuccio della finestra, con la più grande cautela faceva capolino per poterla vedere. Con la ben nota destrezza, Remo, alzando la testa di scatto nel momento preciso: "tac!" l'aveva fatta sparire.

Come dicemmo già, Peggy volle un matrimonio il più fiorentino che fosse possibile, per dire alla sua maniera, con tutti gli usi, gl'ingredienti, e gli aggregati del paese. E non potendosi fare un'idea, nemmeno approssimativa, delle reali proporzioni di esso e del suo spirito, confondeva i due termini, intendendo per fiorentino un matrimonio campestre. Ragione per cui esso riuscì tanto fiorentino e tanto campestre che in quei paraggi nessuno ne aveva visto mai uno simile.

In quanto a Remo non opponeva limitazioni da parte sua, qualunque aggettivo sarebbe andato bene. È chiaro che per lui la questione degli *chèques*, era la sola sopra la quale non si poteva transigere, per tutte le altre le discussioni erano superflue.

Domandato alla sarta quanto fosse lunga la coda che le spose portavano a Firenze in generale, e quella rispostole: "un massimo di quattro metri, non oltre", "otto metri!" rispose Peggy seccamente. E le sue risposte erano tali da non ammettere repliche. La sarta si limitò a farle osservare che due fanciulli non sarebbero bastati per potergliela reggere: "quattro fanciulli!" ribatté, e disse "quattro" con tale forza da lasciar supporre che quaranta o quattrocento non avrebbero provocato la più piccola difficoltà.

La chiesa venne tappezzata di fiori bianchi, con fasci di tuberose dalle lunghe spighe che formavano delle magnifiche fontane fra centinaia di candele.

Il profumo era così intenso da dare delle vertigini all'umile ed estatico spettatore.

Tra l'Africo e il Mensola erano stati distribuiti sacchetti di confetti a dovizia; coppe graziosissime, di vetro, di porcellana o in argento. E consegnata al parroco una certa busta perché anche i più poveri potessero festeggiare degnamente quel memorabile giorno.

Lo *chèque* fuori serie, venuto dall'America, doveva essere anche fuori classe.

Remo aveva ragione quando diceva che la vita è facile: facilissima, gli possiamo rispondere, oramai i denari piovevano dal cielo senza tregua. Egli non parlava mai di redditi, di calcoli o di cifre, di sordidi brutali e vili interessi, in cui l'uomo macera la parte migliore di sé, e ai quali si sarebbe ribellato il suo animo disinteressato, refrattario ai calcoli e alle cifre, e gli *chèques* arrivavano ugualmente.

La difficoltà più grande fu di ottenere della buona musica. Una volta escluse le orchestre cittadine, moderne e raffinate, non appropriate al genere agreste che si voleva raggiungere, nei paesi vicini fu difficile racimolare qualche cosa di possibile. Settignano, che ebbe nei tempi andati un'ottima banda, ora si contenta di una fanfaruccia per qualche strombettata che pochi baldi giovinotti possono fare andando in su e in giù per la piazza con passo da bersagliere. Alla superba Fiesole non era il caso di ricorrere; le rivalità millenarie coi paesi che la circondano, per la sua autonomia, hanno creato suscettibilità mai sopite, che non può conciliare neppure l'America, e risorgenti, o scattanti, al minimo urto, al punto da non chiederle l'olio santo in punto di morte. Soltanto a Compiobbi fu trovata una vera e propria banda che accettò l'incarico insieme alla fanfara settignanese impegnata in precedenza.

Tra l'Africo e il Mensola, nelle borgate prossime, si era sparsa la voce di questo matrimonio eccezionale. Remo era conosciutissimo nei dintorni, e come l'erba betonica lungo la via Settignanese. Tutti lo conoscevano·e conoscevano bene le zie, sapevano nei minimi particolari la loro storia, le loro vicende, per modo che il popolo, quella mattina, si riversò a Santa Maria in massa.

La cerimonia religiosa era fissata per le undici, e già alle nove incominciò ad affluire la gente che sostava a capannelli parlando del fatto singolare che a memoria d'uomo non s'era registrato in quelle contrade. Sulla piazza e per la via, nei pressi della chiesa ancora serrata, e dalla cui porta si partiva un tappeto rosso che arrivava fin dove si sarebbero fermate le automobili e sul quale, quasi fosse stato acqua o fuoco, nessuno osava avventurare il piede.

Alle dieci e mezza, da Settignano, sopra un autocarro giunse la fanfara e poco dopo, sopra un altro più grande, da Compiobbi giunse la banda. Il parroco aveva aperto la porticina dell'orto dalla quale entravano e uscivano i bandisti che nell'attesa avevano posato i loro strumenti, mentre la folla cresceva e si affittiva davanti alla chiesa, tutti indicandone la porta e il tappeto rosso che partiva da quella. La casa delle Materassi diventava, per la curiosità, il palazzo della Signoria: parlavano di loro e del loro nipote. Due macchine fotografiche su alti cavalletti erano pronte. Ci mancavano i banchi dei brigidini e le sonnambule, e si sarebbe potuto dire che quel giorno c'era la fiera a Santa Maria.

A questo preciso momento una grande automobile chiusa, risplendente e lussuosissima, col cameriere a fianco del conducente, eseguiva la sua manovra nella strada, spostandone a ventaglio la folla ivi raccolta: si fermò davanti al cancello bianco mangiato dalla ruggine, rimasto sempre aperto a metà quando dovevano passare le contesse, le marchese e le duchesse, i canonici mitrati e le mantenute, e che in quel giorno, per un passaggio doppiamente straordinario era aperto dalle due parti.

Non appena la grande macchina fu ferma, e fu disceso il cameriere vicino allo sportello in posizione di attesa, con movimento d'api la folla si riversò intorno ad essa, per vedere salire le zie che andavano a Firenze dove si sarebbe formato il corteo.

Era il primo numero della giornata, e non fu quello di minore sorpresa giacché dopo cinque minuti appena, durante i quali tutti fantasticavano sull'abito e il cappello che potevano portare le due sorelle, sulla forma e sul colore, sulle possibili guarnizioni... degli ah! degli oh! degli uh! uscenti in tutti i toni, incontenibili o mal trattenuti, o addirittura sconvenienti, serpeggiarono nella folla che quasi si ritraeva spaventata. Dalla porta erano scese, e si avanzavano verso il cancello, lentamente, con solennità, due vecchie vestite da spose. Le Materassi indossavano l'abito di raso bianco rituale, tutte coperte da un lungo velo appuntato sopra la testa, e con una coda lunghissima che Niobe, tenendo loro dietro come il cane che vuol fare le feste a più persone contemporaneamente, non riparava a distendere, correndo dall'una all'altra perché non s'impigliassero nel camminare. Avevano nei capelli dei mazzettini di fiori d'arancio, e fiori d'arancio portavano alla vita, sul petto e in fondo alla sottana.

« Ah! »

« Oh! »

« Uh! »

Non era facile rattenere il sentimento provocato da una simile apparizione. Si avvicinarono alla macchina conservando un portamento di altissima compostezza per quanto a tutte e due tremassero le gambe da cadere. Vi salirono con le facce verdi più che pallide, spettrali, livide. Vi salirono provandosi a rispondere con dei sorrisi di grande nobiltà allo sghignazzare della folla, alle risate e alle esclamazioni;

quindi con sguardi di sdegno più nobili ancora, ma senza efficacia. Una volta salite sulla macchina a Carolina si velarono gli occhi di lacrime, mentre Teresa, facendo una faccia sempre più dura, affacciatasi al finestrino e rivolta alla moltitudine in baldoria abbozzò una pernacchia. I muscoli del viso, contratti fino allo schianto, le impedirono di completare l'atto sconcio ma che valse pertanto ad abbassare il tono della canzonatura. Parve in quel modo rispondere agli screanzati quello che aveva risposto alla sorella per tagliar corto la polemica pochi giorni prima: "noi sì, si possono portare i fiori d'arancio, e a testa alta, la sposa invece chi lo sa...". E per meglio convincerla aveva aggiunto: "e queste muffettole del paese che il giorno del matrimonio sono già incinte".

Gli è che Peggy, in fondo, non sapeva nemmeno lei che cosa portasse né che cosa portavano gli altri; e quello che per le due zitelle rappresentava il dramma di un'intera esistenza, non era invece per lei che la minuzia trascurabile di un'ora appena. Le bastava di portare il più possibile, con capricciosa freschezza, e che gli altri facessero il simile, non era donna da lesinare in fatto di libertà. Ella esigeva solo un matrimonio fiorentino e campestre. Bisogna riconoscere che a tale fine le cose erano avviate bene.

In quanto a Remo le zie sarebbero potute arrivare vestite da arlecchino o come Eva nostra madre capitale, che non conobbe le sarte, egli non avrebbe avuto un cenno di commento per il loro abito.

Sarà bene aggiungere che nella folla, dopo quel primo e tanto spontaneo movimento di sorpresa, si era fatta larga una voce che valse a mitigare l'ilarità, e cioè che nei matrimoni del gran mondo anche le dame del seguito vanno vestite di bianco e col velo in testa come la sposa, nelle sfere altissime, fra le principesse e le regine. Taluno assicurava di avere veduto ciò sulla *Domenica del Corriere*. E si rimangia-

vano in parte le esclamazioni di gioia poco riguardosa che
avevano provocato da parte di Teresa una risposta tutt'altro che principesca, e tanto meno regale.

Dopo che le Materassi furono partite, la folla si riversò a
prender posto davanti alla chiesa, formando due siepi fitte
lungo il tappeto rosso sul quale nessuno osava avanzare un
piede, aspettando quelle undici che non arrivavano mai,
pure essendo tanto vicine. E i fotografi, in alto accanto alle
loro macchine coperte di un panno nero da prestigiatore.
Finché il corteo venne annunziato dal movimento di coloro
che trovandosi sulle porte o alle finestre e per la via, i pochi
che non avendo potuto abbandonare la casa o la bottega si
contentavano di vederlo passare, o abbandonandola all'ultimo momento correvano per giungere in tempo. E mentre
alla svoltata apparve la prima automobile, la fanfara di Settignano esplose:

> O bersagliere, stai fermo con le mani
> sennò la mamma si desterà.
> Se la si desta noi la farem dormire
> che questa è l'ora di far l'amor.

Le macchine si seguivano a breve ed uguale distanza,
collegate, e con incedere di parata si avvicinavano lentissi-
me.

> A quattro mesi la luna era crescente
> perché è l'amore di un bersaglier.

Nella prima, carrozzata a due posti e pilotata da lui, era
Remo con la sposa; e appollaiato dietro di essi, da sembrare
una civetta sulla gruccia, il fedele Palle, con un bel vestito
blu nuovo fiammante, e il berrettino color tortora calzato
fino agli occhi secondo la regola.

Seguivano tre grandi macchine uguali, chiuse e provviste
di un cameriere vicino al conducente, e in cui avevano

preso posto i personaggi ufficiali del seguito. Nella prima i quattro fanciulli caudatari, nella seconda le zie, sole, e nella terza i quattro testimoni scelti fra gli amici di Remo. Quindi otto o dieci macchine differenti, fra grandi e piccole, chiuse o aperte, in cui erano gli amici dello sposo, fino a quattro e cinque per macchina. Tutti in cilindro e *tight* come si conveniva al grado della cerimonia. Le porte delle più note pasticcerie, nel centro di Firenze, quella mattina s'erano diradate.

I fotografi, apparendo e sparendo sotto i cenci neri, eseguivano i loro giuochi di prestidigitazione.

Di donne non c'erano che la sposa e le zie; o per dir meglio: tre spose, una giovane e due vecchie che un nuovo sentimento eccitava e soccorreva a sostenere la loro parte. Portavano dentro una parola ch'era il sostegno e la forza che le reggeva e le faceva andare. Il loro candore di vergini nascondeva una parola di sangue, come il revolver o il pugnale: "non l'ama, la sposa per interesse". Erano pronte a seguirla e a sorriderle, sino alla fine, ovunque. La vera scimmia incantata era lei senza accorgersene. Questo dava loro la forza di salire e scendere dall'automobile, di passare con la testa alta tra la folla che vedendole non poteva trattenersi dal ridere; trascinando solennemente tre metri di strascico bianco sotto il velo, e dicendo a tutti con gli occhi cattivi: "non è vero, non ci credete, non è una cosa seria, non è un matrimonio perbene, sono tutte apparenze, è un matrimonio d'interesse, non l'ama, lo ha detto a noi, lo ha lasciato capire, è ricca e la sposa per questo, non si sa nemmeno chi è".

Peggy, scendendo dall'automobile, gettò la sigaretta appena accesa, e che un monello, intrufolandosi fra le gambe degli spettatori non tardò a raccogliere. Il gesto fece serpeggiare un brivido nella folla, che vedeva per la prima volta una sposina avvolta di veli candidi e di candidi fiori, gettar via la sigaretta avvicinandosi all'altare.

« Si sa, sono spose moderne » taluno insinuò sottovoce. E le ragazze ripetevano affascinate: « È Greta Garbo! È Greta Garbo! Greta Garbo che può fumare dove vuole ». E rivolte allo sposo, sussurravano il nome di tutti i divi che popolavano i loro sogni.

Gli otto metri di coda rappresentarono un problema abbastanza complicato per uscire dall'automobile, svolgersi, e sorretti dai quattro fanciulli, due per lato, prendere un cammino regolare. La sveltezza e agilità della portatrice vennero in luce, tanto da fare delle evoluzioni così rapide che accennavano a vere e proprie esibizioni davanti alle facce attonite, e circondata da una quarantina di giovani che saltando dalle macchine venivano a farle corona formandole intorno un vero e proprio caleidoscopio coi cilindri lucidissimi, e muovendosi nell'impossibilità di frenare la loro esuberante allegria e il loro vigore. E quando Peggy al suono dell'organo raggiunse l'inginocchiatoio davanti all'altare, fra lo stupore gelido che avrebbe arrecato la visione nel cielo di un astro sconosciuto, al sua coda arrivava quasi alla porta della chiesina poco più lunga di essa.

Fu fatta entrare la folla e vi irruppe con cieco impeto allo scopo di accaparrarsi un buco da cui vedere.

Se proprio non era un matrimonio fiorentino e campestre come volevano le aspirazioni, era certamente un matrimonio originale. Su tutti aleggiava qualcosa che anche lo spirito critico più grossolano poteva sorprendere.

Peggy, sotto quell'abito angelico, conservava troppo la sua plastica di donna sportiva e di ballerina consumata nelle danze modernissime; il suo raccoglimento, un po' eccessivo, era attraversato da lampi che ne rivelavano la superficialità, superficialità da chi recita con troppo impegno una parte. Il viso di Palle così compreso e severo da apparir minaccioso, e quello delle zie livido, contratto, su cui era stampato un sorriso doloroso che le faceva sembrare anche più vecchie nell'abito nuziale; e la presenza di tanti ragazzacci i cui corpi risentivano troppo delle loro consuetudini e attività, coi quali non era possibile raggiungere il serio e il silenzio che avrebbero richiesto le circostanze, e che anche quando stavano fermi e zitti producevano un'esplosione ugualmente. La turbolenta squadra era al completo, i divoratori notturni delle belle frittate d'oro che Niobe sapeva preparare per miracolo, parevano denunziare non solo che non era una cosa seria, ma nemmeno una cosa vera, oserei dire, ed era verissima. Il fiorentino e il campestre organizzati da chi non era né fiorentino né campestre, avevano sfociato in questo fine. Avresti detto che sotto l'abito da cerimonia tutti ci avessero le mutandine da ginnastica, anche la sposa, anche le zie, e che da un momento all'altro, gettatolo rapidamente, si dessero a far salti, capriole, esercizi di forza e agilità. Qualcosa che stava fra l'operetta e il circo equestre.

La banda municipale di Compiobbi intonò la marcia trionfale dell'*Aida*, quindi ebbe principio la Messa accompagnata dal mistico coro della *Norma*. Sia la banda che la fanfara prestavano il loro servizio in piazza e non in collegamento con la funzione religiosa, per quanto suonassero durante quella. I prestigiatori fotografici avevano trasportato i loro bussolotti ai lati dell'altare, e ora l'uno ora l'altro facevano partire dei lampi: "pflam!" che sbalordivano e davano un sussulto al tempo medesimo che venivano eseguiti i loro prodigi: "pflam! pflam!".

Fra tante sorprese e stonature, una sola persona aveva saputo mantenersi irreprensibile. Remo. Disinvolto, corretto, elegante nel bellissimo *tight* che ne rivelava la figura a pieno, non aveva un attimo di goffaggine o d'incertezza, di monelleria, di volgarità; premuroso e cortese camminava al fianco della sua sposa per condurla all'altare, e rimanendole vicino con grande dignità. E all'atto supremo della celebrazione dolcemente compreso dalla santità del rito senza esternarne il turbamento. A differenza degli altri tutta la sua figura era in perfetta armonia con l'ora e con l'ambiente.

Il giovane parroco, officiando, legandolo in quel vincolo sacro e indissolubile, lo considerava attratto dalla sua persona, dal suo contegno, anzi pareva attratto solamente da lui, e che il resto gli rimanesse estraneo. In tanta diversità di vita e di spirito, si era stabilita fra i due giovani una corrente di simpatia inespressa, o espressa appena, timidamente, reciproca e invincibile, e che si consolidava in quell'ora austera e dolce. Era stranamente e nobilmente commosso dall'attitudine del giovane più che da tutti gli altri che riempivano la chiesa fino a schiacciarsi per poter vedere.

Subito dietro dove gli sposi erano inginocchiati, in due poltrone d'oro erano le zie, che stavano sedute o in piedi a seconda che esigeva la Messa; né le loro facce esprimevano un segno di commozione, avevano dentro una droga che le trasfigurava, un narcotico che seguitava ad agire, sorridevano invece di piangere, un sorriso velenoso che era un marchio sopra le loro facce. Pareva aspettassero qualche cosa ad ogni attimo, tra la folla che, fissandole, pareva a sua volta aspettare qualche cosa da esse. "Non ci credete, è una buffonata qualunque, è un matrimonio senza amore, la sposa per interesse. L'amore... sì... se l'è mangiato il cane!"

Prima dell'elevazione la musica in piazza suonò il pezzo del *Rigoletto*:

> Tutte le feste al tempio
> mentre pregava Iddio,
> bello e fatale un giovane
> s'offerse al guardo mio...

Per l'esattezza il giovane bello e fatale si era offerto al guardo di Peggy per molti giorni consecutivi entrando o uscendo dalla sala d'ingresso, turchesca, dell'albergo Danieli a Venezia; ma questo è un particolare trascurabile.

La folla era sempre più inquieta per l'angustia della chiesetta, e siccome la maggior parte di essa era dovuta rimanere fuori, di dentro se ne sentiva il rumore simile a quello della marea. A uno degli altari laterali caddero delle candele producendo un certo scompiglio.

Se tra quella folla inquieta e stramba, che manteneva gli animi sospesi tra la bellezza e la leggiadria della cerimonia e il vago profumo di uno scandalo, una sola persona aveva saputo mantenere un contegno di sicura dignità, una sola aveva potuto abbandonarsi al proprio sentimento migliore: Niobe. Introdottasi per la casa del parroco e nascosta dietro l'altare, piangeva dirottamente un pianto genuino e bestiale. Il suo cuore avido di vita, e i suoi occhi avidi di bellezza, piangevano dieci anni di felicità, una seconda giovinezza che il giovane le aveva saputo dare con la sola presenza nella casa, e che era finita per sempre.

Terminata la cerimonia, all'uscire dalla chiesa la banda di Compiobbi, forse già col pensiero ai bicchieri che aspettavano di essere riempiti, suonò il brindisi della *Traviata*. E i fotografi prestigiatori dall'alto dei loro cavalletti ancora una volta facevano apparire e sparire le teste sotto i panni neri:

> Libiam nei lieti calici,
> che la bellezza infiora,
> e la fuggevol'ora
> s'innebrî a voluttà.

E la fanfara di Settignano, pure avendo un repertorio alquanto ristretto, bisognava riconoscere che lo svolgeva con impeto fuor del comune:

A sette mesi lo fece un bel bambino
con il cappello da bersaglier.

Il trombone vi sosteneva una fatica fondamentale. Mentre si ricomponeva il corteo e i convitati salivano nelle macchine.

A nove mesi andava in bicicletta
perché era figlio di un bersaglier.

Peggy dal canto suo, abituata alle irruenze del jazz, trovò quelle melodie intonate perfettamente, e raggiunto l'idillio campestre. In ogni cosa le apparve un fiore. Sentiva di essere caduta nel patetico e ne era felice, anche perché si sentiva pronta a spiccare il salto per uscirne non appena le fosse venuto a noia: e non si accorgeva che non era vero niente. Sentiva un bisogno folle di abbracciare tutti e dire a tutti una parola dolce, una di quelle che il fidanzato le aveva fatto imparare per la circostanza: "delizioso, incantevole, paesano, strapaesano, silvano, villereccio, agreste..." e che pronunziava molto approssimativamente. Sentiva una voglia incontenibile di abbracciare tutti e dare a tutti dei baci o almeno dei confetti, anche a quelli che la guardavano a denti chiusi, anche alle zie che nascondevano un pugnale sotto il candore e il veleno nel sorriso verde: "non l'ama, la piglia per interesse". Parole per lei incomprensibili e intraducibili in tutte le lingue; e che se glie le avessero potute far comprendere nel giusto significato l'avrebbero fatta ridere nel profondo dell'essere. Quello che rappresentava per loro il dramma in cui erano impegnate fino all'ultima goccia di sangue, sarebbe stato per lei una nuova ragione di ridere.

Al corteo, che si mosse lentamente alla volta di Firenze, si aggiunsero i due autocarri con la banda e la fanfara, tutti in piedi coi loro strumenti e i berretti da controllore del tram: e lungo la via, fino alle prime case della città, alternarono la marcia dell'*Aida* e il brindisi della *Traviata* (bisogna pensare che i calici si avvicinavano davvero):

> Libiam ne' dolci fremiti
> che suscita l'amore,
> poiché quell'occhio al core
> onnipotente va.

E la fanfara settignanese:

> O bersagliere stai fermo con
> [le mani
> sennò la mamma si desterà.

Sempre la stessa, ma con sempre crescente forza e colore.

All'approssimarsi dell'abitato il corteo tacque e sfilò al solo rumore dell'allegria giovanile incontenibile; facendo fermare e accorrere gente ovunque, destando una vivissima curiosità su tutto il cammino. I più credettero trattarsi del matrimonio di una principessa, altri invece pensarono che fosse stata eletta la regina del mercato, e altri ancora che si girasse un film, un film con Greta Garbo. "È Greta Garbo! È Greta Garbo!" dicevano anche a Firenze quelli che non sapevano nemmeno che cosa fosse.

Il pranzo venne offerto in due grandi sale all'albergo dove erano alloggiati gli sposi. Nella prima erano essi coi loro amici e familiari, e nella seconda i musicanti con molte altre persone. Più che allegro e cordiale fu un pranzo di grande chiasso: clamoroso, dinamico, sportivo. L'idillio era rimasto in campagna e nessuno se ne ricordava più. La gioia di quei giovani, contenuta a stento e non del tutto nell'ora della funzione religiosa, ebbe una compressione naturale ai primi bocconi, e dopo pochi sorsi di *champagne* incominciò ad esplodere in un crescendo di ebbrezza felice, un grido uscente da tanti petti ventenni che salutavano l'amico col quale avevano diviso tanti bei giorni.

L'uno vicino all'altro in testa alla tavola ovale, erano gli sposi, e a sinistra di Remo, l'una vicina all'altra, le zie. Teresa teneva il proprio posto con abbastanza disinvoltura vicino al nipote, per quanto la sua faccia dolorosa fosse una cera sul punto di sciogliersi. Carolina le si stringeva al fianco spaventata, quasi tentasse di nascondersi e rifugiarsi, assalita dal freddo che ripercuoteva sul suo viso l'abito bianco e lucente. Si può dire che Remo si trovasse fra tre spose, né aveva l'aria che fossero troppe e di un genere discutibile, macché, si ripartiva fra tutte nel modo più brillante e naturale, tanto da lasciar credere che avrebbero potuto essere molte di più e di qualsiasi genere.

Venivano quindi due ali fitte di giovani, forse una quarantina, venti per parte. Alcuni che non possedevano un cilindro e il *tight* erano venuti al pranzo direttamente. E all'altro capo della tavola, si potrebbe dire anche alla coda, solo, serio e raccolto, Palle, quasi accigliato, compreso della magnificenza che passava sopra il suo piatto e nel bicchiere, deciso a non lasciarsene sfuggire né la varietà né il gusto, e per cui la ponderatezza era pari all'impegno nel fare sparire.

Le zie invece, soffrivano nel buttar giù a forza qualche boccone; nel giungere alla bocca le mani tremavano visibilmente, o vi accostavano il bicchiere appena e lo ritraevano quasi temessero, come per un veleno o un filtro, a buttarne giù poche gocciole. Le facce erano di un pallore funebre, gli occhi fissi, le bocche contratte, incapaci di sorridere e di rispondere in qualsiasi modo a Remo che sapeva dividersi abilissimo fra le sue vicine. La forza che le aveva sostenute fin lì le aveva abbandonate nel sedersi a quella mensa. Ancora pochi momenti e sarebbero tornate sole a Santa Maria nel loro abito di spose. A questo pensiero avrebbero voluto scomparire, avrebbero voluto sentire aprirsi l'impiantito sotto i piedi per esserne inghiottite. Ancora pochi momenti e avrebbero dovuto salutare Remo che partiva con la moglie alla volta di Genova. Andava ad imbarcarsi, andava in America forse per sempre. Ringraziavano il Signore di essere sedute, sentivano il loro corpo incapace di sostenersi in quell'ultima prova. E nell'animo non era più livore per nessuno, né distinguevano più le figure, sentivano il cuore divenuto una pietra nel petto, e la testa incapace di reggere. Teresa fissava Palle all'altra estremità della tavola, lo vedeva lontano lontano e avvolto di nebbie, si appigliava alla sua figura come il naufrago a un tronco che possa trovare, anche se incapace di sostenerlo. Nessuno aveva parlato di lui, nulla s'era sentito dire che lo riguardasse: si capiva che la cuccagna era finita e doveva rientrare nelle rotaie della sua vera esistenza. L'unione fra i due giovani era finita, finita la loro amicizia. Palle sarebbe andato a cercarsi un posto in qualche rimessa d'automobili, come operaio o conducente, doveva piegarsi al giogo di tutti gli altri uomini accettando un lavoro duro e normale. Nel vicinato gli chiedevano che cosa avrebbe fatto, egli non rispondeva a nessuno, mostrandosi rassegnato alla sorte. Lo osservava mangiare intenerendosi, riprendendo il contatto con la realtà dalla quale si sentiva estranea, assente. Sarebbero tornate a Santa Maria con lui ch'era stato per dieci anni il compagno indivisibile del loro nipote: era quanto sarebbe rimasto di Remo e di quegli anni. La sola vista del giovane poco loquace avrebbe illuminato le loro giornate che vedevano immerse nelle tenebre; lo avrebbero rivisto sempre e costretto a parlare, a ricordare, sarebbe stato caro anche a lui il ricordo della propria fanciullezza spensierata e felice.

Infatti, fra Remo e Palle non era corsa una parola in proposito, nulla era stato stabilito e discusso, i due amici non avevano fatto cenno reciprocamente dei loro progetti e delle loro intenzioni, delle possibilità. Palle non era uomo da chiedere, e Remo sapeva che l'altro avrebbe accettato tutto senza discussione; non era stato richiesto per il disbrigo delle carte relative alla partenza, era sottinteso che egli rimaneva a Firenze, tutto lo lasciava supporre, ed era logico e giusto che mettesse tanto impegno nel mangiare per l'ultima volta ad una mensa d'eccezione che per tanto tempo gli aveva elargito la sorte. Quel ragazzo era il tronco di salvezza che ancora sosteneva la testa di Teresa, mentre Carolina si sentiva prossima a cedere: un sopore doloroso le invadeva la mente, una vertigine le faceva vedere tutto avvolto dalle nebbie, e le sembravano lontani i rumori che si sprigionavano ai suoi orecchi.

Non guardavano più la sposa con gelosia, con rancore, non erano più capaci di beffarla per la loro intima certezza: l'arma micidiale era caduta da sé. La vedevano lontana lontana, sotto un vetro, tutto vedevano sotto un vetro, anche i rumori erano isolati da un vetro, e solo i riflessi gelidi del loro vestito le facevano tremare di freddo e di paura; freddo e paura delle loro persone.

Incominciarono i brindisi e ve ne furono di quelli ameni e salaci, che rasentarono con simpatia la licenziosità, e che oltre ad esaltare la bellezza e la grazia della sposa, che non sapeva rispondere se non "*oh, yes, all righ*" senza poter capire, tendevano a mettere in rilievo la buona stella che pareva accompagnare nel suo cammino il giovane sposo, loro amico carissimo. Avveniva invece ch'ella afferrasse taluna di quelle parole che offrivano l'imbarazzo di una spiegazione e la difficoltà di farla tacere, e proprio come i bambini, una volta afferratele le ripetesse insistentemente e ad altissima voce.

Anche le Materassi dovettero battere e ribattere il bicchiere coi giovani che si vedevano girare intorno in una giostra, e mentre subivano la sensazione che i loro corpi venissero sbatacchiati dalle onde, cercavano di afferrarsi quanto più potevano alla figura di Palle. Anche lui non rideva né partecipava al baccano e ai brindisi se non quando vi era costretto.

A un certo punto Remo, lasciando il suo posto col bicchiere in mano, ed essendo giunto all'altra estremità della tavola, disse: "salute, Palle" tendendogli il bicchiere. Palle prese il suo e lo batté appena con quello dell'amico a testa bassa e senza sorridere; quindi Remo, messa la mano in tasca ne trasse un librettino azzurro che gettò sulla tovaglia al posto del giovane. Era il passaporto per l'America. Fu un grido unanime, l'intera sala esplose: in America anche Palle! Ma Palle non ebbe un segno nel suo corpo che rivelasse l'interiore sentimento: la sorpresa, la contentezza o la commozione; prese il libretto dalla tovaglia e lo ripose in tasca nel modo che si pone la scatola dei cerini dopo averla prestata al proprio vicino per accendere una sigaretta.

« *Empossible senza de Palle!* » disse Peggy superando il frastuono, mentre il gruppo degli amici si riversava su lui abbracciandolo, sollevandolo in trionfo e portandolo in giro per la sala: "in America anche Palle!".

« *Ma certemente* » ripeteva Peggy al colmo della felicità: « *senza de Palle noi non se può far niente* ».

Dall'altra sala, dove il baccano era aumentato col vuotarsi delle bottiglie, la fanfara di Settignano riprese la sua fatica:

> O bersagliere stai fermo con le mani
> sennò la mamma si desterà.

Fatica straordinaria del trombone.

In grande fretta venne sparecchiata la mensa e sgombrata la sala, le sedie messe in circolo alle pareti. Remo aprì le danze con la sposa la quale, come un Minosse vestito da angelo, seppe avvolgersi intorno al corpo, con agilità portentosa, otto metri di coda. Attaccò a ballare fox-trot, tanghi e rumbe. E siccome non manca mai nulla a coloro per cui la vita è facile, in quella riunione di tanti maschi, fra cui era una sola donna capace di ballare, apparvero, non si sa di dove, quasi fossero zampillate dal pavimento, dieci o dodici ragazze che si buttarono nelle danze. Come i romani antichi dopo le loro prodigiose conquiste, vedendosi tutti fra maschi si guardavano malinconici e depressi, e subito correvano a rapire le femmine senza di che non pareva loro di aver conquistato niente. Gli amici di Remo si contendevano la sposa che ballava come soltanto le americane di New York sanno ballare.

Le Materassi si ritrovarono sedute in un angolo incapaci di distinguere quanto avvenisse. Si stringevano addosso i veli di vergini assai malconci nel trambusto, chiedevano a quelli di essere protette, nascoste. I poveri occhi non distinguevano nel mulinare di danze: erano sommerse in un caos di voci e di gesti, una vera e propria ridda, dopo che l'ultimo appiglio le aveva abbandonate. Anche Palle partiva per l'America. Ora vedevano ombre, ombre che si agitavano, sentivano un ronzio indistinto dentro gli orecchi, né distinguevano le persone. Come il naufrago ormai, dopo un ultimo sforzo, si sentivano sommergere, affondare. Se avessero detto loro di alzarsi per partire non vi sarebbero riuscite. Taluno dei giovani andava loro a parlare, invitandole a ballare e a stare allegre; esse non potevano nemmeno rispondere, non comprendevano che volessero e le loro parole, scorgevano solo nella nebbia delle bocche ridere, e nel pensiero si affacciava la visione macabra di due cadaveri che ballano vestiti da spose.

Remo, a cui nulla poteva sfuggire anche quando doveva riparare nel tempo stesso a molte cose, comprese il loro stato e, detta qualche parola all'orecchio di Peggy che ballava senza respiro, e approfittando della confusione che aumentava sempre, con premura si avvicinò alle zie, si chinò al loro orecchio per poter essere udito in tanto strepito. La vicinanza di lui, il suo alito che ne sfiorava le guance, le ravvivarono per incanto dal doloroso torpore:

« Sono già le quattro, è meglio che intanto partiate voi, altrimenti si fa troppo tardi, vi accompagno, venite. »

Peggy, senza smettere di ballare: "*Good bye! Good bye!*". Sventolava una mano all'indirizzo delle zie: "*Good bye! Good bye!*". Ma quelle non la vedevano e non potettero rispondere.

Le due ombre bianche disparvero in quell'aria fumosa e spessa senza che nessuno se ne accorgesse, disparvero lungo il muro, fra quei giovani in baldoria che tante volte, la notte, si erano seduti alla loro mensa per divorare il prosciutto e il salame, le frittate d'oro improvvisate da Niobe, l'insalata smagliante colta bagnata, al buio, da Palle nel podere: "Corrado, Franco, Bruno, Massimo, Renzo, Gastone, Alfredo, Sergio, Jim...".

Anche stavolta Remo aveva salvata la situazione: nessuno avrebbe dato loro la forza di salutarlo lì, sarebbero cadute.

Fuori c'era la macchina pronta con Palle. Vi salirono al modo di chi fugge, e Remo le diede una velocità che mal si addiceva alla veste delle donne che vi erano sedute, e che oramai non vedevano più che ombre e nebbie, ombre nere di corpi danzanti, ombre bianche di spose che si sfacevano in quelle nebbie.

La partenza era fissata per le cinque, erano le quattro passate, non c'era un minuto da perdere.

In pochi istanti vi giunsero attraverso Firenze e per la via Settignanese a velocità fuori legge.

Remo aveva salvato la situazione, e nello sballottamento della corsa, accatastandosi da una parte all'altra alle svoltate, per quanto in preda a quel penoso torpore gli si sentivano avvinte. Lo avrebbero salutato nella loro casa, lì non avevano paura dello smarrimento e del dolore come fra tanta gente.

« Vai a salutare tua madre » disse Remo a Palle scendendo dalla macchina, « io salgo in camera a prendere una cosa che ho dimenticato, e guarda che non abbiamo più di dieci minuti. » Entrato in casa, posò il cilindro sulla tavola e volò per le scale mentre le zie erano rimaste in piedi nel mezzo della stanza, ferme e fisse fuori della finestra alla luce cadente.

Remo era salito in camera a prendere una cosa che aveva dimenticato; quale? Eppure non risultava che avesse dimenticato nulla. Le cose che gli appartenevano erano state trasportate tutte al suo albergo nei giorni precedenti, e la visita fatta da Niobe e dalle zie nei mobili e per i cassetti era stata minuziosissima.

Si trattenne dieci minuti esatti, come aveva detto a Palle corso al vicino istituto per salutare la madre.

Verrebbe fatto di fantasticare sui dieci minuti passati dal giovane in quella stanza che lo aveva ospitato per dieci anni con tanto amore. Ammesso che egli nulla avesse da fare, nulla da prendere, è certo che in quei dieci minuti dovette pensare. Ma non è sempre facile dire quello che gli uomini in certi casi possono pensare. Diremo invece che gli uomini d'azione, nati per una vita tumultuosa, febbrile, e le cui ore sono sempre piene di avvenimenti, lasciano di tanto in tanto sul loro cammino delle radure, un piccolo vuoto perché gli altri al momento giusto lo possano riempire. Essi, che il loro tempo sanno tanto bene colmare da sé, sanno insieme che i pochi istanti concessi agli altri in quel dato punto, possono valere molto di più che se li avessero riempiti da loro stessi. Gli altri, mostrando di gradire il dono, vi metteranno dentro per dieci anni almeno. Per cui esso produce un favoloso interesse.

Quando ridiscese, frettolosamente, si avvicinò alle donne ancora nella medesima attitudine: le avvicinò, le strinse insieme forte. Quelle si lasciarono prendere, mettere insieme e stringere quasi fossero state due bambole. Le baciò entrambe sulle guance due volte.

« Arrivederci, ci rivedremo presto, ritorneremo a Firenze, Peggy ama tanto l'Italia e Firenze, e poi... chi sa... »

Era in quel "chi sa..." tutto lo spirito della sua vita senza programma, e il tono della voce era in quel momento di vera compiacenza e adattamento ad esse.

« La vita è fatta così », aggiunse per concludere, e subito ritornando nei propri pensieri:

« Non è vero Niobe? »

Abbracciò anche Niobe e la baciò. La donna sulla porta, parve un sacco di cenci fra le sue braccia, e rimase su quella, nell'ombra, nascondendo il volto nelle mani. Remo prese il cilindro dalla tavola e corse all'automobile.

« Arrivederle signore », disse Palle sporgendo mezzo viso dalla porta d'entrata, e toccandosi con la punta di due dita la visiera del berretto.

Anche stavolta non sentirono e non potettero rispondere.

Uscendo così a precipizio, come prima nell'entrare, Remo non si accorse che i muratori avevano abbattuto il muretto basso davanti alla casa e rifatti i fondamenti per costruirvi un muro più grande.

I due salirono rapidissimi sulla macchina e Remo, girando il volante e ponendola per l'ultima volta a velocità vertiginosa lungo la via Settignanese, pareva dire: "non si poteva fare meglio e di più". E forse aveva ragione.

E le due donne, dopo essere state strette e baciate da lui, caddero vicine ai loro telai, sulle loro seggiole. Vi rimasero inerti, irrigidite, senza piangere, guardando avanti il vuoto che disperdeva i loro sguardi. Da quel momento non avrebbero guardato che indietro per poter vivere. Dall'ombra della porta, col viso nelle mani, Niobe faceva sentire i suoi singhiozzi radi e bestiali: unico rumore.

Poi si decisero ad alzarsi, e con movimenti di automa piano piano a salire, a salire in camera per spogliarsi finalmente, mettersi in libertà, riposare dopo una giornata troppo superiore alle loro forze. Trascinavano la lunga coda bianca divenuta una spoglia dietro le figure nell'oscurità delle scale: disparvero come fantasmi.

Una volta in camera, appoggiatesi al letto ognuna dalla propria parte, sentivano di non avere la forza di togliersi quel vestito, sentivano il loro corpo di legno, e il vestito divenuto su di esso una pece bianca, una vernice, lo palpavano appena, lo strusciavano appena col polpastrello delle dita nella certezza di non potersene liberare; si sentivano due cose e tutt'una con quello. Si buttarono sul letto così. Era quasi buio. Dalla finestra, sul tetto della chiesa e sul piccolo campanile, palpitavano i focherelli della luminaria che coronava il giorno di festa.

Sepolte vive

Pastacaldi, il macellaio del Ponte a Mensola che ci aveva messo la prima ipoteca, era divenuto proprietario delle case; e proprietario del podere... indovinate chi era divenuto proprietario del podere: Fellino, sì, lui in persona, il contadino delle Materassi.

Sulla linea dov'era il muretto basso coi vasi poco rigogliosi davanti alla casa, avevano alzato un muro alto due metri e cinquanta, che partendo dal cancello correva lunghessa incassandola, formandole davanti un corridoio, togliendo respiro e luce a tutto il pianterreno che ora, con le sue inferriate rugginose, sembrava proprio un monastero, per non dire una prigione.

Era stato murato anche l'usciolino della cucina che dava sul campo.

Teresa e Carolina non si vedevano più che mezz'ora la domenica per ascoltare la prima messa. Correvano imbacuccate, tenendo la testa bassa o guardando avanti con ostentazione, fingendo di non vedere e di non conoscere nessuno per non essere costrette a salutare i loro antichi inquilini che le guardavano con alterigia ora che le vedevano rovinate.

Ma quelli non risparmiavano al loro indirizzo qualche colpo di tosse, o delle risatine insolenti per farsi sentire, perché capissero che si occupavano di loro, dei loro interessi, delle loro disgrazie, delle loro miserie; e taluno, per vecchio rancore, faceva di proposito e in atto di sfida delle risate aperte, sconce, offensive. Ne avevano fatte tante al loro indirizzo, commentandone ad alta voce l'operato e l'attuale stato tristissimo ora che nessuno le temeva, non essendo più padrone di nulla, ora che non erano per nessuno oggetto d'invidia e di ammirazione, ma di pietà. E specialmente la notte sotto la finestra della loro camera quando erano a dormire, per essere sentiti dalle poverette; e vi erano riusciti perfettamente facendole rabbrividire sotto le coperte, e dopo un impeto d'ira turarsi gli orecchi per la vergogna, e raccomandarsi al Signore.

E c'è di peggio: qualche sozzo furfante rimasto ignoto, aveva avuto la sfrontatezza di fare i propri bisogni sul loro cancello, proprio nel mezzo dove si doveva passare, e per maggiore spregio sporcandone di quelli le sbarre oscenamente. La povera Niobe, una mattina, aveva dovuto lavare bene bene le pietre e il cancello medesimo, con cristiana umiltà e rassegnazione, senza avere la forza di lanciare un'invettiva all'indirizzo di chi si permetteva tali vergogne ma solo levando gli occhi per chiedere a Dio di porre un argine a tanta inutile cattiveria. E rientrando poi nella casa, a capo basso, umiliata ed offesa, aveva borbottato a se stessa: "sarà, ma per me è roba di donne". Noi non vogliamo indagare sulle astrologie di Niobe.

In tutti i modi le avevano beffate ed offese. E non tanto per quello che avevano lasciato godere agli altri o per quello che credevano avessero goduto loro ma, soprattutto, perché erano cadute, perché erano vinte, per vendicarsi di quando erano state in alto, vittoriose.

Non vi era pretesto che le potesse chiamare al cancello né richiamo capace di farle affacciare alla finestra della camera che rimaneva chiusa sempre. Solo la domenica mattina si potevano vedere per correre alla prima messa, e ne soffrivano; avrebbero voluto non farsi vedere più da anima viva, ma per un principio morale radicatissimo non sarebbero riuscite a sottrarsi a quel dovere dello spirito che rappresentava, attraverso il tormento, un'elevazione.

Uscivano camminando rapide nel grigiore della mattina invernale, l'una serrata all'altra, rimanevano in ginocchio per tutto il tempo della messa, preganti con la faccia nelle mani o imploranti fisse all'altare; lì dove pochi mesi prima, nel magnifico vestito di seta bianca, tra veli e fiori d'arancio, erano rimaste sfidando il mondo su due poltrone d'oro ricoperte di damasco celeste.

Così rattrappite pareva espiassero quella colpa implorandone il perdono. Nella stanza da lavoro girellavano vagamente dall'una all'altra tavola, dall'uno all'altro mobile, come per dare assetto alle cose o per cercare degli oggetti col pensiero altrove. Dal grande armadio e dal cassettone traevano pezzi di stoffa che ripiegavano dopo aver spiegato e valutato con uno sguardo freddo, e che rimettevano dentro con disinteresse. Nastri, cordoncini, avanzo di merletti di cui facevano delle piccole matasse. Cercavano sapendo che non c'era nulla da trovare. Avendo l'aria di frugar nei cassetti di un familiare defunto, povero, di cui si passano in rivista le spoglie per formalità, con rispetto e distacco, e una vaga ripugnanza, senza la minima attrattiva, sapendo in precedenza di non trovare nulla d'importante o di piacevole.

Si capiva che quanto facevano non era dettato dalla necessità e, si può dire, non avesse senso.

Talora si arrestavano in questo maneggio guardandosi attorno deserte, in quella stanza che avevano sentito sempre colma di loro stesse da scoppiare e diventare vuota, vuota e inutilmente grande. Si sedevano non trovando per le mani una posizione plausibile. Affondando un dito, o più dita nei capelli, si grattavano la cute, e rimanevano poi fisse con le mani morte nel grembiule.

Alla porta si affacciava Niobe con le braccia penzoloni, quelle braccia che tra una faccenda e l'altra si puntavano ai fianchi attive e pronte, ora pendevano anch'esse.

Guardandole così non erano che tre mezzi limoni spremuti e gettati nel cantuccio delle immondizie.

Vendute le case, venduto il podere, finite fino all'ultimo centesimo le riserve, spariti i clienti fino all'ultimo.

Giselda aveva fatto varie corse a Firenze con piccoli oggetti d'oro e d'argento, e financo con oggetti di uso domestico da cui aveva ricavato poche lire.

Ora non c'era più nulla da vendere oltre i mobili e quelle mura alle quali si sentivano avvinte come le ostriche. Una volta staccate da quelle, se fossero riuscite a distaccarle, sapevano che sarebbe stata la mendicità più lugubre, ma non potevano nemmeno pensare a ciò, sentivano invece che sarebbero cadute morte sul cancello prima di poterlo varcare.

Trent'anni prima alla morte del padre, le condizioni della famiglia non erano tanto tristi: c'erano molti debiti da pagare, ma sulle case e sul podere c'erano solo delle ipoteche, e loro erano giovani, piene di ardore e di fede per riscattarle, ambiziose di veder trionfare la propria forza traboccante simile ad una febbre, il lavoro affluiva da ogni parte e dovevano respingerlo continuamente.

Ora, ovunque si voltassero, non vedevano che cenere, cenere, cenere... Sopra la cenere dei fantasmi lontani e inafferrabili: carrozze scalpitanti, automobili lucentissime che un tempo giungevano alla loro porta attratte per arcano, che ne avevano formato il prestigio e l'orgoglio, e per cui quella povera casa di campagna era apparsa per diecine d'anni un santuario del lavoro e della virtù, e tale la ritenevano tutti. Ora correvano, correvano lontane per altre vie, e il pensiero quasi non riusciva a distinguerle, a seguirle.

Questo ricordo le indispettiva, le faceva diventare aspre e cattive. Tutte quelle donne di lusso che avevano servito con fedeltà e passione per quarant'anni, a poco a poco le avevano abbandonate, perché erano vecchie, perché i loro occhi esausti non erano più capaci di maraviglie, e perché negli ultimi anni il lavoro non era stato l'unico pensiero, la sola ragione di vivere, perché erano stanche e distratte dalle vicende della vita. Quelle donne egoiste non erano andate lì che per prendere, per valersi dei loro prodigi che potevano acquistare senza sacrificio essendo ricche: ora che non potevano ripetere quei prodigi le lasciavano morire di fame. Avevano scatti d'indignazione e d'odio contro di esse, e di tanto in tanto tendevano l'orecchio in ascolto, ma inutilmente. Fantasmi che apparivano e sparivano sopra la cenere. E su tutto, come i rintocchi di una campana funebre, l'eco di una voce giungeva a serrare la gora, a lacerare il cuore: "Zi' Tè, Zi' Cà". Ma a poco a poco quello spasimo acre si scioglieva in dolcezza facendo inumidire il ciglio e sospirare a lungo.

Niobe l'avevano vista tornare a casa con mezza ruota di pane nascosta dentro il grembiule, un po' di verdura, serrando al seno qualche uovo con gelosia per la tema di romperlo, o portando coraggiosamente un fastello di legno che era andata a raccogliere nel bosco di Vincigliata. Nella casa non c'era più carbone.

Gli antichi inquilini assaporavano con mal celato piacere le tappe della graduale caduta, come un tempo le avevano seguite nell'ascesa a malincuore.

Sotto il muro innalzato davanti alle loro finestre, in quella piaggerella esposta al perfetto mezzodì e protetta dai venti del nord, Fellino, abbattuti i vecchi tigli che i loro occhi avevano visti con la luce, e i cui colpi d'accetta e di scure erano risuonati nel cuore quasi avessero costruito con quel legno la loro cassa funebre, preparava il terreno alle primizie: i pisellini teneri, le radicine e le prime zucchette, e non finiva mai di concimarlo per renderlo fertile. Le disgraziate, così altere e schizzinose quando erano padrone, ora dovevano tenere chiuse tutte le finestre per non sentire il fetore, e quasi fosse una pena alla quale per un supremo decreto non dovevano sottrarsi, lo sentivano ugualmente perché il puzzo penetrava dalle fessure.

Ma per nulla sarebbero state capaci d'insorgere contro il nuovo e legittimo proprietario che odiavano con accanimento, e piuttosto che domandare un pezzo di pane a lui o ai loro antichi inquilini sarebbero morte di fame.

Le sepolte vive non avevano il diritto di far sentire la propria voce.

Si trovavano in questo stato miserrimo e nell'atteggiamento di inutile attesa una mattina, e dopo molti stenti o ripieghi da parte di Niobe, in casa non c'era da mangiare.

Le padrone guardavano la serva interrogandola sul modo che il bambino malato guarda la madre, non riuscendo a persuadersi che essa, per lui onnipotente, non faccia qualche cosa per guarirlo: la guarda non sentendo vacillare la fede, ma chiedendosi perché non agisca.

La serva mortificata, annientata, sgomenta, guardava le padrone con promettente dolcezza, proprio nel modo della madre che sa essere l'ultima cosa in suo potere il nascondere la propria impotenza per non scoraggirlo di più.

Teresa fissava Niobe spiando una parola dal suo labbro, non riuscendo a capire perché non venisse da sé, perché non fosse stata già pronunziata in quelle circostanze. Non riusciva a capire, lontana ancora dal dubitare della generosità del suo animo e della sua dedizione completa: cercava un perché.

Si fece forza, con molta pena, e ruppe il ghiaccio.

« Niobe, senti Niobe, vieni qua. »

Presaga di quanto doveva uscire dalla bocca della padrona, la serva non accennava ad avvicinarsi per l'imbarazzo della risposta. E a Teresa tremava la voce nel dover dichiarare la triste realtà del proprio stato troppo apertamente.

« Cosa vuoi, per noi questo è un brutto momento, siamo senza lavoro, tu lo vedi, ma il lavoro tornerà, ne sono sicura, anderemo a Firenze, anderemo a trovare le nostre vecchie clienti, ci raccomanderemo, offriremo condizioni vantaggiosissime, ci accontenteremo di guadagnare poco, oramai... tanto per vivere, ma in questo momento non sappiamo proprio come fare; perdonami se ti domando un favore, te lo domando perché sono sicura del tuo buon cuore prima di tutto, ma soprattutto perché ho la certezza di poterti restituire quanto mi darai. In questo momento io non vedo scampo che in te... lo vedi come siamo... »

La donna coraggiosa, franca e sicura, non osava affrontare lo sguardo della serva: parlava torcendosi le mani e abbassando di continuo la testa. La serva, poveretta, abbassava la sua sempre più, alla maniera di chi, in colpa, si sente rimproverare giustamente. Anche Carolina teneva la testa bassa nell'istante della massima prostrazione.

In fondo a tutte le sventure e a tutte le lotte, era sempre stata una forza gigantesca a sostenerle: il pensiero delle loro mani prodigiose, invincibili, che nessuno poteva togliere. Ora veniva meno quella forza: le mani pendevano sui corpi disanimate, e non sapevano nemmeno più come tenerle. Ecco la realtà che non potevano accettare: il resto era tollerabile.

Mancandole il coraggio di farsi avanti di un passo, e mancandole anche il fiato per rispondere una sillaba, come Cristo nell'atto di lasciarsi crocifiggere, senza levare il capo, la vecchia serva aprì le braccia accettando la croce.

Assalita da un lampo, da una scintilla illuminatrice, Teresa sobbalzò, e reggendosi la fronte gridò:

« Li hai dati a lui, non hai più niente... »

Tacque il resto del proprio pensiero che sulle labbra si spense:

« E io mi chiedevo perché non mi avessi offerto già il tuo soccorso. »

Parve smarrirsi in quel pensiero e ritrovandosi riprese piano, con dolcezza, con vago sorriso sotto la pelle:

« Sei restata... senza un soldo anche te, povera Niobe... Ecco perché non dicevi nulla... E io che non riuscivo a comprendere... che bestia! »

Si guardava attorno, deserta e trasognata, si passò due volte una mano sulla fronte come quando sopraffatta dalla fatica alzava la testa per qualche secondo, per riprendere lei il comando della propria persona... Poi si sedette.

Carolina era rimasta con la testa bassa e le mani nel grembiule, quasi fosse estranea alla scena, e senza aver dato segno di capire.

Ma Niobe piano piano s'avvicinò, venne fra le sorelle ora che conoscevano la verità, e per sentirsi più vicina, per parlare con maggiore efficacia si sedette in mezzo a loro.

« Loro sanno bene che io, del mio salario, non spendevo quasi niente; sui libretti delle Poste ci avevo diecimila lire, lo sanno che ogni tanto ce li andavo a portare, se ne ricordano? Il mio salario lo mettevo tutto lì, si può dire, meno qualche cosina che mi serbavo per farmi un po' di biancheria, per comprarmi le scarpe o il grembiule, e per non rimanere proprio senza qualche centesimo in tasca. Le prime cinquemila glie le diedi sei anni or sono per comprare la motocicletta. »

« Ah! »

« Ah! »

Le sorelle si svegliarono insieme dal torpore.

« Ecco! Glie li avevi dati te. »

« Capiranno, loro non vollero cedere, s'impuntarono a dire di no, di no, di no sino alla fine... E io che cosa dovevo fare?... »

Teresa guardava Carolina con un raggio di luce nelle pupille, e Carolina guardava la sorella, riavuta, palpitante.

« Si era creduto sempre che glie li avesse dati qualche cialtrona. »

« Glie li avevi dati te. »

« Sì, cinquemila lire. »

« Ma la macchina costava dieci. »

« Il resto lo doveva pagare a respiro, per quella volta a me non domandò altro. E due anni dopo, se lo ricordano, la vendette per comprare la prima automobile. »

« Te lo dicevo io, quello piuttosto si sarebbe fatto ammazzare che prendere i quattrini dalle donne. »

Nel parlare una nuova vigorìa le invadeva tutte e tre, avvicinavano le seggiole, si stringevano insieme.

« E le altre cinquemila glie le dovetti dare quando due anni fa ritornò da Viareggio all'improvviso, mi disse che si trattava di un affare dal quale dipendeva tutto il suo avvenire, un affare che lo avrebbe messo al posto sull'istante. Capiranno... non volevo avere certi rimorsi sulla coscienza, povero giovane... Io poi, da molti anni, alla Posta non ci portavo niente, cosa vogliono... le spese erano molte, ci sarebbe voluta la zecca in cantina, altro che le mie miserie, e andare a pigliare i quattrini come si va a spillare il vino dalla botte. »

« La motocicletta glie l'avevi pagata te... »

« E a me non era venuto mai in mente... avevo fatto tante congetture... Era una cosa che mi aveva lasciata molto male, dico la verità, e quando si trattò della nuova macchina non ebbi la forza di resistere. »

La faccenda della motocicletta era il solo punto oscuro nella loro vita col nipote, e si chiariva per incanto. Teresa respirava su quel dubbio mai sopito. La motocicletta che il bel diciottenne aveva portato in casa con tanta disinvoltura era rimasta una nube fosca al loro orizzonte, ora respiravano sotto un cielo inondato di sole.

« Come per l'automobile, che si aveva paura se la facesse regalare da quella lassú, la contessa di Lenin. »

« Sie... » rispose Niobe ritrovando il suo tono di voce « sie... non le conoscono loro quelle donne; alla contessa piaceva di prendere e non di dare, ma il giovinotto la sapeva più lunga di lei, e faceva bene: anche a lui piaceva la roba fresca, e non le anticaglie, con tutte le sue regate. »

« Quella cialtrona. »

« Con quella non c'era da sbagliare. »

« Ma lui aveva capito subito che era in cerca di merli, la contessa. »

« E allora perché ce la strascicava davanti alla porta per delle ore? »

« Eh... ci sarà stata anche lì la sua ragione. »

« Capirai, vedere con quella vecchia scandalosa un giovane dabbene, non è una cosa che possa far piacere alle famiglie, per questo decisi di tagliar corto e comprare l'automobile. »

« Poi tante spesicciole, capirà, chi va fuori ha bisogno di molte cosettine per non scomparire vicino agli altri. »

Via via che parlava le sorelle si sentivano rianimare, e Niobe riprendeva la sua aria pacata, sorridente:

« Cosa vogliono, le lenzuola di casa sono tanto ruvide, sono buone per noi che si va a letto con la camicia; se avesse dormito anche lui con la camicia, non avrei detto nulla, ma tutto nudo a quel modo... non si poteva nemmen vedere. Gliene avevo comprate io di quelle buone, di lino, leggere e fresche; mi faceva troppa pena di saperlo in quelle lenzuolacce casalinghe, non aveva mica bisogno di grattarsi la rogna, era un avorio la sua pelle. E come fu contento quando se ne accorse! Perché lui non avrebbe fiatato, macché, non ci pensava neppure, fui io a vedere che la cosa non poteva andare. Via, siamo giuste, non stava neanche bene... »

Le due sorelle pendevano dalle sue labbra, la fissavano incantate; e per quanto nel parlare fosse suonato mezzogiorno non se ne erano nemmeno accorte. Non sentivano più le campane né l'accenno della fame.

« Era tanto buono, e come le gradiva certe finezze, come mostrava di capirle, di apprezzarle, era nato proprio per fare il signore. Ogni tanto mi regalava delle fotografie, anche da Viareggio me le aveva mandate. »

« Ah, sí, anche a te? E perché non ce le hai fatte vedere? »

« Sapevo che loro ne avevano tante... »

Era abitudine di Remo, quando si trovava in viaggio, di mandare alle zie delle istantanee, e qualcheduna ne aveva mandata anche a Niobe, o glie l'aveva regalata direttamente. Ma mentre le zie avevano mostrato le loro a tutti, fino all'esaurimento, Niobe aveva celato le sue. Ella pareva nascondere qualche cosa e sorrideva con malizia.

« Del resto le ho nel cassettone, posso andare a prenderle. »

Mentre le sorelle rimasero a guardarsi sorridenti e trasognate, ritornò di lì a poco con le fotografie, le sfogliarono insieme aumentando di curiosità. E Carolina, non potendosi trattenere, salì in camera a prendere le proprie, almeno trenta, per confrontarle con le altre di Niobe che non erano più di dieci in tutte. Le sparsero sopra la tavola. Ognuna rievocava un fatto, un luogo, un giorno, un istante. La conversazione si accese vivissima, scoppiando di esclamazioni e di risate come al tempo felice, quasi fosse risolta la difficoltà angosciosa in cui erano immerse. Parlare del nipote osservandone la figura attraverso le istantanee, rinvigoriva il cuore, rischiarava la mente, pareva che lui fosse ancora lì o dovesse arrivare per il pranzo da un momento all'altro. La prima cosa che saltò agli occhi dopo averle scorte tutte, si è che mentre in quelle delle zie Remo era sempre vestito perfettamente, in quelle di Niobe era in costume da bagno o da canottiere, in maglia e mutandine, in gruppo con altri canottieri o con amici, e anche con signorine; in pattino con Palle, o sopra uno scoglio. Le sorelle non si saziavano di guardarle facendo raffronti con le loro, ma attratte dalle nuove che non sospettavano, sporgendo maraviglie sulla bellezza e quadratura delle spalle, lo slancio delle gambe, le proporzioni del corpo e della testa rispettivamente, e in cui la forza non soverchiava mai la signorile eleganza ed armonia.

« O perché non ce le avevi fatte vedere? »

« Ma... »

Niobe nicchiava e nascondeva qualche cosa, si capiva subito, guardava le padrone sul punto di sbottare a ridere.

« Io ce ne ho un'altra veramente... se la vogliono vedere... »

« Dov'è? »

Pareva che la donna si peritasse, o volesse tendere ancora il filo di quella curiosità. Teneva una mano sotto il grembiule.

« Via, falla vedere. »

« Faccela vedere, và. »

« Perché non la vuoi far vedere? »

« Perché non ce l'avevi fatta vedere? »

« Che male c'è? »

Levò la mano di sotto e mise sulla tavola una fotografia più grande assai delle altre.

« Questa la mandò dentro una busta. »

In quella, più grande assai di una cartolina postale, Remo era solo e nudo con delle mutandine da bagno piuttosto piccole e succinte, per modo che ogni efficienza del corpo vi risultava in tutto il suo splendore. La fotografia era stata fatta sul limitare dell'acqua. Il giovane era a testa alta davanti al sole la cui vivida luce non giungeva a turbarne la serenità del viso, ma gli conferiva un leggerissimo accigliamento, un lieve cruccio che gli stava tanto bene. Aveva dietro, per isfondo, il mare.

Teresa rimase abbacinata come se ella medesima avesse fissato il sole. E Carolina, dopo uno sguardo che parve inghiottirla, scattò in piedi nell'atto di fuggire, gettò un grido, e ricadde a sedere.

Ci vollero alcuni minuti di raccoglimento prima di potere affrontare quel pezzetto di carta.

« Era proprio così, non c'è che dire, tale a quale » diceva Niobe fra il sogno e la veglia mentre le padrone, turbatissime, guardavano il ritratto.

Si volsero verso di lei.

« Io però lo sapevo che era fatto a questo modo. »

Più quelle lo fissavano avide.

« Capiranno, tutte le mattine dovevo entrare in camera tre o quattro volte, quando faceva il bagno e per la colazione. E poi, cosa vogliono, quando si spogliava non c'era nemmeno il tempo di scappare, ma nemmeno di voltarsi da un'altra parte sto per dire, di dire: *amen*, anche non volendo bisognava vedere. Faceva in un *fiat* a rimanere come il Signore lo aveva creato; io non lo so come facesse, ma bisogna riconoscere che lo aveva creato proprio bene, và... » concluse, appellandosi al ritratto.

Mentre Carolina si smarriva in quelle dichiarazioni Teresa, davanti alla fantesca ebbe un sorriso che le salì dal cuore, un fiotto di schietta giocondità come da tempo non aveva provato.

Sempre di più trasecolate le due sorelle, passando dall'una all'altra seguitavano a guardare le fotografie. Da quelle di Niobe passavano alle loro per ritornare subito alle altre dove il giovane era ritratto in costume da bagno o da canottiere; fino all'ultima, più grande, nella quale la sua nudità appariva in un'affascinante chiarezza. Lì finivano gli scandagli per ricominciare.

« E perché non ce le avevi fatte vedere? »

« Mah... non lo so nemmeno io, cosa devo dire... forse perché mi piacevano troppo lo confesso, e poi credevo che loro si sarebbero scandalizzate, per quanto non ci sia nulla di male, che male c'è? Ma le conosco tanto timide in certe faccende, tanto meticolose. E poi vedevo quelle che mandava a loro differenti dalle mie... »

A questo punto si sentì del rumore per le scale: Giselda scendeva.

A furia di sfogliare e commentare le istantanee era passato il tocco, l'ora di andare a tavola.

È necessario premettere che Giselda, per quanto non le avessero fatto confessioni o dichiarazioni precise, si era resa conto esatto delle circostanze disperate in cui si dibattevano le sorelle dopo la perdita d'ogni loro fortuna; e la cui mensa si componeva, da più di un mese, di cose venute a credito o in prestito, racimolate o elemosinate da Niobe nelle vicinanze non immediate giacché, come vi ho detto prima, le padrone rifiutavano qualunque forma di soccorso che potesse giungere per parte di quelli ch'erano stati i loro inquilini o sottoposti, beneficati un tempo, e che ora erano in grado di aiutarle.

Sentendo che il dramma si addensava rapidamente, Giselda scendeva con intenzioni nobili e generose, veniva per offrirsi, per offrire se stessa in aiuto alle sorelle divenute povere e vecchie; e per quanto le ritenesse colpevoli della propria rovina, sentiva che oramai era inutile odiare e recriminare, era venuto il momento di agire senza discussioni. Ella era più giovane di quindici anni e non estenuata dalla fatica come loro, sentiva nel cuore, profondamente nobile e solo amareggiato dalle avversità, un dovere e un bisogno impellente di rendere col proprio intervento e col proprio interessamento, almeno in parte i benefici ricevuti da esse per tanti anni, dimenticando in quell'ora quanto di aspro e di sgradevole era corso nella vita comune. La sua faccia appariva illuminata da una insolita pace, spianata, quasi dolce, pronta a parlare con serenità, a progettare, ad accettare consigli e a sporgere i propri per risolvere uno stato di cose intollerabile. Ma al quadro che le si presentò giungendo nella stanza, comprese a volo che le tre donne erano perdute beatamente nella contemplazione delle fotografie di cui era ricoperta la tavola: il sangue le diede un tuffo, una vampa d'ira e di sdegno le salì al capo gettandola in uno stato di delirio e rovesciandole di scatto il sentimento interiore: un moto superiore alle sue forze, alla sua stessa ragione. "Dopo quanto era successo, dopo la catastrofe irrimediabile dovuta esclusivamente alla loro imperdonabile debolezza, e che da uno stato di benessere le aveva sprofondate nell'indigenza assoluta, dopo tanti giorni di penuria e, quasi, di fame, col fuoco spento, vuota la dispensa e senza il becco di un quattrino dentro le tasche, le tre scimunite si estasiavano a guardare le fotografie di quel furfante che con tanta disinvoltura le aveva ridotte in simile arnese, intorno a quella tavola più liete assai che se fossero state davanti a un lauto pranzo..."

« Che si fa? » disse a denti stretti, bianca di furore.

Le tre donne levarono la testa in atto di assalire sentendosi assalite da quella voce dura e crudele.

« Ma che fate, si può sapere? »

« Quello che ci pare. »

« Stai a vedere che dobbiamo rendere il conto a te. »

« E non è l'ora di mangiare? »

Si guardavano l'una con l'altra sotto quello sguardo ch'era una lama di pugnale. Avevano dimenticato l'ora e la fame, era suonato il tocco e non sapevano che rispondere. Le fotografie avevano avuto il potere di trasportarle fuori della realtà, in un sogno felice dal quale non avrebbero voluto essere ridestate. La voce crudele della sorella le richiamò alla verità più triste. Si guardavano sentendosi assalire e invadere da un sentimento d'odio verso di lei eretta in atteggiamento di giudice.

« Non abbiamo fame » disse Teresa con tono ironico e disinvolta, quasi allegra.

« Non abbiamo fame » ripeté Carolina con affettazione.

« Ma io sì. »

« Provvedi. »

Giselda non sapeva più che cosa rispondere, come incominciare, quello che doveva venir fuori era troppo e le faceva ressa alla gola tutto insieme sul punto di esplodere anziché uscire.

« Provvedi... provvedi... certo, certo che provvederò, ma per me, soltanto per me, statene pur sicure, e non qui certamente, non qui dove non c'è più il tozzo per sfamare un cane... Certo che provvedo, e come, e ve lo faccio vedere subito come provvedo, statene pur sicure »; parlava a scatti, saltuaria e con affanno, « anderò a far la serva come ho fatto fin qui a queste belle signorine », s'inchinò per beffarle, « a queste belle signorine e al loro degno nipote » fece un secondo inchino rapidissimo schizzando fiele « ma almeno mi daranno da mangiare, e il salario alla fine del mese. Qui invece si lavora per la bellezza delle padrone. » Sorrise aperto e s'inchinò largamente. « Far la serva e non avere nulla, altro che delle smusate, e stare a denti asciutti: no, no carine, no, trovatevene un'altra per farvi scaccolare, io me ne vado, se Dio vuole. Lo avessi fatto prima, non mi troverei ora nelle peste: phuè! » Parve gettarsi sulle sorelle per morderle, ma tale atto si risolse in un grido di disgusto: « Phuè! » ripeté vomitando loro addosso il suo livore.

Le tre donne protese contro di lei, parevano volersi avventare per colpirla, ma un tremito convulso le tratteneva facendo agire le braccia inconsultamente.

« Via! »

« Via! »

« Via! »

Non riuscivano a trovare altra parola scacciandola a braccia tese.

« Via! »

« Via! »

Invece di aumentarne il furore, il rumore e la minaccia facevano prendere a Giselda il tono sarcastico di una velenosa canzonatura; e anziché ritrarsi mostrava di concedersi all'assalto delle loro intimazioni.

« Certo che me ne vado, e come, e non me lo fo neanche ripetere, vivano pur tranquille, le mie padrone, fanno bene a mandarmi via perché non hanno più bisogno della cameriera, siccome anche la cameriera vuole riempirsi lo stomaco quando suona mezzogiorno, ha bisogno di riempirsi lo stomaco la cameriera, e le padrone sono a corpo vuoto per sé, anche dopo il tocco e le due. »

« Fuori di casa nostra! »

« Fuori! »

« Via! »

« Ce le avrà vossignoria le caccole. »

Poco mancava non si addentassero quando Giselda, in preda all'ira, venne trasportata come dall'uragano su per le scale.

Le donne rimasero tremanti, palpitanti di collera al calor

bianco, mentre di sopra, in camera di Giselda, si sentiva camminare concitatamente, correre da una parte all'altra della stanza, muovere oggetti, rovesciar sedie, aprire e chiudere cassetti con fragore.

Calmatesi dalla collera, ora che non avevano più davanti la sorella inviperita, le tre donne si guardavano ancora ansando rado, riprendendo il respiro grosso, ravviandosi i capelli scomposti sulla nuca e alle tempie.

Ora guardavano le fotografie, ma senza intenzione, finché quella di Remo, nudo sulla spiaggia di Viareggio col sole in faccia e dietro il mare, ebbe la forza di richiamarle; anzi, ebbero esse la forza, dopo quel violento intervallo, di guardarla con coraggio, senza quella naturale timidità di cui parlava Niobe e dalla quale, scorgendola, si erano sentite invadere.

« O perché non ce le avevi fatte vedere? »

Assorta nel groviglio arruffato fino all'inverosimile, la serva sorrise appena.

Passò mezz'ora così, di torbido e disagioso silenzio, attraversato da sospensioni di attesa molesta, con l'orecchio sempre teso ai rumori nella stanza soprastante, ma senza volerlo dimostrare. Quel silenzio che precede un fatto grave e inevitabile, e che si prevede solo in parte, finché di nuovo si udì un gran fracasso per le scale. Giselda scendeva a precipizio con la cappa e il cappellino; in una mano una valigia e nell'altra legato con una fune, un grosso involucro.

Attraversò la stanza tanto mai concitata che l'ira la faceva sobbalzare, sussultare, senza neppure voltarsi alle tre donne, quasi non le avesse viste. Ma giunta all'uscio, assalita da un nuovo impeto che non seppe contenere, posata la valigia in terra al modo di chi essendosi dimenticato di qualche cosa ritorni indietro in fretta: si volse, fece tre passi per gettarsi sopra di loro:

«... strulle! » gridò. E fu come uno sputacchio la sua voce.

La montagna aveva partorito il topo. Quel pentimento venuto all'uscio, e la spina conseguente, non lasciavano prevedere il coronamento di questa modesta invettiva. Ma siccome Niobe vedendo una tale spinta si era scagliata contro coi pugni tesi per difendere le padrone:

«... bagascia!... budello!.... » le rovesciò sul grugno voltandosi due volte. E ripresa la valigia se la diede a gambe.

E quelle inseguendola fin nella strada e gridandole dietro:

« Fuori! »

« Via! »

« Vattene! »

« Fuori di casa nostra! »

« È l'ora, giuraddio! » gridava Niobe feroce.

« Via! »

Le grida, di dentro prima, quindi di fuori, avevano fatto accorrere gran gente smaniosa di sapere e di vedere quanto accadesse in quella casa divenuta oramai una sorgente di sorprese. Ma Niobe, chiuso con grande violenza il cancello dietro la partente:

« Tengano qui, reggano qui », gridava alle padrone « reggano qui, mi facciano il piacere » dando da tener chiuso il cancello con le mani mentre lei si accingeva a correre in casa per cercarne la chiave.

Le due sorelle vi si avvinghiarono tenendolo chiuso con tale violenza che quattro uomini non sarebbero riusciti e sradicarle. Esse non sapevano davvero perché stringessero tanto quelle sbarre, l'eccitazione dei nervi era giunta al parossismo e ne sfogavano la forza su quei ferri inconsciamente, mentre Niobe era corsa per cercarne la chiave, e mentre facevano smorfie e boccacce agli accorsi ed accorrenti che incapaci di muoversi e di fiatare, stavano a guardarle tenendosi a distanza, impauriti e annichiliti, quasi fossero due belve che tentavano di squassare i ferri della gabbia per correre a divorarli.

I fanciulli si stringevano alla veste della madre.

« Avanzate qualche cosa? »

« Cosa dovete avere? »

« Cosa volete, si può sapere? »

« Braconi! »

« Non ci avete mai viste? Guardateci ora. »

« Cosa c'è da guardare? »

« Guardate ai fatti vostri. »

« Guardate meglio le vostre figliole. »

« Chiacchieroni! »

« Pettegoli! »

« Andate a spazzare davanti al vostro uscio che ce n'è tanto del sudiciume. »

« Boccaloni! »

« Sudicioni! »

« Schifosi! »

« Di noi non potete dir niente, siamo dònne perbene. Ce ne vorrebbero molte delle donne come noi. Ce ne vorrebbero due in tutte le case, ma sì... hum!... »

Teresa, dopo un grugnito, fece l'atto di sputare sopra gli accorsi che aumentavano sempre, e Carolina, allungando una mano fuori del cancello faceva loro un palmo di naso riattaccandosi subito alle sbarre. La gente aumentava di continuo tenendosi a rispettosa distanza, ma smaniosa di vedere.

« Ci potete guardare, sì, guardateci pure perché delle donne come noi fu rotto lo stampo quando ci fecero, e le donne di questo paese sono un branco di troie. »

Nessuno osava fiatare né muovere un dito.

« Musi di ciuco! »

Veramente lo stupore aveva tanto mai allungate quelle facce da toglier loro ogni umana espressione.

Niobe giunse correndo, ma invece della chiave, che da mezzo secolo almeno non doveva più esistere, portò una catena col lucchetto.

Staccò a forza le padrone strette come due serpi inferocite, e che seguitavano a sbraitare. Girata quattro o cinque volte la catena intorno alle sbarre centrali v'introdusse il lucchetto e vi girò la chiave, rivolgendo essa un'ultima parola agli spettatori.

« Puzzoni! »

E rivolgendo loro, al tempo medesimo, un gesto del braccio supremamente plebeo e sconcio, incominciò a spingere le sorelle verso la casa.

Si chiusero dentro sbattendo la porta con tale impeto da lasciar credere che dovessero caderne i vetri fino all'ultimo, e respirando di sollievo si posero a girare avanti e indietro, a grandi passi e in tutti i sensi la loro stanza quasi ne sentissero un possesso totale come non avevano sentito fino a quel turbinoso momento. "Ah! Ah! Ora sì! Ah! Oh!" Spaziando e dilatando la persona al tempo stesso che dilatavano i polmoni: "Ah! Oh!".

Avevano perduto tutto, non avevano nemmeno da mangiare, ma si sentivano liberate dalla presenza inquisitrice del testimone ostile, del giudice crudele; dal nemico, dallo straniero. Sentivano per la prima volta di essere davvero padrone nella loro casa: "Ah! Oh!".

Come dopo un naufragio, estatiche, stupidite, con gli occhi sbarrati ancora per il terrore, reggendosi la testa con la mano, ora le sorelle stavano intorno alla tavola sulla quale erano sparse le istantanee di Remo in tanti vestiti e in tante pose. Quella in riva al mare di Viareggio emergeva su tutte. Gli occhi troppo grandi non battevano le palpebre, ma fissavano un punto senza nulla distinguere in un momento di collasso.

Niobe era l'eroe che non conosce riposo perché non conosce fatica. Rientrata in casa, nella sua giusta cornice della porta, considerava le padrone con un raggio di luce nello sguardo, quella vivida luce che non l'abbandonava neppure nei momenti disperati. Le considerava con una nascente fiducia il cui riflesso aumentava nelle sue pupille come sull'aurora la luce del sole. La invadeva una bramosia di parlare, si capiva che una parola le bruciava le labbra e ch'ella non era più capace di trattenerla.

Dopo un po' di questo silenzio pregno, Carolina, che non aveva smesso di fissare la tavola, quasi si risvegliasse dall'azione di un narcotico, alitò un filo di voce.

« Perché non ce le avevi fatte vedere? »

« Mah!... » rispose Niobe assorta attivamente nel proprio pensiero e tanto per rispondere « non lo so nemmeno io perché. »

« Questa è la più grande di tutte. »

« Già. »

« Noi non abbiamo di Remo un ritratto grande, solo queste istantanee. »

Parlava estenuata, distaccata, lontana, dolce.

« Del resto si può tirare un ingrandimento da quelle piccole » aggiunse Niobe per concludere un argomento a cui non era rivolto il suo interesse.

« È vero, sì, hai ragione » proseguì Carolina evanescente.

Teresa seguiva il dialogo e guardava le fotografie con uguale disinteresse, assorta nel proprio pensiero incalzante, assillante, finché facendosi forte non lo interruppe:

« Ma che ore sono, si può sapere? »

« Sono a momenti le tre » rispose Niobe senz'altro aggiungere.

Le sorelle si guardarono smarrite. Un senso di paura invadeva il loro animo, un principio di disperazione all'idea che non avevano mangiato e che in casa non c'era nulla da mangiare, per quanto non avvertissero il più vago sospetto della fame. Niobe comprese che quello era il momento esatto d'intervenire, giuocando dalla penombra della porta quella parola che le luccicava negli occhi simile ad una gemma, e dalla quale si aspettava un risultato confortante.

« Senta » esordì avvicinandosi a Teresa « senta, le devo dire una cosa... non glie l'avevo voluta dire fino a oggi, ma ora non ne posso fare a meno. Lei, poi, farà quello che crede, si capisce, ma sono sicura, anche se avrò sbagliato, che non mi vorrà rimproverare. »

Teresa la osservava con rinascente interesse, mentre Carolina annuiva debolmente alle parole della donna per la quale non era scossa la fede.

« La Rosina di *Bucce* fa sposa la figliola a Aprile, il corredo l'han bell'e fatto, l'hanno fatto in casa, da sé, ma pare che le piacerebbe di avere, per completarlo, almeno un sei camicie di lusso, di quelle fatte proprio col fischio, e magari qualche altra cosetta se ci potesse entrare, se fosse possibile. La figliola sposa uno che sta bene, è padrone di un forno a Firenze, si sono innamorati quando lei andava a lavorare da una sarta che sta vicino a lui, entra in una famiglia di gente in gamba, anche lei si vorrebbe fare onore, ha ragione, non le piace di scomparire, ci ha i soldi da parte. Le ho detto che io avrei fatto l'imbasciata ma che di mio non ci mettevo né sale né pepe: "sentirò, sentirò se è possibile". Sono contadine, si sa, ma dopo tutto i loro soldi pagano come quelli delle signore. Gli è che loro non sono lavoranti da contadine, glie l'ho detto alla Rosina, lo sa, "figliola", le ho detto, "io non ti posso dir proprio niente, chi sono le clienti e che lavori fanno le mie padrone lo sapete meglio di me, è roba da signorone, non è roba per la bassa plebe". È lei che in questi ultimi giorni mi ha dato le uova e il pane, mi ha dato anche un fiasco di vino e una boccia d'olio, ma senza impegni, si capisce, a buon rendere. Tutte le volte che vado là mi ripete: "sicché?". E io le rispondo: "bambina, sicché?". Qualcosa le devo rispondere. Io glie lo dico per dovere, so che è gente del posto, e i soldi li possono dare anche avanti. »

Sul principio, Teresa, corrugò la fronte, a questo inaspettato discorso, e Carolina subito si divincolò alla sua maniera per sfuggire a qualcosa di cui si sentiva afferrare molestamente; ma dopo quelle repulse, tanto naturali e giustificate, la prima alzò la testa ritrovando la sua antica fierezza di donna abituata a produrre.

« Vai, vai Niobe, vai pure dalla Rosina, dille che glie le facciamo le camicie, dille che le facciamo anche il resto, che le facciamo tutto quello che vuole. »

Per non aspettare un possibile pentimento o arretramento alla franca adesione, Niobe fuggì come il fanciullo che finalmente ha nelle mani l'oggetto agognato da tanto tempo, e le sorelle la sentirono scatenare e aprire il cancello nel tempo medesimo che avevano detto "sì".

La seguirono sulla via maestra e per una traversa fino alla casa di *Bucce*, che aveva il podere quasi al Ponte a Mensola, lungo il torrente, la sentirono pronunziare una risposta concitata, affannando per l'emozione.

« Eccola », disse Niobe presentando la contadina alle sorelle, « eccola qui. » E mentre loro incominciarono a discutere, a cercare e sfogliare modelli, disegni e figurini, nella cucina già si sentiva rumor di vita dove si era fatto a poco a poco silenzio di morte. E quando la Rosina partì, dopo avere stabilito con le Materassi quanto bisognava fare, Niobe si presentò sorridendo e chiamandole a tavola dove le aspettava una bella frittata con le salsicce.

Questa notizia si sparse con la rapidità delle cose inaudite: le Materassi cucivano le camicie per la figlia di *Bucce*.

Intorno alla casa incominciò un formicolare di donne e di donnette, di ragazze, un parlamentare a bassa voce, un ronzìo, un cicalare, sui colori, sui modelli, sui ricami, sulle pretese, e sul come avessero accolto la nuova cliente quelle donne abituate a trattare con le grandi dame. La Rosina di *Bucce*, l'Amelia di *Gozzo*, la Regina di *Mezzanotte*, la Luisina di *Stoppa*, la Maria del *Mela*, l'Assuntina di *Fringuello*, la Cesira della *Casanova*, l'Armida di *Gocciolina*, la Margherita di *Montesole*, la *Pantèra*, la *Bullegia*, la *Fracassa*... una vera processione che a poco a poco dalla casa di *Bucce* s'indirizzò, prima timidamente e quindi con spavalderia, verso la casa delle Materassi. Tutte le mamme che avevano le figliole da maritare, tutte le figliole che dovevano prepararsi il corredo. Teresa e Carolina vennero assalite, assediate. Avresti detto che tutte quelle donne, come un esercito celato abilmente da un bravo generale, non aspettassero che un segno per aggredirle. E non credete che si contentassero di lavori adeguati al loro stato umile, mai più, li volevano in tutto e per tutto come quelli delle dame o bisognava, almeno, dargliene l'illusione. Questo era il loro trionfo e il loro maggior piacere: il punto d'onore. Esigevano che ogni oggetto portasse il cartellino: "Sorelle Materassi", come le altre, e pretendevano le fatture intestate ai loro nomi dello Stato Civile, e non coi soprannomi che correvano su tutte le bocche: niente *Bucce*, *Gozzo*, *Cicche*, *Filze*, *Stoppa*, *Mezzanotte*, mezzogiorno o le tre, ma: "alla Signorina Rosa Cerotti, alla Signora Lucrezia Porcinai, alla Signora Regina Gambacciani, alla Signora Argia Bracaloni...". Con le partite bene spiegate e seguite dai numeri che andando via sillabavano ingenuamente, e se non sapevano leggere seguitavano a guardare, e in quegli arabeschi perdendosi golose. E Teresa, che un tempo aveva saputo trattare con arte la clientela illustre, con altrettanta maestria sapeva trattare questa, colpendola nella vanità senza sbagliare: "capite le finezze meglio delle signore, è più facile dargliela a bere a una di loro che a voi". Non era vero, ma la bugia faceva tanto bene e nessun male. Bisognava dir loro che soltanto i beni della fortuna le differenziavano da quelle, e che per il resto non esistevano differenze. E questo, Teresa, lo sapeva dire.

« Cosa credete, sono tutte apparenze le signore. Lavategli il viso, e levategli le belle cose che portano addosso e poi vedrete. »

Si contentavano di piccoli guadagni, adeguati alla nuova gente, e adeguati insieme alle loro possibilità tanto diminuite e che diminuivano sempre.

« Oramai... tanto per vivere. »

Solo una volta, Carolina, in un istante di sconforto e di stanchezza, gettando via il lavoro si divincolò in un vortice: "Uffa! Io non ne posso più fra tutte queste ciane".

Ma erano le ultime convulsioni di un tempo che non doveva più esistere. Teresa non rispose, e senza alzare la testa seguitò a cucire.

Anche le contadinelle facevano i regali alla chiesa per la Madonna di Ottobre, le sagrestane e le priore: una tovaglia per l'altare, la cotta per il prete, la pianeta o il piviale.

E una volta assuefatte al cambiamento posero amore al nuovo genere.

« Poverette » diceva Teresa « vengono qui coi quattrini in bocca, e quello che si fa va tutto bene. Spesso spesso le signore si facevano ganghire per riscuotere dopo averci fatto partorire per contentarle. »

E si deve aggiungere che come erano riuscite a ripristinare la loro forza cucendo la biancheria per le contadine e le operaie di una zona che diveniva ogni giorno paurosamente più grande, erano riuscite a ristabilire una vera e propria superiorità nelle vicinanze immediate. Si sarebbero fatte ammazzare piuttosto che cucire una camicia alle loro antiche inquiline; e non si può dire che cosa avrebbero risposto se la moglie di Fellino, già loro sottoposta, fosse andata a far proposte del genere. Ebbene, lo credereste, questa parzialità dispiaceva a fondo agli esclusi che si sentivano per ciò minorati di fronte al resto della popolazione. Fellino sarebbe stato tanto orgoglioso di render loro, per mezzo delle camicie e delle mutande, qualche soldarello che, veramente, avrebbe dovuto andare un tempo nelle loro tasche.

« I nostri quattrini non pagano come quelli di tutti gli altri? »

« Che cosa abbiamo fatto, noi, a quelle smorfiose? »

« È colpa nostra se sono andate a finir male? »

« Dovevano essere meno cretine. »

Si sentivano bruciare per la rabbia di non potere avere addosso, in qualche parte, uno di quei cartellini favolosi: "Sorelle Materassi". E loro specialmente che sapevano per esperienza lunga e quotidiana che volesse dire un tal nome nascosto sotto la veste.

« Cosa ci hanno con noi quelle due sbrèndole, quelle ciuffèche, quelle cirimbràccole, quelle cispose? »

E le sorelle da parte loro:

« Mi farei sbarbare gli occhi piuttosto che cucire la camicia a una di quelle. »

« Non glie la cucirei nemmeno per mille lire. »

« Anderei a stendere la mano, a strappare l'erba coi denti, morirei di fame piuttosto che mettere un punto per loro. »

E non appena la cassetta ricominciò, senza troppo fracasso a tintinnare, chiamarono Niobe:

« Guarda Niobe, il salario come prima non te lo possiamo dare, siamo troppo povere, ma quando avrai bisogno di qualche cosa i soldi eccoli qui, non ti riguardare, sono di tutte e tre: questa è la cassa comune. »

Niobe fuggì scandalizzata, e voltandosi alla porta prima di scappare in cucina, rispose:

« Io non voglio niente, non ho bisogno di niente, non devo avere niente, non ci sarebbe male, mi parrebbe di levarli di sull'altare. »

E un primo desiderio si riaffacciò nella riconquistata tranquillità e nel nuovo benessere.

« Non abbiamo di Remo un ritratto grande », ripeteva la sospirosa Carolina senza fine.

« Si può fare ingrandire uno dei piccoli, ci vuol poco », ribatteva Niobe, « quello che viene meglio, quello che piace di più. »

Ma passandoli e ripassandoli in rassegna tante volte parevano incapaci di decidere quale dovessero scegliere. Finché Niobe tagliò corto con le polemiche e anche stavolta, come il buon asino porge la groppa per portare un peso, porse la sua per levarlo dalle spalle delle donne.

« Questo », disse decisa esprimendo il desiderio comune, « è il più bello, il più grande, quello che viene bene. »

Le padrone dissero prima di no, ma era un no strascicato, dondolone: opposero che non stava bene tenere in mostra, in una casa di ragazze, l'ingrandimento di un giovane in mutandine da bagno e così piccole.

« Macché!... Macché!... » ribatteva Niobe « queste sono idee antiche. Loro non le sanno certe cose, i giovanotti d'oggigiorno sono sempre in mutandine, è la loro salute, fanno bene a educarli così, crescono sani, belli e forti, e di buon cuore; e restar sempre nella bambagia e attaccati alle sottane della mamma vengono su deboli, giallicci, maligni, ipocriti, calìe, e non si sa mai quello che covano dentro. »

Afferrò quindi un argomento inoppugnabile per convincerle:

302

« O in Piazza della Signoria non c'è il Davidde? »

« Sì, ci avevo pensato anch'io. Eppure vedi, Niobe, guardando il David si vede tutto... e non si sa niente. Forse perché è di marmo fa meno effetto. »

« E questo non è di cartone? »

« Intanto il David non è uno della nostra famiglia, e poi ci si fa coraggio guardandolo tutti insieme. »

« Vengano via... mi facciano il piacere... » concluse: « si lascino servire da me. Lo sanno anche loro che è proprio quello che ci vuole ».

Carolina aggiunse che Niobe aveva ragione, e che dalle altre, essendo troppo piccole, l'ingrandimento non poteva riuscire.

Niobe stessa andò a Firenze, e da un fotografo di Piazza Santa Croce fece eseguire un ingrandimento, due terzi circa della grandezza naturale, e venne appeso alla parete di centro nella loro stanza da lavoro, sotto vetro e in una bella cornice; per modo che ora entrandovi, il giovane appariva alto nel mezzo alle due sorelle. Ai lati di quello, due quadri più piccoli che contenevano, abilmente disposte, tutte le istantanee di Remo in tanti luoghi, in tanti vestiti, e fra tanti amici diversi: Franco, Sergio, Massimo, Corrado, Renato, Piero, Bruno, Ettore, Alfredo, Jim... ormai lontani anch'essi a un perduto orizzonte, ma tanto vicini al cuore. E nel disporle, per tre o quattro volte, quasi la cosa fosse avvenuta da sé, avevano fatto in modo, soprammettendole un pochino a malizia, laddove Remo era riprodotto vicino a lui, di ricoprire Palle: "quel maledetto Palle!".

Le contadine ammiravano il ritratto senza riserve, e volevano vedere da vicino e alla luce quelle piccine, staccando i quadri dalla parete e chiedendo spiegazioni di quello che volessero rappresentare, dei luoghi e delle persone: Viareggio, Montecatini, Venezia, Roma, Bologna, Milano...

« Nespole! »

« Come gli è fatto addosso! »

« Dimolto ma dimolto bene », interveniva in buon momento Niobe.

« Che impostura! » Impostura voleva dire imponenza.

« Che giovanotto distinto. »

« Che aria da signore! »

« Un signore si vede anche in mutande, care mie » seguitava Niobe. Teresa e Carolina si trattenevano dall'abbracciarle, e la loro gratitudine si riversava tutta sulle mutande e le camicie.

Facevano i confronti coi figli loro: "il milite, l'avanguardista, il premilitare, il calcista, il corridore, il pugile...". Anche loro erano sempre in mutandine:"anche il mio, come il mio, anche il mio è fatto così, ha certe spalle! Se vedeste che gambe! Non gli riesce di tenerle ferme. Anche il mio quando va a correre. Anche il mio quando si batte. Il mio bisogna tenerlo a dormir solo perché tira calci anche la notte, e i fratelli non ci vogliono stare. Il mio ha vinto quattro medaglie. Lo vedeste in uniforme!".

Le sorelle sorridevano concedendo alla clientela tutti i confronti, ma la sapevano lunga, e quando erano sole rimettevano al posto le cose:

« Poverette, sono i loro figlioli, hanno ragione, non gli si può dir di no. »

« Avrebbero il fresco cuore di far confronti anche dove è vestito? »

« Capirai, sono sempre figlioli di gente rozza, di bassa gente, cosa vuoi mettere? »

Per quanto potessero essere belli e forti i loro figlioli quello era eccezionale, fuori discussione.

E nessuno si faceva caso di trovare in quella stanza il ritratto di un giovanotto in mutandine.

« Hanno veduto? » diceva Niobe. « Avevo o no ragione? E loro avevano paura che non ci stesse bene. Glie l'ho

304

sempre detto che non sono al corrente di certe faccende. »

« Se fossero venute ancora le signore chi lo sa » rispondeva Teresa, « chi lo sa se si poteva tenere. Avrebbero arricciato il naso e storto un po' la bocca, probabilmente. »

« Sì » aggiungeva Niobe, « ma dopo avere aperto bene gli occhi. »

« Ah! Ah! »

« Ah! Ah! »

Indice

Aldo Palazzeschi

OSCAR CLASSICI MODERNI

Dostoevskij, Il sosia

Petrarca, Canzoniere

Wilde, De profundis

Fogazzaro, Il santo

Stevenson, Lo strano caso del dottor Jekyll e del signor Hyde

Alighieri, Vita Nuova e Rime

Balzac, Papà Goriot

Poe, Racconti del terrore, del grottesco, di enigmi (3 voll. in cofanetto)

Malory, Storia di re Artù e dei suoi cavalieri (2 voll. in cofanetto)

Alighieri, La Divina Commedia (Inferno)

Alighieri, La Divina Commedia (Purgatorio)

Alighieri, La Divina Commedia (Paradiso)

Cervantes, Novelle esemplari

Flaubert, Salammbô

Cattaneo, L'insurrezione di Milano

Pellico, Le mie prigioni

Fogazzaro, Piccolo mondo antico

Verga, Eros

Melville, Moby Dick

Parini, Il giorno

Goldoni C., Il Campiello – Gl'innamorati

Gogol', Racconti di Pietroburgo

Foscolo, Ultime lettere di Jacopo Ortis

Montaigne, Saggi (2 voll. in cofanetto)

Chaucer, I racconti di Canterbury

Shakespeare, Coriolano

Machiavelli, Il Principe

Guglielminetti, Il tesoro della novella italiana (2 voll. in confanetto)

Hoffmann E.T.A., L'uomo della sabbia e altri racconti

Wilde, Il fantasma di Canterville e altri racconti

Molière, Il Tartufo – Il malato immaginario

Alfieri, Vita

Dostoevskij, L'adolescente

Dostoevskij, I demoni

Leopardi, Canti

Dostoevskij, Memorie del sottosuolo

Manzoni, Tragedie

Foscolo, Sepolcri – Odi – Sonetti

Hugo, I miserabili (3 voll. in cofanetto)

Balzac, La Commedia umana. Racconti e novelle (2 voll. in confanetto)

Dostoevskij, Umiliati e offesi

Tolstoj, I cosacchi

Conrad, Tifone

Voltaire, Candido

Leopardi, Operette morali

«Sorelle Materassi»
di Aldo Palazzeschi
Oscar classici moderni
Arnoldo Mondadori Editore

Questo volume è stato stampato
presso Arnoldo Mondadori Editore S.p.A.
Stabilimento Nuova Stampa Mondadori - Cles (TN)
Stampato in Italia - Printed in Italy

N. 001436